《资本论》研究丛书
主编 陈 征 李建平

Karl Marx

Das Kapital

《资本论》解说（第四版）

第二卷

陈 征 著

海峡出版发行集团 | 福建人民出版社
THE STRAITS PUBLISHING & DISTRIBUTING GROUP | FUJIAN PEOPLE'S PUBLISHING HOUSE

目　录

第二篇
资本周转

第三篇
社会总资本的再生产和流通

马克思对剩余价值理论的伟大创造

——介绍《资本论》第二卷序言

恩格斯为《资本论》第二卷写的序言，叙述了马克思写作《资本论》的经过和无比认真的态度，介绍了马克思留下的手稿和恩格斯整理遗稿、编辑《资本论》第二卷的原则和做法，并着重揭穿了所谓洛贝尔图斯首创剩余价值理论和所谓马克思“剽窃”洛贝尔图斯的谎言，深刻论述了马克思对剩余价值理论的新贡献。序言中这部分的内容特别重要，它能帮助我们正确地、系统地理解马克思的剩余价值理论。下面着重就这个问题作些介绍。

驳所谓马克思“剽窃”洛贝尔图斯的谎言

1867年出版的《资本论》第一卷，为无产阶级革命提供了强大的思想理论武器，在工人阶级中产生了巨大的影响。资产阶级及其辩护士为了抑制《资本论》的传播，首先采取沉默，继而采取造谣中伤的种种手法，诬蔑马克思的剩余价值理论是从洛贝尔图斯那里窃取来的就是突出的一例。这种诬蔑，当马克思在世时只是个别人暗地里进行；而在马克思逝世后，“却由德国讲坛社会主义者——国家社会主义者及其信徒，当作不容置疑的事实加以宣扬，说什么马克思剽窃了洛贝尔图斯”。面对这伙资产阶级学者的无耻谎言，恩格斯曾在为马克思《哲学的贫困》一书所写的序言中给以驳斥[①]；现在，又在《资本论》第二卷序言中，“提出有决定意义的证据”，加以彻底地揭穿。

洛贝尔图斯（1805—1875），是德国的庸俗经济学家，资产阶级化的普鲁士容克地主的思想家，普鲁士“国家社会主义”反动思想的鼓吹者。

---

① 《马克思恩格斯全集》第21卷，人民出版社1965年版，第205—220页。

他所宣扬的“国家社会主义”，只不过是在资本主义矛盾尖锐情况下，为挽救资本主义而开出的欺骗群众的药方。按照洛贝尔图斯的意见，资本主义并不存在尖锐的阶级矛盾，它的严重缺点仅仅是分配问题，因此，在“社会主义”制度下，仍然要保持地主对土地的所有权，仍然要保持资本对劳动的控制权，只是要由国家直接进行分配，把国民收入的分配权掌握起来，这就是：以国民收入的三分之一，用证券的形式分配给工人，并在证券上标明他劳动的产物，然后工人凭这种证券去购买所需要的商品；至于国民收入的三分之二，则形成利润和地租（洛贝尔图斯统称为“租”），转入资本家和地主手中。他把这种国家对经济的直接控制，称之为“国家社会主义”。他鼓吹这种“国家社会主义”的目的，是为了保持地主、资本家对劳动人民的统治，用洛贝尔图斯自己的话说，是要“用一切可能手段来保持劳动、资本和土地所有权在社会经济上的阶级区分”[①]。

洛贝尔图斯的“国家社会主义”思想，为德国资产阶级庸俗政治经济学的流派之一——新历史学派所接受。这个学派的代表人物，如古斯达夫·施穆勒、阿道夫·瓦格纳、路约·布伦坦诺、威纳尔·桑巴特等人，鼓吹资产阶级和无产阶级之间的阶级和平，企图削弱阶级斗争，从讲坛上宣扬社会改革，以挽救资本主义制度的灭亡，于是这一学派就被讽刺地称为“讲坛社会主义”。他们不仅继承而且发展了洛贝尔图斯的“国家社会主义”思想，宣称国家的每一措施都是“社会主义的一点一滴”。马克思、恩格斯对讲坛社会主义进行了始终不渝的斗争，并揭露了它的反动的、反科学的性质。洛贝尔图斯的文稿编辑者鲁·迈耶尔就公开跳出来，捏造事实、欺骗群众，公布洛贝尔图斯的所谓“遗稿”，胡说什么剩余价值理论首先是由洛贝尔图斯创建的，马克思是从洛贝尔图斯那里剽窃来的，在洛贝尔图斯那里，剩余价值理论“本质上和马克思一样，不过更简单、更明了”。

恩格斯指出，从马克思创造剩余价值理论的过程看，和洛贝尔图斯

① 转引自《〈资本论〉典故注释》，中国人民大学经济学说史教研室编，中国人民大学出版社1962年版，第325页。

是没有任何关系的。当个别人在暗地里指责马克思剽窃洛贝尔图斯的剩余价值理论时，马克思自己是一无所知的。1843 年马克思在巴黎开始研究经济学时，是从伟大的英国人和法国人开始的，他当时主要是研究了资产阶级古典经济学家亚当·斯密、大卫·李嘉图以及资产阶级庸俗经济学家詹姆斯·穆勒等人的著作，至于对德国的经济学家，则只知道约翰·劳和李斯特，而对洛贝尔图斯，则根本没有听说过，更谈不上去研究他的著作了。只是到了 1848 年，为了批判洛贝尔图斯这位柏林议员的演说和他充任大臣的活动，才去了解洛贝尔图斯究竟是什么人。这时候，马克思和恩格斯在《新莱茵报》上发表了一些文章，如《汉泽曼内阁》《妥协辩论》《丹麦和普鲁士的休战》《柏林的危机》等，对洛贝尔图斯的政治活动，集中地进行了批判，但在那时候，马克思和恩格斯都不了解“洛贝尔图斯的经济学著作方面的任何东西”，所以对他的批判也就没有涉及经济思想方面。但在这时候，“马克思在没有洛贝尔图斯的任何帮助下，不仅已经非常清楚地知道‘资本家的剩余价值’是从哪里‘产生’的，而且已经非常清楚地知道它是怎样‘产生’的”。这就是说，这个时候，马克思已经在对古典学派进行批判地继承的基础上，为科学的剩余价值理论的创建奠定了坚实的基础，这从 1847 年马克思所著的《哲学的贫困》和同年在布鲁塞尔所作的讲演《雇佣劳动与资本》(1849 年在《新莱茵报》发表) 中对剩余价值的分析，完全可以得到证明。直到 1859 年前后，马克思才从拉萨尔那里知道还有洛贝尔图斯这样一个经济学家。可见，马克思在知道洛贝尔图斯之前，就已奠定了剩余价值理论的坚实的基础并发表了有关著作，怎么能说马克思的剩余价值理论是从洛贝尔图斯那里剽窃来的呢?!

恩格斯进一步指出，从所谓洛贝尔图斯的剩余价值理论的内容来看，它和马克思的剩余价值理论相比，在本质上是完全不同的。我们不妨看看，洛贝尔图斯在《第三封社会问题书简》中是怎样说明剩余价值的产生的：(1) 他把地租和利润之和统称为“租”(他所谓“租”，是指全部剩余价值，但他并未提出过剩余价值这个概念)；(2) 产品是按照它们所耗费的劳动来交换的，因而“租”的产生不是由于商品价值的“价值追加”，而是“由于工资所受到的价值扣除”；(3) 产品按照自然交换价值进行交换后，产品价值的一部分作为工资付给工人，另一部分作为“租”，即作为利润和地租分给资本家和地主，至于“租”的分配比例，是按农产品和工业品的价值比例，在工业和农业部门之间进行分配；(4)工业品不仅包含直接劳动，还包含机器、原料等的价值，农产品则不包括原料的价值，而工业和农业的资本利润都是按照工业的“租”的比率来计算的，所以农业的“租”除去用于农业利润之外，必然还有一个剩余，这个超额利润的剩余价值部分就形成地租。这就是洛贝尔图斯的“租”的理论，即所谓剩余价值论。试问：这种理论和马克思的剩余价值理论在本质上有多少共同之处？如果说马克思剽窃洛贝尔图斯，所能够剽窃的究竟有些什么呢?！下面我们还将看到，洛贝尔图斯的上述观点也不是什么新货色。

对剩余价值起源问题的研究

为了说明洛贝尔图斯的剩余价值理论怎样重复其前辈斯密和李嘉图的错误，没有提供什么新东西，特别是为了论述马克思创建剩余价值理论的伟大贡献，恩格斯回顾了对剩余价值起源问题研究的历史。

资本主义制度已经存在了几百年，生产剩余价值这一事实也已存在了几百年，由于这个客观事实的存在，人们渐渐想到剩余价值的起源问题。马克思以前的资产阶级经济学家，虽然也曾发现剩余价值存在的这一客观事实，并且在不同程度上研究过它的性质和起源，但是，他们始终不知道发现的究竟是什么，甚至连剩余价值这个概念也未提出过，当然不可能建立真正科学的剩余价值理论。

从经济思想史上看，最早对利润（实即剩余价值）来源提出见解的是重商主义者，他们从商品交换的反复实践中，认为“剩余价值产生于产品价值的追加”。这就是说，他们把利润说成是在流通领域中由于贱买贵卖而产生的，即由于价格高于价值的结果。这种观点虽然曾在重商主义者中间占统治地位，但实质上是错误的。重商主义的后期代表人物之一，英国资产阶级经济学家詹姆斯·斯图亚特（1712—1780）曾直接反对上述观点。他指出，在交换过程中，如果价格高于价值，一人之所得必然是他人之所失，这只是利润在当事人之间的平衡变动，不会引起社会财富的增加，当然也不会引起利润的产生。但是，彻底批判这种流通产生利润的错误观点，是由古典学派的杰出代表亚当·斯密完成的。

在亚当·斯密以前，英国古典政治经济学的创始者威廉·配第(1623—1687)，就曾从劳动创造价值的原理出发对剩余价值的来源作出了猜测。他的猜测，“只是从地租的形式来考察剩余价值的”[①]。他的所谓地租实际上就是剩余价值。但他把地租和剩余价值这两个范畴混同起来了，当然不可能把握剩余价值的实质。斯密比配第大大前进了一步，一方面，他提出了利润这个范畴（配第是不懂得利润这个范畴的），另一方面，他又指出了利润是来源于工人的无偿劳动。斯密说：“工人**加到原料上的价值，**在这里分成**两部分，**一部分支付**工人的工资，**另一部分支付**雇主的利润，**作为他预付在原料和工资上的全部资本的报酬。”[②] 这就是说，利润是工人新创造价值的一部分。斯密又说：“工人……必须把用自己的**劳动**收集或生产的东西**让给**土地所有者**一部分，**这一部分，或者说，这一部分的价格，就构成**地租。**”[③] 这就是说，地租也是由劳动者的无偿劳动创造出来的。斯密对利润和地租来源的论断，是建立在劳动价值论的基础上的。在这里，斯密已经知道，“资本家的剩余价值是从哪里产生的”，“以及土地所有者的剩余价值是从哪里产生的”。马克思在1861年已经坦率地承认了这一点，并就此对斯密作出了很高的评价，指出“斯密这样就认识到了剩余价值的真正起源”[④]。洛贝尔图斯所提出的关于利润和地租的来源仅仅是工资所受到的价值的扣除的观点，并没有任何超过斯密的地方，可是洛贝尔图斯和他的崇拜者却把斯密的成就一笔抹杀，硬说成是洛贝尔图斯的创造，真是厚颜无耻！

斯密关于剩余价值的理论虽然比他的前人前进了一大步，但还存在着严重的缺陷。他并没有把剩余价值本身作为一个专门范畴来研究，没有把剩余价值和它所具有的特殊形式——利润和地租区别开来，他不通过任何中间环节，就直接地把剩余价值和利润混为一谈。斯密，尤其是

---

① 《马克思恩格斯全集》第33卷，人民出版社2004年版，第218页。

② 亚当·斯密：《国民财富的性质和原因的研究》，转引自《资本论》第2卷，人民出版社2004年版，第14页。

③ 亚当·斯密：《国民财富的性质和原因的研究》，转引自《资本论》第2卷，人民出版社2004年版，第14页。

④ 《马克思恩格斯全集》第33卷，人民出版社2004年版，第56页。

李嘉图在研究中的许多错误和缺点，都是由此而产生的。例如，对于剩余价值转化为利润、利润转化为平均利润的过程，他们都无法解释，从而陷入了不可解决的矛盾。此外，由于斯密考察剩余价值的出发点的价值论是二元的，所以他的关于剩余价值起源的观点也是矛盾的。当他从劳动价值论出发时就得出了利润来源于工人的无偿劳动的正确观点；当他从收入决定价值的庸俗价值论的观点出发时又错误地认为，利润是生产费用的一部分，是资本的某种自然的报酬，地租是使用土地的自然而然的报酬，是农业中自然力发生作用的结果。这样，劳动创造价值的观点不见了，剩余价值来源的正确观点不见了，人剥削人的关系不见了，这显然是极其错误的见解。

洛贝尔图斯重复斯密的错误，没有区别剩余价值的一般形式和特殊形式。“他的‘租’只是地租＋利润之和”，这就是说，他也把剩余价值和它的特殊形式混同起来了。“关于地租，他提出了一种完全错误的理论”，这是指，洛贝尔图斯一方面认为地主和资本家一样，虽然是不生产的，但他的活动是有益的、必要的，因而应该从土地的形式上取得地租。另一方面他认为：在农业生产中没有原料耗费，因而经常存在超过普通利润的余额，从而形成地租，这就是说，地租是由于农业生产中没有耗费原料所引起的。“关于利润，他盲目地接受了他的前辈的说法。”这是指，洛贝尔图斯把利润看成是资本家因实现国家经济职能而取得的报酬。这种看法，和他的前辈资产阶级庸俗经济学家萨伊、西尼耳之流把利润说成是资本家的工资是完全一样的，这就掩盖了资本家对工人的剥削。而马克思的剩余价值理论，不仅深刻分析了剩余价值的一般形式，还按照他发现的一些十分独特的规律，进一步分析了利润、地租这些特殊的转化形式，并分析了从剩余价值转化为特殊形式所经过的中间环节。

古典学派的集大成者李嘉图，“比亚·斯密已经前进了一大步”。斯密对剩余价值的见解是建立在二元论的价值理论基础之上的，所以他对剩余价值的起源不能作彻底的说明。李嘉图始终坚持劳动创造价值的一元论，并把它运用到他的全部理论体系中，因而对剩余价值的认识更为首尾一贯。但在李嘉图的理论体系中，剩余价值并没有构成一个独立部分，而是从属于他的分配学说的。他认为：在资本主义条件下，商品的价值量只能由生产商品所耗费的劳动量来决定，价值量的大小和劳动量成正比；而劳动者所创造的新价值则成为各种收入的源泉。他把商品价值分解为工资、利润、地租三部分。在不支付地租的情况下，商品价值只分解为工资和利润，如果工资上升，利润就减少，如果工资下降，利润就增加。尽管工资和利润的比例发生变动，但商品的价值量是不变的。由于工资与利润的对立并向相反的方向变化，这就揭示出资本家和工人之间的对抗性矛盾，这就比斯密更彻底地发挥了剩余价值理论。可是，“在上述各点中，洛贝尔图斯没有任何一点超过李嘉图”，所谓洛贝尔图斯首创剩余价值理论，不是毫无根据吗？当然，李嘉图也有严重缺点，他所感兴趣的只是剩余价值的大小，或工资、利润、地租之间的比例关系问题，但“李嘉图从来没有考虑到剩余价值的起源。他把剩余价值看作资本主义生产方式固有的东西，而资本主义生产方式在他看来是社会生产的自然形式。他在谈到劳动生产率的时候，不是在其中寻找剩余价值存在的原因，而只是寻找决定剩余价值量的原因”①。由于李嘉图还不懂得生产商品的劳动的二重性，不可能建立科学的劳动价值学说，因而对剩余价值的本质及工资特殊形式还不可能有真正科学的说明，使得他的理论体系产生了内在矛盾，正是这些矛盾使李嘉图学派遭到破产。洛贝尔图斯不仅不能解决李嘉图学派的内在矛盾，而且重复了李嘉图的错误，把资本主义制度的“缺点”仅仅看成是分配问题，把剩余价值也从属于分配问题来研究，妄想由国家直接分配国民收入，并通过用证券的方法来代替货币工资，这纯粹是乌托邦式的空想，根本不可能对资本主义生产的实质有任何正确的说明。

也许有人认为，斯密、李嘉图等人关于价值和剩余价值的理论是为了研究资本主义经济，而洛贝尔图斯则是运用上述理论以研究社会主义为目的，这正是洛贝尔图斯的“首创”之处。事实是否这样呢？恩格斯尖锐地指出：“然而李嘉图关于价值和剩余价值的学说，用不着等到洛贝尔图斯的《认识》出现，才用于社会主义的目的。”早在洛贝尔图斯提出“租”的理论的21年前，人们就已经做了这样的尝试了。这就是1821年

① 《资本论》第1卷，人民出版社2004年版，第590页。

在伦敦匿名发表的一本小册子：《国民困难的原因及其解决办法》。这本小册子只有 40 页，它是以书信的形式写给当时英国大臣、自由党领导人约翰·罗素勋爵的。在这本小册子中，对资产阶级经济学家关于国民困难的错误说法提出了抗议，对资本主义的剥削则从经济学方面作了说明。马克思指出，这本小册子“包含一个超过李嘉图的本质上的进步”[①]。

这本小册子在剩余价值理论方面的功绩，首先是把剩余价值归结为剩余劳动。他说：“无论资本家得到的份额有多大，他总是只能占有工人的剩余劳动，因为工人必须生活。”作者明确地把剩余价值归结为剩余劳动，这是它“超过李嘉图的本质上的进步”。因为，“把体现在**剩余产品**中的剩余价值归结为**剩余劳动**，同把**价值**归结为劳动是一样重要的”。这一事实，虽然斯密也曾说过，李嘉图也把它作为阐述中的一个主要因素，但是，却从来没有把它以绝对的形式说出来并确定下来。其次，小册子还把企业利润、地租、货币利息，都看作是剩余价值的特殊形式，把“资本利息”看作是剩余价值的一般形式。他说：“谁都承认，支付给资本家的利息，无论是采取地租、货币利息的形式，还是采取企业利润的形式，都是用别人的劳动来支付的。”[②] 古典派经济学家，都只是在剩余价值的特殊形式上看到剩余价值的存在，都不了解剩余价值的一般形式，而小册子却“把剩余劳动或剩余价值的一般形式和它们的特殊形式区别开来了，李嘉图和亚·斯密却没有做到这一点”[③]。但小册子也有严重的错误，“就像李嘉图由于把剩余价值同利润混淆起来而陷入令人不快的矛盾一样，他也由于把剩余价值命名为资本利息而陷入同样的矛盾”。这就是说，小册子把剩余价值的一般形式命名为“资本利息”，而“利息”又恰巧是剩余价值的特殊形式的名称，这样，把特殊形式的名称作为一般形式的名称，这就往往又会把一般形式和特殊形式混淆起来。洛贝尔图斯同样也犯有上述错误，他用“租”这个剩余价值转化成的一个派生形式来称呼剩余价值，同样使这一名称成为一种极不确定的东西，同样把一般形式和特殊形式混淆起来。虽然同李嘉图不能区别剩余价值的一般

---

① 《马克思恩格斯全集》第 26 卷第 3 册，人民出版社 1974 年版，第 260—261 页。

② 转引自《资本论》第 2 卷，人民出版社 2004 年版，第 17 页。

③ 《马克思恩格斯全集》第 26 卷第 3 册，人民出版社 1974 年版，第 279 页。

形式和特殊形式相比，洛贝尔图斯毕竟前进了一步，但他没有把这种进步继续下去，而是停留在既要区分、又不能区分的未完成的形式上，并把这种未完成的理论作为他所谓“社会主义”的基础！而且，即使是这样一个并未完成的理论也还是来得太迟了，因为小册子是在 1821 年出版的，而洛贝尔图斯的“租”是在 1842 年才提出来的。小册子比他早 21 年。如果说剽窃，那只能是洛贝尔图斯剽窃小册子。

在 19 世纪 20 年代的英国，李嘉图派社会主义者就曾发表了大量的著作，利用李嘉图的价值理论和剩余价值理论来反对资本主义生产。用维护资本主义生产方式的理论来攻击资本主义生产方式，用资产阶级的武器来反对资产阶级自身，这本小册子不过是站在最前面的前哨。他们是李嘉图派社会主义者，和李嘉图学派是完全不同的。李嘉图的门人詹姆斯·穆勒和麦克库洛赫等人，口头上表示继承和维护李嘉图的经济学说，实际上对它作了歪曲和庸俗化，他们被称为李嘉图学派或李嘉图主义者，但都是些资产阶级的庸俗经济学家。和这些人不同，李嘉图派社会主义者则是从无产阶级利益出发来利用李嘉图的经济学说的，他们都是空想社会主义者，例如，欧文的空想社会主义理论就是以李嘉图理论为根据的。又如马克思在《哲学的贫困》一书中曾提到过的艾德门滋、汤普逊、霍吉斯金等等[①]，都曾以李嘉图的经济学说为基础来论证自己的社会主义学说。他们在 19 世纪 20 年代、30 年代就出版了大量著作，马克思早在《资本论》第一卷就曾多次引用过，可是洛贝尔图斯文稿编辑者迈耶尔和瓦格纳等人对上述情况却一无所知，还把洛贝尔图斯用李嘉图的剩余价值理论研究社会主义说成是伟大的创造，“竟把那些在亚·斯密和李嘉图那里就可以读到的东西，煞有介事地硬说马克思从洛贝尔图斯那里窃取来的”，可见他们已经堕落到何种地步！

马克思对剩余价值理论的新贡献

古典派政治经济学家对剩余价值理论的历史贡献主要是：（1）肯定了剩余价值的存在；（2）指出了劳动是剩余价值的源泉；（3）把剩

① 关于上述李嘉图派社会主义者诸人的情况，可参阅吴易风：《空想社会主义经济学说简史》，商务印书馆 1975 年版，第三章第四节。

余价值看成是资本家无偿占有的那部分剩余产品的价值；（4）从分配的角度研究了工资和利润的数量比例，从而揭示了资本家和工人的对立关系。马克思在《资本论》第四卷即《剩余价值理论》中，对古典学派剩余价值理论中所包含的上述合理因素进行了详细的分析和研究。

古典学派虽然有上述正确观点，但还没有形成科学的剩余价值理论，他们没有把剩余价值本身作为一个专门范畴和剩余价值的那些特殊形式区别开来，他们不理解，也不可能理解剩余价值的实质，他们无法说明剩余价值究竟如何，并且如何由工人劳动所生产但被剥削阶级所占有，甚至在他们那里连剩余价值的概念都没有。所以，他们虽肯定了剩余价值的存在，但不懂得所肯定的这个东西究竟是什么，当然，更不可能了解剩余价值生产在整个资本主义生产过程中的地位和作用，不可能揭示资本主义产生、发展和灭亡的客观规律了。这并不奇怪，古典派经济学家毕竟是资产阶级的思想代表，他们从剥削阶级的本能出发，意识到这个爆炸性问题对他们来说是十分危险的，因而不可能建立真正科学的剩余价值理论。

马克思坚定地站在无产阶级立场上，运用唯物辩证法研究资本主义经济，批判地继承了古典学派中正确的部分，在创建科学的劳动价值理论的基础上创建了真正科学的剩余价值理论，把剩余价值理论作为一把钥匙，用来解剖资本主义经济，深刻揭示了资本主义剥削的秘密，揭示了资本主义产生、发展和灭亡的规律，创造了无产阶级的政治经济学，在政治经济学领域里实现了伟大的革命。恩格斯在谈到马克思创造剩余价值理论和古典学派的剩余价值理论的关系时，曾以化学发展史为例：18 世纪在化学理论中，错误的燃素说处于支配地位，这种理论不能说明某些化学现象。到了 18 世纪末，英国化学家普利斯特列（1733－1804）析出了一种气体，但由于为既有的燃素说所束缚，他不知道这种气体就是氧气，而把它叫作“无燃素气体”。过了不久，瑞典化学家舍勒（1742－1786）也析出了这种气体，但同样不知道它是氧气，而把它叫作“火气”。后来法国化学家拉瓦锡（1743－1794）才发现这种气体是一种新的元素——氧气，驳倒了燃素说，创立了氧化燃烧说，从而使化学发生革命。虽然普利斯特列和舍勒首先析出了氧气，但不知道它究竟是什么，因此应该说，真正发现氧气的还是拉瓦锡。“在剩余价值理论方面，马克思与他的前人的关系，正如拉瓦锡与普利斯特列和舍勒的关系一样。”在马克思以前很久，人们就已经发现剩余价值的存在，但不能正确地说明它，或者像李嘉图那样，只研究工资和利润的分配比例；或者像空想社会主义者那样，只认为分配不公平，企图用空想的措施来解决。“于是，马克思发表意见了，他的意见是和所有他的前人直接对立的。在前人认为已有**答案**的地方，他却认为只是**问题**所在。他认为，这里摆在他面前的不是无燃素气体，也不是火气，而是氧气”。只有马克思才正确地说明了剩余价值，创建了真正科学的剩余价值理论，“使全部经济学发生革命，并且把理解全部资本主义生产的钥匙交给那个知道怎样使用它的人”。

那么，马克思关于剩余价值究竟说了些什么新东西呢？也就是说，马克思的剩余价值理论和他的前人相比究竟有哪些新贡献呢？

1. 马克思的剩余价值理论是建立在科学的劳动价值理论的基础上的。要知道什么是剩余价值，就必须知道什么是价值，就必须对古典学派价值理论进行批判的研究。马克思继承了古典学派的正确的因素，如劳动是商品价值的唯一源泉，价值由生产商品的社会必要劳动时间所决定，并把它作为劳动价值学说的出发点；但是，古典学派并没有真正探讨创造价值的劳动的性质，没有研究价值形式，没有揭示价值和价值形式的社会历史本质，马克思在批判他们错误观点的基础上进一步研究和解决了这些问题。“于是，马克思研究了劳动形成价值的特性，第一次确定了**什么样的**劳动形成价值，为什么形成价值以及怎样形成价值，并确定了价值不外就是**这种**劳动的凝固”，这就是：马克思发现了创造商品的劳动的二重性，研究了价值实体和价值形式，揭示了价值的社会性质，从而创建了科学的劳动价值理论，这就为剩余价值理论的建立提供了科学的理论基础。“而这一点是洛贝尔图斯始终没有理解的。”

2. 马克思的剩余价值理论又是建立在科学的货币理论的基础上的。科学的劳动价值理论是科学的货币理论的起点。马克思从研究商品和货币的关系开始，“并且论证了商品和商品交换怎样和为什么由于商品内在的价值属性必然要造成商品和货币的对立”。马克思揭示了货币的本质和职能，分析了交换过程的矛盾和规律，在这个基础上建立了详尽无遗的货币理论。这样，就为进一步研究货币向资本的转化提供了必要的理论根据。

3. 马克思关于劳动力商品的理论是解决剩余价值来源的关键。古典学派不懂得劳动力和劳动的区分，把劳动力的价值说成是劳动的价值，这就无法说明在等价交换的原则下剩余价值如何产生。马克思从分析货币到资本的转化开始，“并证明这种转化是以劳动力的买卖为基础的”。他对劳动力商品的价值和使用价值作了深刻的分析，从而指出：劳动力的使用价值是劳动，劳动创造价值，但劳动本身没有价值，只是劳动力才有价值；劳动力是商品，劳动不是商品；工人卖给资本家的是劳动力而不是劳动；劳动力是按自身的价值来进行买卖的，资本家支付工资来购买劳动力，同等价交换的原则并不矛盾；但是劳动能创造价值，劳动所创造的价值超过劳动力价值部分就形成剩余价值。由于马克思把劳动力和劳动区分开来，“他以劳动力这一创造价值的属性代替了劳动，因而一下子就解决了使李嘉图学派破产的一个难题，也就是解决了资本和劳动的相互交换与李嘉图的劳动决定价值这一规律无法相容这个难题”。

4. 马克思把资本分为不变资本和可变资本，“第一个详尽地阐述了剩余价值形成的实际过程”。古典学派对资本的实质作了许多错误的解释，从来也不懂得不变资本和可变资本的划分，当然也不可能揭露剥削的秘密。马克思把在生产过程中以生产资料形式存在的资本称为不变资本，它只是把价值转移到产品中去，并不增加价值量；把以劳动力形式存在的资本称为可变资本，它在生产过程中还会带来剩余价值；从而揭示了剩余价值不是由不变资本带来的，而是由可变资本带来的，并用实际材料论述剩余价值的生产过程，论述了价值形成过程和价值增殖过程的统一。由于区分不变资本与可变资本，这就“提供了一把解决经济学上最复杂的问题的钥匙”。例如，根据可变资本与剩余价值之比，得出剩余价值率，就可看出资本家对工人的剥削程度，这就纠正了古典学派把利润率与剩余价值率混为一谈以掩盖剥削程度的错误。又如，由于区分了不变资本与可变资本，才能创造出资本有机构成的理论，从而解决了平均利润、生产价格、地租等一系列问题。因此，恩格斯特别指出：“而这是他的任何一个前人都没有做到的”。当然，洛贝尔图斯也是完全不可能作出这种区分的。

5. 马克思还进一步研究了剩余价值本身，发现它的两种形式，即绝对剩余价值和相对剩余价值。他把用延长工作日的办法来增加剩余劳动时间生产出来的剩余价值叫作绝对剩余价值，把用缩短必要劳动时间的办法来相应地延长剩余劳动时间生产出来的剩余价值叫作相对剩余价值，“并且证明，这两种形式在资本主义生产的历史发展中起了不同的然而都是决定性的作用”。这就大大地丰富了剩余价值理论。

6. 马克思还根据剩余价值理论建立了“合理的工资理论”，并进一步研究资本主义再生产，“第一次指出了资本主义积累的各个基本特征，并说明了资本主义积累的历史趋势”。这就以充分的理论根据，论证了资本主义灭亡和无产阶级革命胜利的历史必然性，从思想上武装工人阶级和劳动群众，为反对资本主义统治而进行坚决的革命斗争。

7. 马克思还在《资本论》第三卷中研究了剩余价值转化为利润、利润转化为平均利润的过程，研究了剩余价值转化为商业利润、利息、地租的过程，这就揭示了剩余价值的各种特殊形式，从而解决了古典学派特别是李嘉图学派无法解决的又一个难题，即等量资本为什么能取得等量利润的问题。

马克思的剩余价值理论是一个科学的严整的理论体系。马克思以此为基础，研究了既有的全部经济范畴，克服了前人的错误和混乱，解决了前人无法解决的矛盾，创立了一系列的新范畴，揭示了新的规律，使政治经济学的发展进入一个崭新的阶段，从内容到形式都发生了根本的变化，第一次真正成为科学。恩格斯曾经指出：对于剩余价值问题的解决，“是马克思著作的划时代的功绩。这个问题的解决使明亮的阳光照进了经济学的各个领域，而在这些领域中，从前社会主义者也曾像资产阶级经济学家一样在深沉的黑暗中摸索。科学社会主义就是以这个问题的解决为起点，并以此为中心的”①。

可是洛贝尔图斯呢？读了马克思的剩余价值理论以后，竟然说什么，

---

① 《马克思恩格斯选集》第3卷，人民出版社2012年版，第584页。

“马克思对社会的入侵——我要这样来称呼他的著作——也应该这样来击退”；“马克思的著作与其说是对资本的研究，还不如说是对现代资本形式的攻击。他把现今的资本形式和资本概念本身混为一谈了”①。这样就明显地看出：洛贝尔图斯的水平和马克思的理论真是相差十万八千里，有什么剽窃可言呢?!

至于洛贝尔图斯在经济学其他方面的错误，概括起来就是：(1) 把剩余价值搞成乌托邦②，妄图在保留地租和利润的条件下，用证券代替货币，把“租”固定在三分之二的比例范围内，以消除资本主义矛盾；(2) 把资本主义经济危机产生的原因说成是“工人阶级的消费不足”，以掩盖资本主义的生产社会性和私人占有形式之间的矛盾③；(3) 围绕着工资是来源于资本还是来源于收入的问题，进行了毫无意义的争论；(4) 把地租理论作为他的理论的出发点和核心，而他的地租理论又是以农产品不包含原料价值这样一个错误观点作为基础的（关于这一点，马克思在《剩余价值理论》第二卷中进行了详细的批判）；(5) 关于土地所有权的建议，又是彻头彻尾乌托邦的，根本不可能解决任何实际问题。这样，我们就可以看出，洛贝尔图斯在经济学上究竟有多大的成就?! 他怎能和伟大的马克思相提并论呢?

李嘉图学派破产的原因

为什么李嘉图学派不能创建真正科学的剩余价值理论，相反，却在剩余价值问题上碰壁而遭到破产呢？从理论上说，有以下两点：

第一，不懂得劳动力和劳动的区别，因而把工人出卖劳动力看成是出卖劳动。但活劳动在和资本进行交换时，它的价值却小于所交换的对象化劳动，也就是说，工人出卖活劳动而得到的工资，却小于同量活劳动所创造的产品的价值，这就和等价交换的原则发生矛盾。结果是：如果资本与劳动等价交换，就不会产生剩余价值；如果资本与劳动不等价交换，就违反了价值规律。

---

① 转引自《资本论》第1卷，人民出版社2004年版，第609页。

② 这里指：洛贝尔图斯虽然看到了剩余价值存在的事实，但他根本不懂得剩余价值的起源和实质，却由此得出空想的反动的结论。

③ 参阅《资本论》第2卷，人民出版社2004年版，第457页注（46）。

第二，不能把剩余价值和平均利润区别开来。按照李嘉图的价值规律，在条件相同的情况下，两个资本使用等量的、有同样报酬的活劳动，在相同时间内就会产生价值相等的产品，生产相等的利润。如果等额的资本使用的活劳动的量不相等，它们就不能生产相等的利润。这种等量资本使用不等量劳动不能生产等量利润的观点，和资本主义的实际情况是完全相反的。资本主义生产的实际情况是：等量资本，不论它使用多少活劳动，总会在同时间内取得等量的平均利润。“因此，这就和价值规律发生了矛盾。”这就是说，按照实际存在的等量资本取得平均利润的现象，和李嘉图的价值规律的理论是矛盾的，因为按照李嘉图的价值规律的要求，等量资本是不能取得同量利润的。

“李嘉图已经发现了这个矛盾，但是他的学派同样没有能够解决这个矛盾。”李嘉图曾经在一封信中表示，对于价值规律原则的解释感到不满意，希望有一个比他能干的人来研究这个问题。事实上，这个问题，任何能干的资产阶级经济学家都是无法解决的。马克思曾经指出：“古典政治经济学几乎接触到事物的真实状况，但是没有自觉地把它表述出来。只要古典政治经济学附着在资产阶级的皮上，它就不可能做到这一点。”①对于这些难题，只有无产阶级的伟大导师马克思，创建科学的剩余价值理论，才能彻底加以解决。在《资本论》第一卷中，对上述第一个难题已作了精辟的回答。在《资本论》第三卷中，对上述第二个难题也作了彻底的说明。至于洛贝尔图斯，不仅不能解决上述难题，“却把它作为他的乌托邦的出发点之一”。恩格斯最后讽刺地说，“等到这个第三卷出版的时候，洛贝尔图斯这个经济学家，就用不着再提了”。历史实践提前证明了恩格斯的预言，随着《资本论》第二卷的出版，马克思剽窃洛贝尔图斯的无耻谎言，就像肥皂泡一样地破灭了。马克思所创建的真正科学的剩余价值理论，在人类思想史上永远散发出不能磨灭的灿烂光辉，照耀着亿万劳动人民向社会主义大道迈进。

---

① 《资本论》第1卷，人民出版社2004年版，第622页。

第二册

资本的流通过程

《资本论》第二卷的标题“资本的流通过程”，指出了第二卷研究的对象。马克思谈到这个问题的时候说：“在第一册中，我们研究的是资本主义**生产过程**本身作为直接生产过程考察时呈现的各种现象，而撇开了这个过程以外的各种情况引起的一切次要影响。但是，这个直接的生产过程并没有结束资本的生活过程。在现实世界里，它还要由**流通过程**来补充，而流通过程则是第二册研究的对象。”①

为什么资本的生活过程，在直接生产过程之外，还要由流通过程来补充呢？研究资本的流通有什么意义呢？

首先，研究资本流通过程，才能更全面地把握资本的实质。资本的运动是生产和流通的统一。资本的生产过程实质上是剩余价值的生产过程。用货币资本购买生产资料和劳动力，把生产出来的商品卖出去，从商品资本转化为货币资本，都是资本的流通过程，也是剩余价值生产的准备和实现的过程。资本只有在不断的运动中才能存在，才能发展，才能起到带来剩余价值的剥削手段的作用。马克思是把资本作为全书的研究中心的，把研究资本主义生产方式，揭露资本主义产生、发展和灭亡的规律作为本书的任务的。资本对剩余价值的榨取，是资本主义生产关系的实质。为了全面把握资本的实质，在考察资本的生产过程之后，还必须考察资本的流通过程。如果离开了流通过程，资本所反映的这种生产关系、阶级关系也就不能存在。因为资本作为阶级关系和作为运动过程二者是不可能分离的，资本的运动以阶级关系的存在为前提，而阶级关系又以资本的运动为条件。

其次，研究资本的流通过程，才能全面揭露资本主义生产关系的各种矛盾。资本在通过生产过程和流通过程的不断运动中，它的矛盾也就全面地尖锐地表现出来。为了全面地揭露资本主义生产关系的各种矛盾，深刻地理解它的历史暂时性，也必须在研究资本的生产过程之后，接着研究资本的流通过程。

第三，研究资本的流通过程，才能彻底批判资产阶级经济学的种种谬论。马克思是在批判资产阶级政治经济学的基础上建立无产阶级政治

---

① 《资本论》第3卷，人民出版社2004年版，第29页。

经济学的理论体系的，他把“政治经济学批判”作为全书的副标题。大家知道，资本流通中的现象是光怪陆离、千变万化的，不管是等价交换，还是不等价交换，都会虚假地颠倒地表现资本主义生产关系的本质，从而使人们产生种种幻想。有些资产阶级经济学者正是从资本流通中出现的现象或假象出发，制造出种种谬论，来歪曲资本主义生产关系的实质。为了彻底揭露资产阶级经济理论的虚伪性和反动性，也必须研究资本的流通过程。

必须注意，这里所研究的流通过程，并不是资本的单纯的流通过程，而是资本的生产过程和流通过程统一的流通过程，即流通的总过程。马克思在本书第一卷第七篇曾经指出：“一个货币额转化为生产资料和劳动力，这是要执行资本职能的价值量所完成的第一个运动。这个运动是在市场上，在流通领域内进行的。运动的第二阶段，生产过程，在生产资料转化为商品时就告结束……接着，这些商品必须再投入流通领域。必须出售这些商品，把它们的价值实现在货币上，把这些货币又重新转化为资本，这样周而复始地不断进行。这种不断地通过同一些连续阶段的循环，就形成资本流通。”① 由此可见，资本流通是生产过程和流通过程统一中的流通的总过程。第二卷所研究的，就是这个流通的总过程，它的中心在于分析剩余价值如何实现的问题。

第二卷共三篇、二十一章。第一、二篇，研究单个资本的再生产和流通，第三篇，研究社会总资本的再生产和流通。② 第一篇，研究单个“资本在它的循环中所采取的不同的形式和这个循环本身的各种形式”③，并谈到劳动时间和流通时间。第二篇，在资本不断循环的资本周转中，考察资本的周转速度和周转方式，考察资本周转对剩余价值生产的影响。第三篇，“考察这个社会总资本的流通过程”④，考察社会总资本在流通中各部分之间的相互关系。第二卷和第一卷一样，它所研究的，只限于产业资本，即投入物质生产部门的资本，如工业、农业、交通运输业的资

① 《资本论》第 1 卷，人民出版社 2004 年版，第 651 页。
② 参阅《资本论》第 2 卷，人民出版社 2004 年版，第 392 页。
③ 《资本论》第 2 卷，人民出版社 2004 年版，第 391 页。
④ 《资本论》第 2 卷，人民出版社 2004 年版，第 392 页。

本；至于商业资本、借贷资本，那是在《资本论》第三卷中才进行研究的。

从方法论来看，在《资本论》第一卷中，着重研究资本的直接生产过程，但也联系到必要的流通过程，指出“资本不能从流通中产生，又不能不从流通中产生。它必须既在流通中又不在流通中产生”①。“在那里需要考察的流通领域中的唯一行为，是作为资本主义生产的基本条件的劳动力的买和卖。”② 在第二卷，就进一步把直接生产过程和流通过程综合在一起，着重研究流通过程。在这里，把剩余价值的生产过程当作资本运动或价值形态的通过点来假定，把在第一卷中研究过的许多复杂问题舍象掉。这种假定和舍象是合乎科学原则的抽象法的具体运用，是马克思所一贯坚持的唯物辩证的方法论。

经济规律是不以人们意志为转移的客观经济发展过程的内在联系。在第二卷中，通过对个别资本和社会总资本以及它们相互关系的分析，揭示各个资本内部和各个因素之间的内在联系，揭示社会总资本的再生产和流通的规律。这种不以人们意志为转移的客观存在的经济规律，在各资本主义经济部门中，在各个资本运动过程中，在社会总资本运动过程中，都盲目地、自发地以种种形式表现出来。这些经济规律，有的是资本主义所特有的，有的是对一切社会经济形态都适用的，特别是社会再生产与流通的规律，如果撇开其资本主义的特点，在社会主义经济生活中也是发生作用的。斯大林说过：“马克思的再生产理论的一切基本原理，不仅对于资本主义社会形态是有效的，而且任何一个社会主义社会在计划国民经济时，不运用这些原理也是不行的。”③ 我们在为建设中国特色社会主义、实现中华民族伟大复兴的中国梦而努力奋斗的今天，研究马克思关于社会资本再生产和流通的理论、原则和规律，对于学习和运用马克思主义的立场、观点和方法，对于认识和利用社会主义的经济规律，充分发挥社会主义的优越性，都有极其重要的现实意义。

怎样阅读《资本论》第二卷，恩格斯在致维克多·阿德勒的信中作

---

① 《资本论》第 1 卷，人民出版社 2004 年版，第 193 页。
② 《资本论》第 2 卷，人民出版社 2004 年版，第 391 页。
③ 《斯大林选集》下卷，人民出版社 1979 年版，第 600—601 页。

了重要提示：

“第一篇。第一章要弄通，然后读第二和第三章就比较容易了，第四章是总的概述，也要用心读；第五和第六章容易懂，特别是第六章，谈的是次要的东西。

“第二篇。第七至九章是重要的。第十和第十一章尤其重要。第十二、十三、十四章也是一样。而第十五、十六、十七章先泛读一遍就行了。

“第三篇。这是重农学派以后第一次在这里对资本主义社会商品和货币的总循环最出色的阐述。内容很好，形式却难得可怕，因为（1）这里把按照两种不同方法进行的两次研究合并在一起，（2）第二次研究是马克思在经常失眠脑子有病的情况下勉强完成的。要是我的话，我就把它放在**最后**，在对第三卷进行了**第一遍**学习**之后。**对于你的学习来说，开头可以撇开这一篇。”①

① 《马克思恩格斯〈资本论〉书信集》，人民出版社 1976 年版，第 581 页。

第一篇 资本形态变化及其循环

第一章 货币资本的循环

本篇研究的直接对象是“资本在不同阶段所具有的不同形式”，以及“它在反复循环中时而采取时而抛弃的不同形式”。[①]

资本在不断的运动中的不同阶段表现在不同的形式上。表现在货币形式上的资本叫作货币资本，表现在生产资料和劳动力形式上的资本叫作生产资本，表现在包含着剩余价值的商品形式上的资本叫作商品资本。首先，资本家以购买者的资格，出现在商品市场和劳动力市场上，用货币购买生产资料和劳动力，即从货币资本转化为生产资本。这是资本运动的第一阶段。然后，资本家以生产者的资格出现，把他所购买的生产资料和劳动力结合起来，进行生产活动，生产出包含剩余价值在内的新的商品，即从生产资本转化为商品资本，这是资本运动的第二阶段。最后，资本家作为卖者，再回到市场，把生产的商品卖出去，换成货币，即从商品资本转化为货币资本，这是资本运动的第三阶段。资本总是依次经过这三个阶段，依次变换形式再回复到原来的形式，这种周而复始

① 《资本论》第2卷，人民出版社2004年版，第32页。

的资本运动，就构成资本的循环。我们所要研究的就是，资本在循环的不同阶段上所表现的各种不同形式，以及这些不同形式如何在运动的过程中不断地变换交替。

第一篇共六章，第一、二、三章分别研究货币资本、生产资本、商品资本的循环，第四章则把三种循环结合起来加以考察，对产业资本循环的特征进行全面分析，从三个形式的相互联系中全面地把握产业资本的总循环。资本循环既然是生产与流通的统一，在循环中就必须划分生产时间与流通时间，在流通时间内又必须消耗流通费用。因此，第五章研究流通时间，第六章研究流通费用。

第一章研究的是货币资本的循环。货币资本是产业资本采取的三个特殊形式之一。为什么马克思首先从分析货币资本的循环开始呢？这是因为：第一，从资本的生命史看，不管在理论上和逻辑上，资本都是从货币形式开始它的运动过程的；货币资本是资本主义生产方式的出发点。第二，货币资本循环的特征是从货币到货币，终点的货币多于始点的货币。这种循环最明确地表示了资本主义生产的性质和目的是为了取得更多的货币，即为了攫取剩余价值。第三，马克思是把货币资本循环的这个特殊形式和产业资本循环的一般形式结合起来进行分析的，通过货币资本循环的分析，同时也揭示产业资本循环的一般特点，这就有利于对产业资本总循环的本质系统的理解。

“为了纯粹地理解这些形式，首先要把一切同形式变换和形式形成本身无关的因素撇开。”这就是说，要运用抽象方法把与资本循环暂时无关的因素，例如，由劳动生产率的变化而引起的商品价值量的变化，由市场供求关系变化而引起的价格围绕价值的上下波动，以及不等价交换等现象都撇开不说，而假定商品是按照它们的价值出售的，而且假定这种出售是在不变的情况下进行的。

第一篇的前四章是比较难读的，因为是手稿，其中有些问题的联系不够紧密，论点比较分散，不容易把握。特别是第一章，应该说是最难的，如果把第一章读懂了，读第二、三、四章就容易些。

第一章是围绕 G—W…P…W′—G′这个公式，分析货币资本循环的三个阶段和三种资本的职能形态，第一、二、三节分析第一、二、三阶段，第四节综合考察货币资本的总循环，这实质上是第一至四章结构的再现，也是从抽象到具体的分析方法的进一步运用。

Ⅰ. 第一阶段 G—W

货币所购买的劳动力和生产资料之间，不仅有质的区别，而且有量的比例

在第一阶段，资本家用一定量货币去购买一定量商品，由货币资本转化为生产资本。本来，商品与货币相交换的买卖行为，对买者来说，是货币转化为商品，对卖者来说，是商品转化为货币，这是一般的商品流通，为什么这种流通会构成资本循环的第一阶段呢？这是因为，资本家用货币所购买的商品分成两部分，一部分是生产资料，另一部分则是特殊商品劳动力。如果用 A 表示劳动力，用 Pm 表示生产资料，其公式是 $G-W<^{A}_{Pm}$。其中，生产资料是资本家剥削剩余价值的工具，是进行资本主义生产所必需的物的因素；劳动力是进行资本主义生产所必需的人的因素，是创造剩余价值的唯一源泉，是使货币转化为资本的一个决定性条件。从表面上看，资本家用货币购买劳动力是一种商品的买卖关系，但在本质上包含着资本家对工人的剥削关系，反映着资本主义社会的一定的阶级关系。所以说，“使一般商品流通的这个行为同时成为单个资本的独立循环中一个职能上确定的阶段的，首先不是行为的形式，而是它的物质内容，是那些和货币换位的商品的特殊使用性质”。这里所说的“物质内容”和“特殊使用性质”，就是指劳动力商品。由于资本家用货币购买了劳动力，从而使商品货币的买卖关系产生资本主义性质，使一般的商品流通成为资本流通，从而形成资本循环的第一阶段。

$G-W<^{A}_{Pm}$不仅表示一种质的关系，“它还表示一种量的关系，即用在劳动力 A 上面的货币部分和用在生产资料 Pm 上面的货币部分的量的关系”。这就是说，用货币所购买的生产资料和劳动力之间存在着一定的量的比例。例如：生产 10 匹布，需要转移来的生产资料的价值为 70 元；

如果每一个工人一天劳动 10 小时可生产一匹布，就要雇佣 10 个工人，其日工资共 30 元，这就是说，生产 10 匹布要用 100 元的货币资本，并按 7∶3 的比例购买生产资料和劳动力。“这种量的关系一开始就是由一定数量的工人所要耗费的超额即剩余劳动的量决定的。”为什么呢？因为工人的劳动时间是分为必要劳动时间和剩余劳动时间的，必要劳动时间所创造的价值相当于劳动力的价值，剩余劳动时间创造剩余价值。资本主义生产的目的是榨取剩余价值，生产资料不但要供应必要劳动时间的消耗的需要，而且要供应剩余劳动时间的消耗的需要。在必要劳动时间已定的情况下，剩余劳动时间的多少就决定着所需要的生产资料数量的多少。如前例，如果工人一天必要劳动时间为 5 小时，剩余劳动时间为 5 小时，劳动一小时能转移 7 角的生产资料，10 个工人每天共劳动 100 个小时就能生产 10 匹布，就要有 70 元的生产资料（在这里，没有转移的生产资料的价值部分暂时撇开不说）；如果工人一天剩余劳动时间再增加 5 小时，10 个工人共增加 50 小时剩余劳动时间，就要追加 35 元的生产资料，共需 105 元的生产资料；相反，如果工人一天剩余劳动时间减少 2 小时，10 个工人共减少 20 小时，就要减少 14 元的生产资料，所需的生产资料就只是 56 元，而不是 70 元。由此可见，归根结底，剩余劳动量的多少决定着所需生产资料的数量，从而决定着所购买的生产资料和劳动力的比例。这种比例实际上就是资本的技术构成。生产资料是劳动的吸收器，“生产资料的数量，必须足以吸收劳动量，足以通过这个劳动量转化为产品”。如果购买的生产资料不够雇佣工人的劳动消耗，就会停工待料，劳动力就不能得到充分利用，资本家就剥削不到更多的剩余价值；如果购买的生产资料太多，雇佣工人的劳动消耗不了，就会有一部分生产资料被闲置，形成物资积压，资本的效能就不能充分发挥。这种生产资料和劳动力的比例，是在生产过程中客观形成的，直接关系到资本所能吸收的剩余劳动量，因而也是资本家所密切关心的问题。

由货币资本到生产资本的转化

用货币资本购买生产资料和劳动力的行为一经完成，资本家就掌握着支配劳动力的使用权，即支配劳动力进行劳动的权力，而劳动不仅能创造价值，还能创造出超过劳动力价值的价值，即剩余价值；同时还掌握着使工人进行劳动所必需的生产资料。就是说，这个购买行为一完成，资本家就掌握着使劳动力和生产资料相结合、进行资本主义生产、获取剩余价值的权利，这时，资本家的货币就转化为“处在具有创造价值和剩余价值的能力的”形式上的资本，称为生产资本，简写为P。

“但是，P的价值＝A＋Pm的价值＝转化为A和Pm的G。”这就是说，生产资本的价值等于劳动力加生产资料的价值，或者说，生产资本的价值，等于已经转化为劳动力加生产资料的原来的货币的价值。可见，原来的货币和现在的劳动力、生产资料是同一个资本价值，它们在价值量上是相同的，只是它们的存在方式不同，一个是处在货币形式上，一个是处在生产资料和劳动力的形式上。处在货币形式上的资本价值，称为货币资本。

因此，$G-W<^{A}_{Pm}$或它的一般形式G－W，这个商品流通的一般行为，作为资本循环的一个独立阶段来考察，“同时又是资本价值由货币形式到生产形式的转化，或者简单地说，是由**货币资本**到**生产资本**的转化”。

可见，在货币资本的循环中，资本首先采取货币资本的形式。

作为货币资本，它能够执行货币的职能，即用作价值尺度、流通手段和支付手段。“这种能力所以产生，不是由于货币资本是资本，而是由于货币资本是货币。”这就是说，资本家所以能够用货币资本购买生产资料和劳动力，是因为货币可以购买商品。可见，货币资本购买生产资料和劳动力的能力，是由货币本身的职能产生的，而不是由资本的职能产生的。而且，货币资本也“只能执行货币的职能，不能执行别的职能”。这种货币职能所以会成为资本职能，是因为货币资本执行货币职能时所购买的东西，是资本主义生产过程所必需的各种物质要素，没有它，资本主义的生产、从而资本的运动就无法进行。就是说，“货币职能在资本的运动中有一定的作用”，执行货币职能的阶段即购买阶段已纳入资本循环的特定阶段即生产阶段，这个阶段和资本循环的其他阶段即生产阶段是有联系的。

这种执行货币资本职能的货币，有一部分会由于这一流通本身的完成而不再执行货币资本的职能，而仅仅执行货币的职能。例如，工人把劳动力卖给资本家，取得一定数量的货币工资，从资本家方面说，这是货币资本，从工人方面说，是把劳动力商品转化为货币，然后再去购买必要的生活资料，这时候，这些货币就仅仅执行货币的职能，不会再执行货币资本的职能了。“这里，货币只是充当转瞬即逝的流通手段，只是充当商品和商品进行交换的媒介物。”

用货币购买劳动力是货币资本转化为生产资本的一个具有特征性质的因素

用货币购买生产资料，也可能是简单商品生产的交换行为。因此，要使货币转化为货币资本，要使货币资本转化为生产资本，关键在于：用货币购买劳动力即 G－A。“G－A 是货币资本转化为生产资本的一个具有特征性质的因素，因为它是以货币形式预付的价值得以实际转化为资本，转化为生产剩余价值的价值的重要条件。G－Pm 所以必要，只是为了实现在 G－A 中购买的劳动量。”有些资产阶级的经济学者不懂得资本主义生产方式的特征，错误地把资本主义经济说成是货币经济。他们认为，在 G－A 行为中，资本家购买劳动，工人取得工资，因而在工人和资本家之间只存在着货币关系。事实上，工人出卖的是劳动力而不是劳动；劳动是创造价值的，但它本身没有价值；价格是价值的货币表现，不能把工资说成是劳动价值的货币表现——劳动价格。G－A 表面上是买卖关系，实质上是资本家和雇佣工人的阶级关系。把 G－A 看成是货币经济特征的资产阶级经济学者，认为是货币关系产生资本关系，但是货币关系很早就存在了，货币并没有因此转化为货币资本。问题不在 G－A 的形式，因为在实际经济生活中，货币只是作为一般等价物，不管它同什么商品相交换都是没有关系的。因此，一旦劳动力作为商品出现在商品市场上，它的买卖采取工资的形式，那么，这种买卖和其他商品的买卖关系相比，从形式上看，并没有什么更引人注目的东西。因此，在这里，“成为特征的，并不是劳动力这种商品能够买卖，而是劳动力成为商品”。这就是说，特征并不在于劳动力是商品，而在于劳动力为什么会成为商品。因为劳动力成为商品，是要具备一定的社会条件的，这就是，劳动者和生产资料已经分离了。在劳动者和生产资料这两个生产的因素已经分离的条件下，要进行生产，就必须使两者结合，而这种结合在两者都已成为商品的条件下，只有通过货币资本到生产资本的转化才能完成。从资本家方面看：如果货币是第一次转化为生产资本，他就必须在购买劳动力以前购买一定量的生产资料，才能把劳动力利用起来。从工人方面看：他既然已经丧失生产资料，就必须把劳动力卖给占有生产资料的资本家，才能从事生产活动，但这时，它也就和生产资料一样，成为资本家的生产资本的一个组成部分了。所以，在G－A行为中，虽然是货币所有者和劳动力所有者之间的买卖关系，或者说，只是处在单纯的货币关系中，但是，这种买卖一开始，资本家就是生产资料的所有者，这种生产资料是作为资本家的财产和工人相对立，工人则是劳动力的出卖者，他的劳动力只有归他的买者——资本家支配，才能和生产资料相结合，才会有资本主义生产，才能使买者的资本真正作为生产资本来活动。“因此，资本家和雇佣工人的阶级关系，当他们在G－A（从工人方面看是A－G）行为中互相对立时，就已经存在了，就已经作为前提肯定了。”这是买和卖，是货币关系；但这种买卖的前提是：买者是资本家，卖者是雇佣工人。这种关系之所以会发生，是因为工人丧失了生产资料，生产资料已作为资本家的财产和劳动者相分离。至于劳动者怎样和生产资料相分离，在第一卷第二十四章“资本原始积累”中已经研究过了。事实上，在G－A进行时，这种分离就已经存在了。问题在于：“G－A表现为货币资本的一种职能，或者说，货币在这里表现为资本的存在形式，这决不只是因为货币在这里充当一种有用的人类活动或服务的支付手段，就是说，决不是因为货币有支付手段的职能。货币能以这样的形式支出，只是因为劳动力处在和它的生产资料（包括作为劳动力本身的生产资料的生活资料）分离的状态中”。所以，资本剥削剩余价值的关系能够在生产过程中出现，只是因为在生产过程开始之前，资本家和工人的阶级关系就已经存在了。这种阶级关系不是由货币的性质产生的；相反，单纯的货币职能转化为资本的职能，是这种阶级关系存在的结果。

完成货币资本到劳动力的转化需要一定的社会条件

从第39页第2段到41页第3段，进一步论述货币资本到劳动力的转化所需要的社会条件。

马克思批判资产阶级经济学者脱离社会条件、片面地理解货币资本职能的两种错误。第一，把资本采取货币形式所发挥的职能，错误地看成是由资本的性质产生的。其实，货币的职能只能由货币的本质产生，绝不可能由资本的性质产生。第二，把资本的职能（即由货币职能所引起、同时又成为资本的职能）说成是由货币的本性产生的。其实，资本的职能是由资本的本质所决定，绝不能从货币的性质来说明资本的性质。前者的错误是把货币的职能当成资本的职能，后者的错误是把资本的职能当成货币的职能，他们都是把货币和资本混同起来了。其实，货币要执行货币资本的职能，如完成 G－A 的行为，"需要一定的社会条件"，这就是：劳动者与生产资料相分离，劳动力成为商品。这种社会条件在简单商品生产的情况下是不存在的。

在奴隶占有制社会里，奴隶为奴隶主所占有，并作为商品出卖。这绝不是因为有了货币才产生奴隶买卖，而是因为有了奴隶制，货币才能用来购买奴隶。所以，用货币购买奴隶，是由奴隶制的社会条件所决定的。货币所有者手中即使握有大量货币，如果不具备奴隶制这个社会条件，他还是买不到奴隶的。同样，要使劳动力成为商品，也必须具备一定的社会条件，即"把原来的生产资料和劳动力的结合分开"，使不占有生产资料的劳动者和占有生产资料的非劳动者相对立。至于这种结合在分开以前采取什么形式，"是劳动者本身作为生产资料属于其他生产资料之列"，如奴隶，"还是他们自己就是生产资料的所有者"，如个体小商品生产者，是与问题无关的。"问题的实质，在这里作为 $G-W<\begin{matrix}A\\Pm\end{matrix}$ 行为的基础的，是分配。所谓分配，不是通常意义上的消费资料的分配，而是生产要素本身的分配"。这里所说的"生产要素本身的分配"，就是指生产资料归谁所有的问题，也就是生产资料的资本主义所有制的问题。由于资本家私人占有生产资料，劳动者和生产资料相分离，他们不得不出卖劳动力给资本家，因而劳动力成为商品，货币也就转化为资本。当然，问题还有另一方面，要使资本能够形成并且能够大量支配生产，还需要商品生产和商品流通发展到一个较高的阶段，使商品生产在经济生活中占统治地位。

接着，马克思以俄国的农业为例：1861 年俄国废除了农奴制，资本主义开始有了发展，逐步用雇佣工人来代替农奴，但俄国的地主经常抱怨两件事：其一是货币资本不足，但相对地说，这还是比较容易克服的困难，因为他们可以通过银行而“拥有别人的货币”，也可以通过生产过程由货币带来更多的货币；其一是劳动力供应不足，这是更典型的，因为还没有完全造成劳动者和生产资料相分离的社会条件。可见，问题的实质正是在社会条件，在阶级关系，而不在买卖关系、货币关系。

在资本主义社会里，不仅劳动者与生产资料相分离，存在着大量的雇佣劳动者；而且资本主义的再生产，还不断地大量地再生产出雇佣工人阶级，使越来越多的直接生产者变为雇佣工人；因此，雇佣工人经常大量存在这一客观条件是具备了的，所以，货币资本循环的公式，“已经包含生产资本形式的资本，从而也包含生产资本的循环的形式”。

总之，在 G—W 的第一阶段中，货币所以能成为资本，是由于它在运动中的地位和作用，是由于劳动力成为商品的这种社会条件和阶级关系；而这种阶级关系的存在，又是由于劳动者和生产资料相分离即生产资料的资本主义私有制所造成的结果。因此，可以说，货币资本转化为生产资本，是以生产劳动力成为商品为前提的，是以生产资料的资本主义所有制为前提的。

Ⅱ. 第二阶段　生产资本的职能

第二阶段是第一阶段的结果，第一阶段是第二阶段的先导

资本家用货币购买生产资料和劳动力，资本价值就取得了一种实物形式，这种形式的资本价值不能继续流通，必须转入生产领域。所以，“$G-W<\begin{matrix}A\\Pm\end{matrix}$的直接结果，是以货币形式预付的资本价值的流通的中断”。为什么不能继续流通，为什么必须转入生产过程呢？这是因为：工人不是卖身，而是出卖劳动力，而且不是出卖劳动力的所有权，而是出卖一定时间内的劳动力的使用权，工人不是资本家的奴隶，资本家不能再把工人当作商品出售，这是一方面。另一方

面，资本家购买劳动力的目的，是为了从劳动力的使用中取得剩余价值，而劳动力的使用即劳动，只有在劳动过程中才能实现，而为了劳动，必须有相应的生产资料；资本家购买生产资料的目的不是为了转卖，而是为了用它们来吸收剩余劳动。因此，资本家也只能这样来使用劳动力，就是通过劳动力把生产资料作为商品形成要素来使用。所以资本家购买了生产资料和劳动力后，必须把它们结合起来，进入资本的生产阶段。

第一、二阶段的资本运动表现为 $G-W<\begin{matrix}A\\Pm\end{matrix}\cdots P$，虚线表示资本流通的中断，但资本循环仍在继续。因此，第二阶段是第一阶段发展的结果，第一阶段是第二阶段的先导。

劳动力与生产资料以生产资本的形式相结合

要使劳动力与生产资料以生产资本的形式相结合，必须以商品生产和商品流通的高度发展为前提。第 42 页第 3 段至 44 页第 1 段，分析了这种结合的前提条件，概括地说，包含有如下几点：

第一，资本家不仅是货币所有者，而且必须是商品生产者。因为他投入货币，目的是为了取得更多的货币；而更多的货币取得只有靠商品的出卖，因此他必须生产商品。

第二，工人必须是把劳动力作为商品的出卖者。工人为了维持生存，每天都要进行消费，不断地以出卖劳动力所取得的工资购买生活资料。这样，一方面，资本家必须不断以货币资本作为工资支付给工人，另一方面，市场上必须有必要的生活资料可供工人购买。

第三，社会分工不断增进，作为商品生产的产品越来越专门化，不仅生活资料成为商品，而且生产资料也成为商品，从而出现许多独立的行业、专门的生产过程。“因此，G－A 发展到什么程度，G－Pm 也发展到什么程度”；这就是说，劳动力商品化的程度越发展，资本主义生产关系越发展，生产资料就越是作为商品在市场上出现。生产资料的生产，会和用这些生产资料来生产商品的生产相分离而成为独立的生产部门。于是，生产资料成为商品，和每一个商品生产者相对立，他不生产它们，但为了生产又必须购买它们。因此，“商品生产的物的条件，会以越来越大的规模作为其他商品生产者的产品，作为商品，和他相对立”。

第四，资本主义商品占统治地位。资本主义商品生产越发展，就越使旧的生产形式不断破坏和解体，而包罗在资本主义商品生产的体系之下。“它首先是使商品生产普遍化，然后使一切商品生产逐步转化为资本主义的商品生产。”这就是：先把自然经济转变为简单商品经济，然后再把简单商品经济转变为资本主义商品经济。

接着，马克思讲了一个极其重要的原理：“不论生产的社会的形式如何，劳动者和生产资料始终是生产的因素。但是，二者在彼此分离的情况下只在可能性上是生产因素。凡要进行生产，它们就必须结合起来。实行这种结合的特殊方式和方法，使社会结构区分为各个不同的经济时期。”这就是说，劳动者和生产资料相结合的特殊方式和方法，是划分经济时期的标志。例如，在奴隶社会，奴隶主不仅占有生产资料，而且把奴隶当作会说话的工具完全占有，奴隶只能在奴隶主占有的领土上进行无偿劳动，从而形成奴隶占有制的生产方式。在封建社会，地主占有土地等生产资料，农民只能租种地主的土地，按期交纳地租，在这种租佃关系中实现生产资料与劳动力的结合，从而产生以自然经济为特点的封建生产方式。在资本主义社会，工人和生产资料的分离是既定的出发点；为了使工人和生产资料相结合，工人必须把劳动力卖给资本家，在资本家的工厂里进行劳动，因此，工人和生产资料都作为生产资本的存在形式而结合起来进入现实的生产过程。所以，这种结合过程“本身就成为资本的一种职能”。在资本主义社会里，劳动者与生产资料的结合是以生产资本的形式而实现的。“商品生产的每一种经营都同时成为剥削劳动力的经营”[①]，这是指：任何商品生产的经营都同时将要变为剥削劳动力的经营，“但是，只有资本主义的商品生产，才成为一个划时代的剥削方式”。这就是说，只有生产资料和劳动力的资本主义结合，才使社会的整个经济结构发生根本的变革，才会产生资本主义的生产方式。

有人把生产资料和劳动力的结合只看成是资本构成问题。这种看法

① “决不能把这句话理解为任何商品生产的经营都是剥削劳动力的经营。简单商品生产会自发地发展为资本主义商品生产，但它本身还不是剥削劳动力的经营。”参看张薰华、洪远朋：《〈资本论〉提要》第2册，上海人民出版社1978年版，第193页。

是不妥当的。资本构成主要是指生产资料与劳动力相结合的比例，这里所说的结合，并不是指它们之间的比例，而是指它们的结合方式，也就是说，劳动者和生产资料是在何种生产资料所有制的基础上结合起来的。因此，社会经济时期的划分首先是由生产资料所有制决定的。

作为生产资本要素的生产资料，同劳动力是有区别的。从它们在生产过程中对价值形成过程和价值增殖过程所产生的作用看，可以区分为不变资本和可变资本。不变资本只是生产剩余价值的必要条件，可变资本才是带来剩余价值的唯一源泉。这在第一卷第六章已详细研究过。如果从生产资本不同的组成部分看，生产资料即使在生产过程之外也还是资本家的资本，而劳动力在生产过程之外则是为劳动者自己所有，并不是资本家的资本，劳动力只是在劳动者把它卖给资本家，资本家掌握了它的使用权，使它和生产资料结合时，才成为资本。也就是说，“劳动力却只有在生产过程之内，才是单个资本的存在形式”。但是不管它们之间有怎样的区别，二者都必须在生产过程中结合起来，才能成为资本。离开了在生产过程中的结合，二者都不能成为资本。因此，劳动力和生产资料都非天然是资本，它们只是在一定的历史发展条件下，才取得资本的这种独特的社会性质。就是说，只是在资本主义的生产中，生产资料成为剥削剩余价值的手段，而劳动力又成为创造剩余价值的唯一源泉，这时，劳动力和生产资料才成为生产资本。

生产资本的职能

本节最后一段着重讲了生产资本的职能。马克思说：“生产资本在执行职能时，消耗它自己的组成部分，使它们转化为一个具有更高价值的产品量。”简单地说，生产资本的职能，就是生产剩余价值。如果生产资本只是生产某种使用价值，某种物质资料，而不生产剩余价值，即“一个无须他花费任何等价物的价值”，就不成为生产资本。因此，生产资本发挥职能时所生产出的商品中所包含的价值量，“等于生产这种商品所耗费的生产资本的价值 P，加上这个生产资本产生的剩余价值 M”。

Ⅲ. 第三阶段 W′−G′

货币资本循环的第三阶段是 W′−G′，即由包含着剩余价值的商品转化为包含有剩余价值的货币。过程的结果是：资本家一方面收回了已经预付出去的资本，另一方面又实现了剥削来的剩余价值。

现在，对 W′，W′−G′，G′，依次进行分析。

对 W′的分析

什么是商品资本？马克思指出："商品，作为直接由生产过程本身产生的已经增殖的资本价值的职能存在形式，就成了**商品资本。**"这就是说，由资本主义直接生产过程创造出来的、包含着剩余价值的商品，形成商品资本。商品和商品资本的区别，并不是由于它的自然属性，而是看它是否包含着剩余价值，是否在生产过程体现了资本家对工人的剥削关系。资产阶级的烦琐经济学就不是这样，他们往往从商品的属性和用途方面来区分商品和商品资本。例如，英国的资产阶级庸俗经济学家约翰·穆勒就认为，只有在生产中必须使用的物质资料才是资本，因而资本和商品的区分，就是由它作何用处来决定。也有的资产阶级经济学家把生产资料说成是商品资本，把消费资料说成是一般商品。他们不能正确区分商品和商品资本的主要原因是，不懂得资本是一定的社会生产关系，不懂得从生产关系上来区别商品和资本。

作为商品资本，它首先必须执行商品的职能。如果构成资本的这种物品不能出卖并转化为货币，它也就无法执行商品资本的职能。那么，是什么使商品的职能同时又成为商品资本的职能呢？我们知道，在 W′−G′这个行为中，商品的使用性质和价值量都没有发生变化，而"仅仅发生了形式变换"，就是说，资本价值先存在于 W′上，然后再存在于 G′上。第三阶段上的商品所以成为商品资本，和第一阶段上的货币所以成为货币资本，是有本质上的区别的。"在前一个阶段上，预付的货币执行货币资本的职能，是因为它借助于流通而转化为各种具有特殊使用价值的商品。在后一个阶段上，商品能够执行资本的职能，只是由于在它的流通开始以前，它已经现成地从生产过程中取得了资本性质。”这就是说，在第一阶段，货币之所以具有资本性质，是由于它在流通中购买到特殊商品劳动力以及各种生产资料，为资本主义生产提供了必要条件。在第三阶段，商品之所以具有资本性质，是由于在流通开始以前，在生产过程创造出的新的商品中，已包含着剩余价值，已经具备了资本性质。

这个商品资本 W′的价值，等于生产资本 P 的价值（即生产资料的价值和劳动力价值的和）W 加剩余价值 m。这个 m 和 W 采取同一个商品形态，马克思称之为 w，或 ΔW。例如：在 1000 支钢笔中，已消耗的生产资料的价值为 372 元，劳动力的价值为 50 元，二者合计即消耗生产资本 P 的价值为 422 元，但这 1000 支钢笔中还包含 78 元的剩余价值，因而其总价值为 500 元。即 W′（总价值 500 元）＝W（P 价值 422 元）＋w（m78 元）。使这个 W 变成 W′的，“不是它的绝对价值量”，而“是它的相对价值量”。为什么说不是由于它的绝对价值量呢？因为这 1000 支钢笔的价值量，和其他任何商品的价值量一样，都是由生产该商品所花费的社会必要劳动时间决定的。为什么说是由于它的相对价值量呢？因为这 1000 支钢笔的价值量 500 元，大于生产它时所消耗的生产资本 P 的价值量 422 元，多了个剩余价值 w78 元，这才使 W 变成 W′。所谓相对价值量，是以生产出来的 1000 支钢笔的价值量（500 元）和生产它时所消耗的生产资本的价值量（422 元）相比而言的。可见，这 1000 支钢笔，“是已经增殖，已经添进一个剩余价值的资本价值的承担者，它之所以如此，是因为它是资本主义生产过程的产物”。所以，“W′表示一种价值关系，表示商品产品的价值和生产它所消耗的资本的价值的关系，就是说，表示它的价值是由资本价值和剩余价值构成的”。可以说，使 1000 支钢笔成为商品资本的，不是任何外部的关系，而仅仅是一种内部的关系，它所带着的“资本主义的胎痣”，是“存在于和它所包含的生产资本在转化为商品以前原有的价值量相比较的它的价值量中”，即相对价值量中。所以，从第三阶段的 W′－G′来考察，一方面，它既是由商品形式转化为货币形式，是一般的商品流通行为；另一方面，它作为资本循环的一个特殊阶段，是资本由它的商品形式转化为货币形式，是剩余价值的实现。

对 W′－G′的分析

从第 48 页第 2 段到 52 页第 2 段，对 W′－G′进行了分析，马克思指出了下述要点：

首先，W′－G′的转化对于资本主义再生产的正常进行起着重要作用。如果生产的商品卖不出去，仍然停滞在市场上，再生产过程就会停止。“这个资本既不会作为产品形成要素起作用，也不会作为价值形成要素起作用。”即使把商品卖出去了，由于出卖的速度不同，有的时间长些，有的时间短些，已经卖出的部分会以货币资本的形式重新投入再生产，还未卖出的部分则以商品资本的形式继续停滞在市场上，再生产的规模就会以极不相同的程度扩大或缩小。马克思说，“流通过程推动了和资本的价值量无关的新的潜能，即资本的作用程度的新的潜能，资本的扩张和收缩的新的潜能”，这就是说，W′－G′这个阶段进行得越快，资本的潜能就越能得到发挥，它在一定时间内周转的次数和生产的剩余价值就越多。反之则相反。这种情况不是由资本量的大小所决定，而是由 W′－G′的周转速度所产生的。

其次，W′－G′的转化必须全部完成，就是说，W′必须全部卖掉。“在这里，出售商品的数量，成为决定性的事情。”为什么呢？如上例，1000 支钢笔的价值表现为 500 元，如果卖掉 744 支钢笔，可取得 372 元，这只能补偿已消耗的不变资本的价值；如果卖掉 844 支钢笔，可取得 422 元，也只相当于补偿预付资本（即不变资本加可变资本）的价值；只有把 1000 支钢笔全部卖掉，取得 500 元，才能实现 78 元的剩余价值。可见，生产的商品（1000 支钢笔）能否全部卖掉，具有决定的意义。从这里还可以看出，资本家所得到的、包含剩余价值在内的 500 元价值和他所卖商品 1000 支钢笔的价值是相等的。在这里，完全是等价交换，他在流通中所做的是一般的商品流通。

再次，W′－G′＝(W＋w)－(G＋g)。其中，W 是等于生产资本 P 的商品形态，w 是等于剩余价值 m 的商品形态，G 是 W 的货币表现，g 是 w 的货币表现。因此，货币资本的循环，G－W…P…W′－G′，用详细的形式表示，就是：$G-W<{A \atop Pm}$ …P…(W＋w)－(G＋g)。在这里，第一阶段 $G-W<{A \atop Pm}$，资本家用货币购买生产资料和劳动力，是等价交换，第

三阶段 W′－G′，资本家把生产的商品卖出去，重新取得货币，也是等价交换。那么，资本家为什么取得了比起初投入的货币更多的货币呢？这是因为，“他投入的商品价值大于他原来取得的商品价值。”“他投入市场的价值大于他从市场取得的价值。”这里所说的“原来取得的商品价值”和“从市场取得的价值”，指第一阶段用货币购买的商品（劳动力和生产资料），这里所说的“投入的商品价值”和“投入市场的价值”，指第三阶段投入市场的、在第二阶段生产出来的商品，正是由于这部分商品包含了新创造的剩余价值，通过它的出售，才能取得比预付资本更多的货币。所以，“由于 W′－G′的完成，预付资本价值和剩余价值都得到了实现”。

更次，“这同一个流通行为 W′－G′，对资本价值和剩余价值来说是不同的：它对二者来说代表着它们各自流通的不同阶段，代表它们在流通领域所要经过的形态变化序列中的不同阶段”。从剩余价值 w 来说，它是生产过程中产生出来的，它是第一次在商品市场上出现，属于第一流通形式；从资本价值 W 来说，它等于 P，等于原来预付的 G，它已经过两个互相对立的流通阶段，即经过 G－W 的阶段，再经过 W－G 的阶段。因此，在 W′－G′的转化中，“对剩余价值来说，是商品形式第一次转化为货币形式，对资本价值来说，则是回到或者再转化为它原来的货币形式”。可见，商品资本的职能，是通过把商品资本转变为货币资本，即使资本价值最后再转化为它的货币形式，又使剩余价值由商品形式转化为货币形式，即实现剩余价值。在这里，货币形式起了双重作用：它既是原来的货币资本的复归形式，又是包含着剩余价值的商品形式的第一转化形式。“资本价值和剩余价值现在都是作为货币存在的，因而都处在一般等价物的形式中。”

最后，马克思指出：“正因为这个过程的开始形式和终结形式都是货币资本的形式（G），所以，我们就把这个循环过程的形式叫做货币资本的循环。”开始是货币，最后还是货币，价值的形式没有发生变化，但价值量却发生了变化，因为最后取得的货币大于原来投入的货币。

对 G′的分析

从第52页第3段到第56页第1段，通过对G′和G的比较分析，揭示G′的特点。

G′，包含着G和g，都表现为一定量的货币额，包含着预付资本价值和剩余价值，是已经实现了的商品资本。但到再生产过程中，G和g所起的作用就会有所不同：G仍然会作为预付资本投入流通；g可能作为资本积累起来，也可能被资本家全部用于个人消费，还可能一部分用于积累，一部分用于消费。

以G′和G相比较，它们之间不仅有一个数量上的差别，同时还表示一种质的关系，虽然这种质的关系只作为量的关系而存在。

就数量上的差别来看是很明显的。如前例，预付资本422元，而售出商品后取得的货币却是500元。这说明G′大于G，因为G′本身除G以外，还增加了g，即增加了剩余价值。但是，这“同时还表示一种质的关系”。为什么呢？因为G′是作为资本关系而存在的，包含在G′中的G因为和g相区别而成为已经实现的资本。现在，G已经不再是单纯的货币了，也不仅仅是预付资本了，而是明显地成为货币资本了，因为它是生出g的原因，g是它的果实，就是说，它已经作为生出价值的价值而实现了，已经带来剩余价值了。因此，包含在G′中的G和g的关系，是资本和剩余价值的关系。“因此，G′是一个内部分化了的、自身在职能上（概念上）区别开来的、表现着资本关系的价值额。”但是，资本价值G和剩余价值g的区别，是被掩盖着的，不是一下子就能看出来的。因为从价值本身来说，它只能表现在不同种的商品身上，但作为价值，都是同质的，没有区别的；从货币本身来说，它都是一切商品的共同的等价形式，也是没有区别的。因此，G′的不同组成部分G和g的区别，只是本金（即预付资本）和超额价值额（即剩余价值）的区别，即422元和78元的区别。但这二者一经表现为500元的G′，预付资本和剩余价值的概念就看不出来了。因为现在的预付资本和剩余价值都表现为G′，都以同一形态的货币存在着，只看出它们在数量上的差别，而看不出它们在质上的差别，资本的概念也就被掩盖起来了。“因此，已经实现的资本在这里，在过程终结时具有的货币表现，是资本关系的没有概念的表现。”这样，剩余价值的来源也就被湮没，看不出来了。因为G′是由W′卖出的结果，而 W′则是 P 的产物，在那里，P 产生出 W 和 w，W′的来源是明显的；但 W′一经转化为 G′，G′的形成过程就不见了，它表现为直接由流通产生，它和 P 的直接关系已经消失了。因此，只要 G′继续作为货币资本即作为 G 来执行职能，那么，G′原来所包含的本金和增长额之间的没有概念的区别就会立即消失。为什么呢？因货币资本的循环不是从 G′开始（虽然 G′现在是作为 G 执行职能），而从 G 开始，G 不是作为资本关系的表现，它只是资本价值的预付形式。因此当 500 元的 G′重新作为 G 预付出去，它就仅仅是出发点，而不是复归点。这里，可以进一步看到作为第三阶段的结果的 G′的职能和作为第一阶段的出发点的 G 的职能的区别：第一阶段起点的 G 作为购买手段，只是执行货币职能，但因为购买了特殊商品劳动力，同时又执行货币资本的职能。相反，作为第三阶段的结果的 G′，已经是生出货币的货币，它包含 G 和 g，是表示已经增殖的资本价值，表现资本总循环过程。它之所以能转化为货币形式，是商品资本 W′的职能，而不是货币资本的职能。所以，“G′以货币形式，作为已经实现的货币资本表现这个结果，并不是由于它是资本的货币形式，是**货币**资本，相反地，是由于它是货币**资本，**是货币形式的资本”。这就是说，G′，作为货币资本（G）经过生产过程并带来剩余价值的这个结果，并不是由于货币本身的性质所产生，而是由于资本的关系所产生。前者所说的“**货币**资本”，是指资本形式上的货币；后者所说的“货币**资本”**，是指货币形式上的资本，它们是不一样的。

从第 56 页第 2 段到 59 页，又分析了 G′和 W′的共同点和差别点。它们的共同点是：“它们都是已经增殖的资本价值。”因而，它们都是已经实现的资本，它们都包含着已经生产出来的剩余价值，“作为一个已经增殖的价值的表现，G′和 W′是同一个东西”，“都是资本的存在方式”。但是它们也有区别：由于它们以商品形式和货币形式这两种不同的形式存在着，所以有不同的特殊职能。“因此，使它们互相区别的特有职能，只能是货币职能和商品职能之间的区别。”这种区别，只有在把货币直接当作商品的地方，在把货币本身的生产作为直接产物的地方，才会不存在。例如金，它一生产出来就既是商品又是货币，因此，“金的生产的公式就是：$G-W<^{A}_{Pm}\cdots$

P…G′(G+g)”。在这里，G′既是商品产品，又是一个货币额，W′－G′的阶段不复存在，因而第三阶段的资本的商品形式和货币形式的区别也就不复存在了。因此，G′也和W′一样，作为资本主义生产过程的产物，可以使人想起它的来源，G…G′表现的不合理性就消失了。

Ⅳ. 总 循 环

货币资本总循环的公式

以上分别研究了货币资本循环的三个不同阶段，现在再来研究货币资本的总循环。

首先，马克思比较了两个不同的公式。

货币资本总循环的公式是：G－W…P…W′－G′。它的详细形式是：$G-W<\begin{matrix}A\\Pm\end{matrix}\cdots P\cdots W'\ (W+w)\ -G'\ (G+g)$。

在本书第一卷第四章研究过的资本运动的总公式是：G－W－G′。

这两个公式有两个不同点。第一，后一公式只有流通过程，表现不出生产过程；而前一公式既表示了流通过程，也表示了生产过程。第二，后一公式也有两个流通阶段，但出现在这里的是同一个商品；而前一公式，由于显示出生产过程，因而就显示出两个商品是性质上不同的东西，前一个W是生产资料和劳动力，后一个W′是生产过程的产品。但是这两个公式也有共同点。“一方面是货币流回到它的起点，另一方面是流回的货币多于预付的货币。”这个共同点是资本流通的最本质的特征。因此，“就这一点来说，G－W…W′－G′也已经包含在总公式G－W－G′中了”。那么，哪一个公式反映了“资本的现实的形态变化”呢？当然是货币资本总循环的公式。因为这个公式既包含流通过程，也包含生产过程，它表明了资本的循环是生产过程与流通过程的统一。在G－W或W－G的流通阶段，都是等价交换，不能产生剩余价值，“价值变化完全属于形态变化P即生产过程”。只有这个循环第二阶段的生产过程，才是资本榨取剩余价值的过程，才表现出资本家对工人的剥削关系，才表现出资本的真实本性。至于货币资本和商品资本，只有和生产资本相联系并在生产过程中发挥剥削作用时，才具有资本的职能。

第 60 页第 3 段进一步考察了货币资本总循环过程的一系列要点，这就是：(1) 资本表现为一个价值，它要不断经过货币资本、生产资本、商品资本等形式变化，不断地从流通领域进入生产领域，从生产领域进入流通领域；(2) 资本在不断运动的过程中，会处于不同的阶段，从而有不同的表现形式；(3) 在这个运动中，资本的价值量不仅保存了，而且增大了；(4) 资本循环的终结阶段还要回到总过程开始时的原有的形式。

从产业资本的一般形式来分析货币资本的循环

从第 60 页第 4 段到 67 页第 2 段，马克思从产业资本的一般形式来分析货币资本的循环。

什么是产业资本？马克思说："在总循环过程中采取而又抛弃这些形式并在每一个形式中执行相应职能的资本，就是**产业资本**。"这就是说，资本不断经过三个阶段，不断采取货币资本、生产资本、商品资本形式，从而达到增殖价值的结果，这种资本就叫作产业资本。这里所说的产业，是指一切按资本主义方式经营的生产部门，如工业、农业、采掘业、运输业等等。但是必须注意，这里所说的货币资本、商品资本、生产资本，并不是与产业资本独立、并列的资本种类，而只是产业资本的特殊的职能形式。

资本循环的正常进行，意味着产业资本不断经过三个阶段，采取三种形式，发挥三种职能，实现价值增殖。资本如果在第一阶段停顿下来，货币资本就会变为贮藏货币；如果在第二阶段停顿下来，生产资料和劳动力就不能结合在一起，而是闲置不用；如果在第三阶段停顿下来，商品就会大量堆积，卖不出去。这都说明资本循环受到阻碍。因此，资本必须不断地从一个阶段转入另一个阶段，从一个形式转化为另一个形式，即不断地运动变换。另一方面"循环本身又要求资本在各个循环阶段中在一定的时间内固定下来"。这就是说，在某一阶段的产业资本，又必须相对地固定在某一形式上，完成和这一形式相适应的职能以后，才能从这一形式转化为另一形式。

在产业资本的循环中，有一个部门具有特殊情况，这就是交通运输业。本来，生产过程的产品是一个物质的东西，可以和生产过程分离而存在，因而能够出售。但是，交通运输业却不是这样。它不生产产品，只是进行场所的变更，出卖它的服务，因此，它的运输效用和它的生产过程是不可分离地结合在一起的。这种服务的过程，即发生效用的过程，既是它的生产过程，同时又是它的被消费过程。“但是，这种效用的交换价值，和任何其他商品的交换价值一样”，都是由不变资本、可变资本和剩余价值决定的。如果它是个人消费的，如客运，它的价值就和消费一起消失；如果它是生产消费，如货运，它的价值会作为追加的价值转移到商品中去。“因此，运输业的公式应该是 $G-W<{}^{A}_{Pm}\cdots P-G'$，因为被支付的和被消费的，是生产过程本身，而不是能和它分离的产品。”在这里，不是从 $P\cdots W'-G'$，而是直接由 $P-G'$。生产过程、发生效用、消费，三者是结合在一起的。这个公式很像第 59 页所说的贵金属生产的公式，但二者之间也有区别，这就是：在运输业中，“G'是在生产过程中产生的效用的转化形式”，其过程是 $P-G'$；在贵金属生产中，G'是生产过程产生的并离开生产过程的实物形式，其过程是 $P\cdots G'$。

在研究资本主义生产关系时，应该以产业资本作为考察对象。为什么呢？这是因为：第一，产业资本的职能不仅是占有剩余产品和剩余价值，而且同时是创造剩余产品和剩余价值，这就决定了生产的资本主义性质，决定了资本家和工人之间的阶级对立关系。第二，“随着产业资本支配社会的生产，技术和劳动过程的社会组织就会发生变革，从而社会的经济历史类型也会发生变革”，这就使在产业资本以前出现的高利贷资本、商业资本不能独立存在，只能从属于产业资本，只能在产业资本的基础上运动，而且只是作为产业资本的不同职能形式由于社会分工而独立的和片面发展的存在形式。因此，只有考察产业资本，考察产业资本的循环，才能全面地揭示资本主义生产关系的实质。

在研究产业资本循环时，既要看到资本循环和商品流通互相交织在一起，又要看到资本循环始终保持着它的独立性，它本身是生产过程和流通过程的统一。为什么呢？这是因为，一方面，任何资本在它流通的两个阶段 $G-W$ 和 $W-G$，都是在一般商品流通中活动着，资本是作为货币或商品执行职能的，因而它本身就成为商品流通中的一个环节；“另一方面，它又在一般流通之内完成自己特有的独立的循环”，即独立的资本循环。例如，在 $G-W$ 阶段，货币资本在执行货币职能的同时，由于购买了劳动力和生产资料而执行资本职能；在 W′－G′阶段，商品资本在执行商品职能的同时，实现了资本价值和剩余价值；资本运动还有一部分发生在一般商品流通之外，即有一个生产过程。资本在包含生产过程在内的特有循环中，变更它的价值量，执行资本职能。

作为产业资本特殊形式的货币资本循环的特征

产业资本的循环不仅有货币资本的循环，而且有生产资本的循环和商品资本的循环。如果把货币资本的循环同生产资本的循环和商品资本的循环相比较，就可看出它的特征。马克思分析了作为产业资本特殊形式的货币资本循环的特征。

第一，货币资本的循环首先从货币资本开始，最后又回到货币资本，货币资本成为总过程的出发点和复归点，“最明白地表示出资本主义生产的动机就是赚钱”。

第二，在这个循环中，生产阶段，P 的职能，表现为预付价值增殖的手段，就是说，“发财致富本身才是生产的自身目的”。

第三，货币资本循环的起点 G，是要增殖价值的货币资本，终点 G′，是价值已经增殖的货币资本，这就使 G 的循环和生产资本的循环 P…P 以及商品资本的循环 W′…W′区别开来。一方面，G 的循环，两极的货币形式，价值的独立的可以捉摸的存在形式，同 P 或 W′不一样，商品的使用价值痕迹都消失了。另一方面，G 的循环，可以看出两极之间的价值差额，而 P 的循环和 W′的循环，都看不出起点和终点两者之间的价值差额。可见，G…G′公式的特征是：“一方面，资本价值是它的出发点，已经增殖的资本价值是它的复归点，因而资本价值的预付表现为整个行动的手段，已经增殖的资本价值则表现为整个行动的目的”；另一方面，这种关系直截了当地表现在金光闪闪的货币形式上，从价值生出剩余价值，表现为从货币生出货币。

第四，货币资本循环的公式没有表现出个人的消费。资本家用货币购买生产资料，这只表现为生产消费。用货币购买劳动力，从工人方面来说，把劳动力作为商品出卖，是 A－G 或 W－G，但工人要用取得的货币 G 再去购买生活资料，经过 G－W，才能进入个人消费，但这已不包含在货币资本循环的公式中。当然，资本家也要生活和消费，这在公式中也没有表示出来。可见，货币资本循环的公式本身，既不表现工人的消费，也不表现资本家的消费，这两者都是在循环之外完成的，不是资本特殊运动的一部分。

重商主义体系是以 G－W…P…W′－G′公式作为基础的，这个公式反映了他们追求货币的强烈愿望。怎样才能取得更多的货币呢？他们认为，利润，更多的货币，是由流通过程中多卖少买产生的，因而晚期重商主义者就提出了少消费、多生产的主张，他们要资本家个人只同工人一样消费，要资本主义国家把商品让给其他落后的国家消费，把精力主要放在生产消费上，即放在生产上。这种少消费、多生产、多卖少买的观点，和教父们的禁欲戒条相类似，这说明他们对货币资本循环的理解是错误的，这也因为货币资本循环公式本身只强调货币资本的自我增殖，有其片面之处。这一点，在第 72 页第 2 段中，马克思作了进一步的分析。

货币资本的循环是产业资本循环最片面、从而最明显和最典型的表现形式

第 70 页第 2 段到 74 页实际上是对全章的总结，着重指出了下述两点：

第一，“货币资本的循环，是产业资本循环的最片面、从而最明显和最典型的表现形式”。为什么说它是最明显、最典型的表现形式呢？首先，货币资本的循环“始终是产业资本的一般的表现”。因为产业资本的目的和动机——榨取剩余价值、赚钱，在从货币带来更多货币的公式里表现得十分清楚，这就揭示了资本主义生产的目的和资本的本质。这一点，在生产资本循环的公式 P…P 和商品资本循环的公式 W′…W′中，就表现不出来。其次，货币资本的循环又是“产业资本循环的特殊形式”。因为资本的预付总是以货币形式开始，而最终又要以货币的形式收回，不管它是最初循环还是最终循环，不管它是一个企业还是社会总资本，不管它是新投入的资本还是经过循环转化为货币的旧资本，都要通过货币资本的循环。一般寓于特殊之中，产业资本循环的一般性质，必须通过货币资本循环的这个具体的特殊形式而实现。再次，可变资本和剩余价值都必须以货币的形式参加循环过程。作为工资的可变资本，每隔一个较短时期就要以货币的形式预付一次，资本家必须不断占有货币资本而与工人相对立。至于剩余价值生产出来、实现以后，如果进入个人消费，也要通过货币形式。“因此，作为预付可变资本价值的G和作为它的增殖额的g，都必须保持货币形式，以便以这个形式花费。”

但是，为什么又说它是最片面的表现形式呢？因为货币资本循环的公式本身，特别突出的是，投入货币是为了取得更多的货币。马克思指出：“这个公式强调的不是价值的增殖，而是这个过程的**货币形式**，强调的是最终从流通中取出的货币形式的价值，大于原来预付到流通中去的货币形式的价值，也就是说，强调的是资本家所有的金银数量的增加。”这样，剩余价值的真正来源就被掩盖起来了，资本家剥削工人的阶级关系就看不见了，全部过程表现为以钱赚钱，这就是货币资本循环在形式上所具有的欺骗性，“带有一种虚幻的性质”。资本主义生产方式最早的理论研究者、重商主义错误认识就是由此产生的。货币主义，即早期的重商主义者，处在资本主义发展初期，他们认为：货币是社会财富的唯一形态，一切购买都会使货币减少，一切销售都会使货币增加，为了增加货币财富，就要多卖少买，他们把买卖看成是增加货币财富的唯一手段。所以马克思说，“所谓货币主义，不过是G－W－G′这个没有概念的形式的表现”，是用贱买贵卖的方式，“从流通中取出的货币，多于在购买时投入流通的货币”。晚期重商主义者处于资本主义工场手工业的发展时期，他们认为：不仅应该多卖，而且应该大量的买，只有卖的收入大于买的支出，才会占有更多的社会财富。实际上，他们不仅把商品流通看成是增加货币财富的手段，同时也把商品生产看成是增加货币财富的手段。所以，G－W－G′这个没有反映生产过程的运动公式就不够了，因而，把G－W…P…W′－G′肯定为唯一的形式，它就成为晚期重商主义体系的基础。重商主义者为什么会产生上述的错误认识呢？根源在于方法论上的形而上学的片面性，他们把货币资本的循环当作孤立的静止的现象来考察，而不是把它当作不断运动、不断更新的过程来考察；他们把它当作唯一的循环形式来考察，而没有把它和其他的循环形式联系起来考察，当然就只能看到它的虚幻的外表，不可能认识其内在的本质。

货币资本的循环本身已经指出其他的形式

第二，货币资本的循环本身已经指出其他的形式。

(1) 货币资本的循环“是以生产过程本身

的资本主义性质为前提的，因而是以这个生产过程以及由它决定的特殊的社会状态为基础的”。因为要用货币购买劳动力，就必须在社会上有雇佣工人，即有劳动者和生产资料相分离、劳动力成为商品的社会条件，同时还必须有作为生产资本的一部分的生产资料，才能进行资本主义的生产。这就是说，货币资本的循环，只是在资本主义的社会条件下，产业资本循环的一种表现形式。

(2) 在货币资本循环的反复进行中，货币不断从出发点到复归点，再从复归点到出发点，它和其他资本的形式一样，只是循环中转瞬即逝的要素。

(3) 货币资本循环的不断反复，就已经包含着生产资本的循环和商品资本的循环。用公式表示如下：

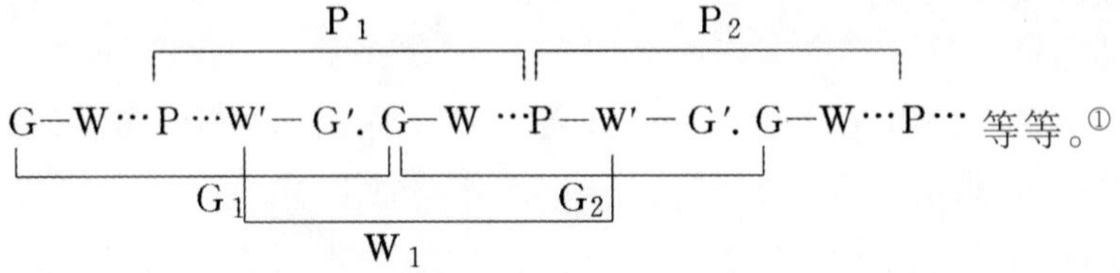

从上述公式可见，只要把货币资本的循环接连起来当作不断的循环来看，G_1 是货币资本的第一次循环，G_2 是货币资本的第二次循环，并由此连续下去。如果始点不是 G，而是 P，即生产资本的循环，那么 P_1 是生产资本的第一次循环，P_2 是生产资本的第二次循环。如果以 W′为起点，就是商品资本的循环。可见货币资本不断循环的公式本身，也包含着生产资本的循环和商品资本的循环。

(4) 除去第一次新投下的货币资本的循环不说，只要“处在由资本

① 上述公式，见于《资本论》第 2 卷，人民出版社 2004 年版，第 73 页。但这个公式有两点值得研究。一是：货币资本的循环，由 G…G′. G…G′. G，即由第一次循环起点，但如与生产资本循环由 P…P 相比，与商品资本循环由 W′…W′相比，则货币资本的循环，应是由 G…G′，不是由“G…G′. G”。二是：如作为循环的不断进行来看，不应是由“G…G′. G—W”，而应是由 G…G′—W，“G′. G”可以直接用“G′”作为两个循环之间的连接。生产资本的循环、商品资本的循环均如此，为什么一定要在货币资本的循环中把两个循环阶段用句号隔离开来呢？是否手稿有误？但这是需要研究的问题。

主义生产决定的社会状态中，那么，产业资本循环的一般形式就是货币资本的循环”。因为资本主义生产过程总要不断地反复更新，只有这个前提存在，资本家才能购买到劳动力和生产资料，才能实现货币资本的循环。如果不是由于生产资本的循环，资本家虽有货币，买不到生产资料和劳动力，也不可能实现货币资本的循环。可见，货币资本的循环和生产资本的循环、商品资本的循环，都是密切联系着的。

■ 第一章是比较难读的，但读懂了第一章，对资本循环的基本原理就有一个轮廓的了解了。我们必须通过对货币资本循环形式的具体而细致的分析，掌握其基本原理，从而进一步掌握全章的精神实质。

马克思不是孤立地来研究货币资本的循环的，他是把对货币资本循环的分析和对一般资本形态变化的分析联系起来进行分析的，把货币资本循环的具体特点和产业资本的总循环运动联系起来进分析的，这就使我们了解货币资本循环在整个产业资本总循环运动中的地位和作用。例如：在分析循环的第一阶段时，就把着重点放在劳动者与生产资料的分离上，因为只有这种分离的社会条件，劳动力才能成为商品，才能有资本主义生产。在分析循环的第二阶段时，就把着重点放在劳动者与生产资料的结合上，因为只有这种结合，才生产出剩余价值。我们切不要把循环公式当成是概念游戏，它概括了资本主义社会的大量经济事实，深刻地反映了经济运动的客观过程和客观规律，并总结了经济思想史上的历史经验，经过反复研究而得出来的理论成果，必须认真学习。

在第一卷中，资本的实质是通过资本家剥削工人所创造的剩余价值的生产过程而表现出来的；在这里，资本又通过它的各种不同形式、在不断循环中来表现资本的关系。例如：货币资本中的资本关系，表现为货币转化为生产资料和劳动力，为资本主义生产创造前提；生产资本的资本关系，表现为不变资本是生产剩余价值的条件，可变资本是创造剩余价值的唯一源泉；商品资本中的资本关系表现为两种价值之间的关系，即投入的资本价值和新生产的商品价值之间的关系，它说明商品的价值是由资本价值和剩余价值形成的，而剩余价值必须在 W′－G′阶段才得以实现。通过对这些资本形式的分析，对资本的实质就越来越具体化，这就进一步说明，资本的形式是怎样表现它的实际内容的。

就货币资本运动的形式来说，总是由货币资本转化为生产资本，由生产资本转化为商品资本，由商品资本转化为货币资本，由一个形式推移到另一个形式，由一个阶段转入另一个阶段；如果就它的内容而言，第一阶段，实际上是生产剩余价值的准备过程，第二阶段是剩余价值的生产过程，第三阶段是剩余价值的实现过程，它的中心，仍然是围绕着资本与剩余价值这一根红线。因此，在学习时，紧紧掌握这个中心，才能理解马克思关于资本循环理论的深刻意义。

第二章

生产资本的循环

第二章是研究生产资本的循环。生产资本的循环和货币资本的循环一样，都是产业资本的循环，只是表现为不同的形式而已。研究生产资本的循环就是要着重研究 P…P 的运动过程，着重研究这一运动过程中的 W′－G′和G－W。也就是说，要着重研究 W′－G′－W 这一运动过程中，剩余价值有多少转化为资本。如果剩余价值全部用于个人消费，那只是简单再生产；如果把剩余价值的一部分或全部转化为资本，进行资本积累，那就是扩大再生产。也可以说，第三、四节是对第二节的补充。

在《资本论》第一卷第七篇中，就已研究过资本主义再生产，但和这里所研究的角度是不一样的。在那里，着重分析资本主义生产关系的再生产，即着重分析它的实质，在这里，研究资本在再生产过程中的形式变换问题，即着重研究它的形式；在那里，是从直接的生产过程出发的，把直接的生产过程当作再生产过程来研究，在这里，是以流通过程的研究为中心，因为没有流通，也不可能有资本主义的再生产。

本章开始有一个简短的引言，它首先提出了生产资本循环的总公式，这就是："P…W′－G′－W…P"。这个公式表明：资本家把购买的生产资料和劳动力结合起来，进入生产过程，即 P…；生产出包含着剩余价值的新的商品，即 W′；然后再把这些商品出售，取得货币，即 G′，最后再用货币购买生产资料和劳动力，以便进行再生产，即 G′－W…P。在这里，第一，要区别前后两个 P 的不同意义。公式前面的那个 P，是生产资本，它进入生产过程，是生产资本循环的起点；公式后面的那个 P，只是资本价值在生产资本形式上的复归，它尚未进入生产过程，只是后一流通阶段即G′－W的结果。例如：某资本家把购买来的生产资料和劳动力结合起来，进行生产，这时的生产资本就是前面的 P；以后，把生产出来的商品卖掉再购买生产资本和劳动力，又回复到生产资本的物质形态，但还进入生产过程，这时的生产资本就是后面的P。第二，生产资本循环的公式本身表示，生产资本在完成剩余价值的生产以后，通过流通阶段，又恢复到生产资料和劳动力的生产资本形式，“它不仅表示剩余价值的生产，而且表示剩余价值的周期再生产”，这就是说，它在第一次循环中就包含着再生产过程。这是因为：“处在生产形式上的产业资本不是执行一次职能，而是周期反复地执行职能，因此，过程的重新开始，已由起点本身规定了。”第三，有两种特殊情况在这个公式中是表现不出来的。其一是：“有的价值不进入流通过程，但进入生产过程”。例如，生产出来的谷物不用于售卖和消费，而是作为种子直接再作为生产资料投入生产。因此，W′的一部分就直接用于生产，不再进入流通。这就是说，从W′直接到P，不必再经过W′－G′－W…P这样的流通过程了。其二是：新产品的W′中，如果资本家把其中一部分剩余价值以实物形式直接消费掉，那么这一部分产品也不要经过W′－G′－W的流通过程。这两种情况，在本章研究时是暂时舍象掉的。

还须注意：生产资本循环的总公式，和货币资本循环公式相比，“有两点是显而易见的”。第一，在货币资本循环中，生产过程…P…是媒介；在生产资本循环中，总流通过程的W′－G′－W成了媒介。第二，在货币资本循环中，总流通的形式是G－W－G′，它是资本流通形式；在生产资本循环中，总流通的形式却是W－G－W，它是简单商品流通形式，这就是说，它们的总流通表现的形式是完全相反的。

Ⅰ. 简 单 再 生 产

> 生产资本循环形式中的W′－G′－W是表现简单再生产或扩大再生产，由剩余价值的用途如何而确定

现在就来研究生产资本循环中的W′－G′－W。

W′等于W＋w，即生产资本加剩余价值。当W′转化为G′时，包含W′中的剩余价值部分就实现为货币。现在的问题是，这个剩余价值部分的用途是怎样的呢？如果把剩余价值全部消费掉，那就是简单再生

产，资本价值流通和剩余价值流通就分别表现为 W－G 和 w－g，它们在两条不同的轨道上运行，W－G 继续进入资本循环过程，w－g 则退出资本循环，转入商品流通和消费领域。如果把剩余价值当作资本积累起来，w 和 W 一样，并入 G′继续进行循环，它们在同一条轨道上流通，这就是扩大再生产。“这个公式代表简单再生产还是代表规模扩大的再生产，就取决于这一点是怎样确定的。因此，循环的性质随着这种确定而变化。”

生产资本的简单再生产公式

简单再生产条件下，在生产资本的循环中，流通阶段的公式是：

$$W'\begin{Bmatrix}W\\+\\w\end{Bmatrix}\begin{matrix}\text{——}\\-G'\\\text{——}\end{matrix}\begin{Bmatrix}G\\+\\g\end{Bmatrix}\begin{matrix}-W<\begin{matrix}A\\Pm\end{matrix}\\ \\-w\end{matrix}$$

上面的 W－G－W，表示原有的预付资本的流通，下面的 w－g－w，表示剩余价值的流通。由于是简单再生产，剩余价值全部被资本家消费掉，因此 w－g－w 流通已退出资本循环领域，成为简单商品流通。这就是说，W′中的 W 和 w，即预付资本的价值和剩余价值，在转化为 G′之后，它们就分开了。如前例，1000 支钢笔表现为 500 元，其中 422 元是预付资本，作为 W－G－W 继续流通，其中 78 元的剩余价值则离开循环轨道，作为商品流通进入消费领域。

对生产资本流通的第一阶段 W′－G′的分析

从第 77 页第 5 段到 82 页第 3 段，对生产资本流通的第一阶段 W′－G′进行了分析。

首先，W′－G′阶段中所包含的资本价值和剩余价值的流通，是可以分离的独立形式。在 W′转化为 G′后，资本价值和剩余价值分成 G 和 g 的不同的货币额，在简单再生产条件下，二者进行不同的流通。g 被资本家全部消费掉，即都被资本家用于购买个人消费品。这种购买是分散的，是在不同期间进行的。因此，这种货币暂时采取专供日常消费用的贮藏货币的形式，它不进入货币形式 G 的资本流通，这样，代表预付资本部分的 G 和代表剩余价值部分的 g 就分离出来了。但是，这种分离的独立形式，在不同的商品上有所不同。一般说来，大致有两种情况，一种是：W′是可以分离的商品，如 1000 支钢笔，其中预付资本价值 422 元，可以体现在 844 支钢笔上，剩余价值 78 元，可以体现在156支钢笔上。就是说，价值的两个组成部分“表现为商品W′的互相独立的要素”。当然，只有把1000支钢笔全部卖出后，才能取得全部剩余价值。一种是：W′是不可以分离的商品，例如一台机器，价值500元，其中422元代表预付资本，78元代表剩余价值，在这种场合，只有把这台机器卖出去，才能既取得预付资本，又取得剩余价值，g才能进入它的特殊流通。因此，在这一台机器上，预付资本价值和剩余价值这两个部分“只能观念地用商品体的各个组成部分来表示”。但是尽管在不同的商品体上这种分离的表现有多么不同，只要W′－G′实现了，即这些商品全部卖出去了，W′中包含的资本价值和剩余价值就会分成不同的货币额G和g。所以，在W′－G′的这一阶段中，既有体现预付资本的W－G，又有体现剩余价值的w－g。因此，w－g，同W－G一起，都是包含在资本循环之中的。而g－w，即资本家用g购买消费品，则处于资本循环之外，仅是简单商品流通。这样，我们便可看出：第一，在W′－G′中，资本价值和剩余价值都由同一商品量W′来承担，在W′转化为G′时，就分离为G和g，这时，资本价值和剩余价值的运动“就变成可以分离的运动”了，“因为现在二者都是货币额，具有独立的形式”。第二，如果发生这种分离，就是说，如果是简单再生产，g都作为资本家的个人消费用，那么，G和g就会表现为两个不同的流通：作为资本价值的G，继续购买生产资料和劳动力，表现为G－W，这既是商品流通，又属于生产资本流通的第二阶段，是资本流通；作为剩余价值的g，资本家用来购买消费品，表现为g－w，这仅仅是普通商品流通，已处于资本流通的领域之外了。第三，如果g只有一部分用作资本家个人消费，另一部分则作为资本积累，并入生产过程，这是扩大再生产，这时分离的现象还是存在的，但只是剩余价值的一部分实现这种分离。

其次，W′－G′阶段不仅说明剩余价值已经产生出来，而且说明剩余价值已经实现。因为W′是发生在生产资本P已经执行职能、即已经发生价值增殖过程之后，它是价值增殖过程的结果；通过W′－G′，生产出的剩余价值又实现为货币。“因此，资本的价值增殖过程和体现了已经增殖的资本价值的商品产品的实现，都是以W′－G′结束的。”在简单再生产情况下，资本价值是通过W－G－W、剩余价值是通过w－g－w这两个完全分离的独立的形式来流通的，都表现不出两极之间的差额，因此，资产阶级庸俗经济学家，如萨伊、麦克洛克之流，仅从这一流通的形式出发，就错误地“把资本主义的生产过程看作单纯的商品生产，看作用于某种消费的使用价值的生产”，这就是说，资本主义生产的目的被歪曲了，好像 W－G－W 只是为生产服务，w－g－w 只是为了消费服务。事实上，资本主义生产的全部过程的目的是发财致富（价值增殖），而且，剩余价值量的增大和资本家的消费量的增大可以并行不悖。但是，必须注意：这种用于资本家个人消费的 w，是工人创造出来并为资本家无偿占有的剩余价值，它本来是作为商品资本 W′的一部分而存在的，因此，w 的存在是和资本的循环联结在一起的，如果资本循环一旦停顿，例如，W′不能转化为 G′，那就不但资本主义生产无法进行，资本家的消费也会停止。可见，w－g－w 虽然离开资本循环独立出来，但和资本循环还是有一定的联系的，它是从资本循环中出来的。“它和这种运动联系起来，是由于资本的存在以资本家的存在为前提，而资本家的存在又以他消费剩余价值为条件。”这就是说，剩余价值的流通要以资本主义生产关系为前提，而资本家的存在又要以消费剩余价值为条件。

最后，必须明确“作为一般流通的一个部分的资本循环和作为一个独立循环的环节的资本循环之间的关系”。所谓“一般的流通”，即包括各个单个资本的流通，也包括商品流通。例如 1000 支钢笔，即 W′，卖出去，转化为 500 元的货币，即 G′，这是资本流通。如果体现在 156 支钢笔中的 78 元剩余价值全部用作资本家个人消费，则就脱离资本流通而转入商品流通，这时，在 w－g－w 中，货币只是交换媒介，不起资本的作用，“这个流通的目的是资本家的个人消费”，而不是为了价值增殖。可见，在同一个“一般的流通”中，资本流通和商品流通在本质上是不同的，但二者又往往交错在一起，使人不易分别。资产阶级庸俗经济学家不懂得商品流通和资本流通的区别，把作为资本家个人消费的剩余价值的流通、即已属于一般流通的商品流通“说成是资本特有的循环”，马克思深刻而尖锐地指出：“这就典型地说明他们是多么痴呆。”

对生产资本流通的第二阶段 G—W 的分析

从第 82 页第 4 段到 87 页第 5 段，对生产资本流通的第二阶段 G—W 进行了分析。

必须注意，这里的 G 已不包含剩余价值，因为剩余价值的 g 已退出资本循环，转入 g—w 的商品流通轨道去了；这里的 G 只是等于产业资本开始循环时的生产资本的价值，它的价值量同预付资本的价值量一样大。现在，它再向生产资本转化，即转化为生产资料和劳动力，"因此，它的总流通是 $W-G-W<{A \atop Pm}$"。现在，就来分析这个 G（货币资本）在循环中所起的作用。

第一，这里的 G 是"过去劳动的货币表现"，用来购买劳动力的货币，只是工人自己生产的商品价值的一部分转化成的，同时又是工人自己取得未来劳动的凭证，这同货币资本循环中的 G 不一样。在那里，货币资本 G 是以预付资本的形式出现。在这里，货币资本是第一流通阶段，即 W′—G′转化来的货币额的一部分，"所以它从一开始就表示，生产资本 P 已通过商品产品的出售转化成货币形式"。因此，G—W 中的 G—A 即用货币购买劳动力的部分，现在已不表现为对劳动力购买的单纯的货币预付，而是表现为，把工人自己创造的商品价值的一部分，以货币形式预付给工人。所以，这里付给工人的货币，只是工人自己生产的商品价值的一部分。如前例，在 W′1000 支钢笔中，可变资本 50 元，体现在 100 支钢笔中，现在把 50 元作为工资付给工人，这不过说明，这 50 元只是工人在生产过程中创造出的抵偿劳动力的价值而已，它是工人过去劳动的一部分。"因此，G—W 行为，就它是 G—A 行为来说，已经不仅是用使用形式的商品代替货币形式的商品"，即不仅仅是用劳动力商品来代替货币，"而且包含其他一些与一般商品流通本身无关的因素"，即包含了劳动者已经为资本家生产了产品和剩余价值。其所以如此，因为这部分货币已不仅仅是预付的货币资本，而是已经生产出的商品资本转化来的货币资本。"这个货币不仅是工人过去劳动的货币形式，同时还是取得正在实现的同时劳动或将来实现的未来劳动的凭证。"为什么呢？因为工人可以用货币购买已经生产出来的消费品，也可以用货币购买即将生产出来的消费品，因此，这个货币就不仅仅是过去劳动的货币表现，而且是取得现在劳动和将来劳动的凭证了。这就是马克思所说的:“资本家用工人过去劳动的一部分,作为工人取得自己未来劳动的凭证付给工人。”

第二,在 $W-G-W<^{A}_{Pm}$ 流通中,货币只充作转瞬即逝的购买手段。在这里,资本家把商品形式转化为货币形式,是为了把货币形式再转化为商品形式。货币在这个运动中只是作为购买手段,只是在结算时,为了支付差额,才表现为支付手段。

第三,在这里,货币资本的职能,只是充当商品资本再转化为生产资本的媒介。这就是,通过出售生产出来的商品取得货币,再用货币购买生产要素——生产资料和劳动力,“从而使资本价值从它的商品形式再转化为这个商品的各种形成要素”。

上面所说的货币资本 G 在循环的这个阶段所起的作用,都是假定商品在循环中价值不发生变化为前提的,就是说,“W－G－W 不仅是一种商品由另一种商品代替,而且是按同一价值比例来代替”。但事实上,在资本主义社会里,劳动生产率是不断变动的,因而价值也必然是不断变动的,维持原有的价值比例是不可能的。不过,这些情况在分析这一阶段 G 的作用时,是暂时舍象掉的。

如果以货币资本循环中的 G 和生产资本循环中的 G 相比,还可以发现:第一,在货币资本循环中,预付出货币资本,是为了取得更多的货币,是从货币形式再到货币形式。而在生产资本循环中,G 只是由商品资本再转化为生产资本的媒介,起着资本的流通手段的作用。“资本价值的货币形式在它的循环的第一种形式(货币资本循环)中具有的独立性这种外观,在这第二种形式中消失了,因此,这第二种形式就是对形式Ⅰ的批判,并且把它归结为不过是一个特殊的形式。”为什么呢?因为在 $W-G-W<^{A}_{Pm}$ 流通阶段,货币只是由商品到商品的媒介,只是作为普通的流通手段和支付手段;并不像在货币资本循环中,货币表现为自行增殖的主体,具有由货币生出资本的魅力;因此,在这个阶段里,货币的神秘性消失了,所以说,生产资本循环的流通阶段的 G 形式,实际上是对货币资本循环阶段的 G 的形式的批判。如果 G－W 遇到障碍,例如在市场上买不到生产资料,生产资本的循环,资本主义的再生产,就会中

断，这时，资本就凝结在货币形式上，这同资本凝结在商品形式上一样，被暂时闲置着不发生作用。但是闲置的货币资本和闲置的商品资本也有区别：闲置的货币资本能坚持较长时间，届时仍能当作资本发生作用；而闲置的商品资本，如果时间太久，就会变质、损坏或作废，就不再成为商品，因而也就不能作为资本了。其次，闲置的货币资本，如果不能采取原有的生产资本形式，可以采取另一种形式，这就是说，可以另营他业，另行投资；但闲置的商品资本则根本不能离开原位。由此可见，暂时闲置的货币资本比暂时闲置的商品资本，较多地处在有利地位。第二，在货币资本循环中，$G-W<^{A}_{Pm}$只是准备了由货币资本到生产资本的第一个转化；但在生产资本循环中，“它准备了由商品资本到生产资本的再转化”。因此，在这里，它除了和在货币资本循环中一样，表现为生产过程的准备阶段外，还“表现为生产过程的复归，生产过程的更新，从而表现为再生产过程的先导”。就是说，$G-W<^{A}_{Pm}$完成时，G 再转化为生产资本 P，循环又重新开始。

接着，马克思把上述分析综合起来，表述了生产资本循环的详细形式，这就是：

$$P\cdots W'\begin{Bmatrix}W\\+\\w\end{Bmatrix}\begin{matrix}-\\ \\-\end{matrix}\begin{Bmatrix}G\\+\\g\end{Bmatrix}\begin{matrix}-W<^{A}_{Pm}\cdots P\\ \\-w\end{matrix}$$

这还是简单再生产的生产资本循环公式。它系统地反映了生产资本的循环过程。

从生产资本循环的公式可以看出，在资本循环中已潜伏着危机

在 $W'-G'-W$ 的循环中，如果某一环节发生故障，循环就会中断，就会产生生产过剩的经济危机。

资本家购买商品，是为了生产商品，即为了进行资本主义生产，取得剩余价值。这和简单商品生产不同。这里的用商品代替商品，和以货币为媒介的简单商品交换是完全不同的。但是，由于在生产资本循环公式中，流通采取了简单商品流通的形式，因而造成一种假象，好像这一方面的卖，就是另一方面的买，不会造成流通的中断。资产阶级经济学家如萨伊、李嘉图等由此出发，就认为：G（货币资本）只是货币，只是流通手段，从而把资本流通归结为一般商品流通，又归结为生产物的直接交换，把资本流通和简单商品交换混同起来，从而得出资本主义制度下不可能有普遍性危机的结论。资产阶级经济学家就是以这种形式上近似而实质上不同的现象为根据作出这个错误结论的。

事实上，在资本主义的实际经济生活中，流通中断的现象是经常发生的。为什么呢？因为 W′－G′是生产资本循环的一个重要阶段，只有把生产出来的商品卖掉，资本家才有货币继续购买生产资料和劳动力，生产资本的循环才能继续进行。至于生产出来的商品卖掉后，是已经到达消费者手中，还是停留在商人手里，对于生产资本的循环暂时是没有关系的。但是，这种过程发展下去，就会出现新的情况：在资本主义社会里，购买大量产品的，除去其他生产部门的产业资本家以外，主要是大批发商。起初，他们把资本家生产出来的大量产品包购下来，给社会购买力造成虚假的繁荣景象，尽管这些产品还没有实际进入生产消费和个人消费，再生产过程还会继续进行，资本循环还未受到阻碍。但发展到一定程度，生产出的商品远远超过人们购买力的需要，长期停留在市场上卖不出去，而新生产的商品又源源不断地投入市场，从而造成剧烈的竞争。资本家为了卖出商品，只好降价出售，物品特别是商品尚未售出而支付期限已到时，资本家为了支付，不得不削价拍卖，有的则因无力支付，造成破产，由货币危机、商业危机而引起资本主义生产过剩的经济危机。这种经济危机，“它不是表现在消费需求，即个人消费需求的直接缩减上，而是表现在资本对资本的交换，即资本再生产过程的缩减上”。这就是说，危机，造成生产资本循环的中断，引起资本主义再生产的急剧缩减。

在 G－W 中断的情况下，货币资本采取贮藏货币的形式

从第 89 页第 2 段到 90 页第 4 段，进一步研究了造成 G－W 中断的两种情况。

一种是正常的情况。通常，对生产资料和劳动力的购买和支付，总是在不同的时期分批地进行，因而当一部分货币完成 G－W 的行为时，另一部分货币就暂时停止运动，要到规定的时期才能在 G－W 的行为中发生作用。这时，这部分货币就要从流通中退出，处在贮藏货币的形式中。“货币的贮藏形式在这里成了货币资本的职能”。为什么呢？因为货币本身的职能是由货币的本质发生的，但货币能具有货币资本的职能，则是由于它和资本循环的其他阶段相联系，从而能够起剥削剩余价值手段的作用。例如：资本家用货币购买生产资料和劳动力，这时货币就既执行购买手段的职能，又执行货币资本的职能，因为他买来生产资料和劳动力，是为了进行资本主义生产，榨取剩余价值，所以，这个购买行为就同剩余价值生产过程联系起来了，货币就同时执行货币资本的职能。又如：资本家把生产出的商品卖出去，重新取得货币，在这里，不仅表现着货币是交换的媒介物，而且表现着预付资本的复归，表现着剩余价值的实现，因为这个W′－G′的过程，是和以前进行的资本主义生产过程联系着的，它表明出售的W′既包含资本价值又包含剩余价值，所以，G′又具有货币资本的意义。同样，在正常的情况下，一部分货币暂时处于贮藏货币的形式时，是为了不久又要投入流通，并不断通过资本循环而发生作用；可以说，正如购买手段、支付手段的职能同时成为货币资本的职能一样，这时的货币贮藏同时也成了货币资本的职能。它是货币资本在循环进行中所必需的。所以马克思说：“这些货币职能只是由于它们和这种循环的其他阶段的联系，才同时具有资本职能的意义”。

另一种是特殊的情况。例如，由于市场上缺货，用货币买不到所需要的商品，因而这些货币就暂时闲置起来。这时，货币又处于贮藏状态，但这是非自愿的货币贮藏，因为它是由于外部条件所造成的G－W的中断所引起的。这种“货币具有闲置的、潜在的货币资本的形式”。这个问题，将在本章第三节进行研究。

Ⅱ. 积累和规模扩大的再生产

已经实现的剩余价值要转化为资本，必须积累到必要的规模

由出售商品W′而取得的货币G′，是包括G和g，即预付资本和剩余价值的。如果是简单再生产，剩余价值g就脱离资本流通而进入商品流通。如果是扩大再生产，剩余价值g就要转化为资本。但是，这部分 g 是否立即参加生产资本循环呢？这要由具体情况来决定。因为“生产过程可能扩大的比例不是任意规定的，而是技术上规定的”。例如，一个纺纱厂的资本家，要增加纱锭的数目，就要同时增加梳棉机和粗纺机，还要同时增加棉花和工资的支出，因此，剩余价值要资本化，就必须达到相当的数量。在没有达到这个必要的数量以前，剩余价值就不能立即投入再生产，而是凝结为贮藏货币，“并在这一形式上形成潜在的货币资本”。由此可见，已经实现的剩余价值，只有经过若干次的资本循环，积累到必要的规模，才能在实际上成为追加资本。

为什么把这部分贮藏货币叫作潜在的货币资本呢？“因为在它停留于货币形式时，不能作为资本发生作用”。这就是说，它还没有在实际上执行资本的职能，只是具备成为资本的可能性。这里所说的“潜在的货币资本”和上节所说的“闲置的潜在资本”是有所不同的，上节所说的是由于流通中断而暂时闲置的货币资本，这里所说的是还不能执行职能的货币资本。这个问题，在第 97 页第 2 段到第 98 页第 1 段还做了进一步的论述。

这种潜在的货币资本如果掌握在金、银生产者或商人手中，它就采取金银贮藏的形式。这部分潜在资本如果只是在交易中执行支付手段的职能，那它就不采取货币形式，而是转化为债权。总之，不管采取何种形式，它都属于潜在资本的性质。

扩大再生产的生产资本循环公式

“资本主义生产的全部性质，是由预付资本价值的增殖决定的，就是说，首先是由生产尽可能多的剩余价值决定的；其次是由资本的生产，即由剩余价值到资本的转化决定的。”因此，扩大再生产是资本主义生产的一般趋势。至于剩余价值究竟有多少用作扩大再生产，那是实际生活中的问题。为了不使公式复杂化，我们假定剩余价值全部积累起来，那么，扩大再生产的生产资本循环公式就是：$P \cdots W' - G' - W' < \begin{matrix} A \\ Pm \end{matrix} \cdots P'$。

上述公式表示：一个生产资本按更大的规模、更大的价值被再生产出来，并且作为已经增大的生产资本，开始它的第二次循环。如果进行新的即第二次的循环，公式末的 P′将转化为公式开始的 P，但第二个循环开始的 P（即 P′），和第一个循环开始的 P 相比，已经是一个更大的生产资本。

如与货币资本循环公式相比较，就可看出，这个公式具有如下特点：

第一，孤立来看货币资本的循环，则 G…G′不过表示：G 是会生出货币的货币，会生出剩余价值的价值。但是，在扩大再生产的生产资本循环公式中，在第一阶段的生产过程已把剩余价值生产出来；在第二阶段（即流通的第一阶段）W′－G′，剩余价值已经实现为货币资本；在第三阶段 $G'-W'<\begin{matrix}A\\Pm\end{matrix}\cdots P'$，剩余价值又转化为资本积累，重新投入再生产。因此，“在 P…P′中，P′所表示的，不是剩余价值生产出来，而是生产出来的剩余价值已经资本化，就是说，资本已经积累，因此，P′和 P 不同，它是由原有的资本价值加上在这个资本价值的运动中积累起来的资本的价值构成的”。由此可见，在货币资本循环公式中，G 之所以成为 G′，是价值增殖的结果，它表明 G′由资本价值和剩余价值所组成，获得了剩余价值；在扩大再生产的生产资本循环公式中，P 之所以成为 P′，是剩余价值资本化的结果，它表明 P′由资本价值和已经转化为资本的剩余价值所组成，表示已经实现了资本积累。所以，P′并不是生产资本 P 的结果，而是资本家把剩余价值转化为资本的结果。

第二，在货币资本循环公式中，循环中出现的 W′是生产资本 P 发生作用的产物，而循环终结的 G′则是 W′的转化形式。它们都不是表现运动，而是表现运动的结果，即以商品形式或货币形式表现已经在运动中增殖的资本价值。但在 W′和 G′中所包含的剩余价值，既不是货币资本的职能，也不是商品资本的职能的结果，而是它们在资本循环中，经历不同阶段，完成不同职能，互相联系的结果。所以 W′和 G′中所包含的资本价值和剩余价值关系，不是来源于货币或商品本身的属性，而是来源于资本本身的属性。“W′始终是 P 的职能的产物，G′始终只是 W′在产业资本循环中的转化形式。”因此，作为第一次货币资本循环的结果的 G′，当它开始第二次循环时，即使 G′中所包含的剩余价值全部资本化了，它也不是作为 G′，即循环的终极，而是 P 出现，即不是作为第一次生产资本循环的结果，而是作为 G，即一个新的循环的起点。这时，G′虽然在价值上比原来的 G 增大了，但在新的循环中，它只作为 G 出现，只执行预付资本的职能，它由剩余价值资本化而增大的一切关系都消失了。“生产资本的循环也是这样。”就是说，作为第一次生产资本循环结果的 P'，虽然大于原来的预付的生产资本 P，因为其中包含有转化为资本的剩余价值，但当它开始第二次循环时，它就不是作为 P' 而是 P 出现，即不是作为第一次生产资本循环的结果，而是作为第二次循环的开始出现，它和简单再生产资本循环 P…P 中的 P 完全一样，都是预付资本，和 G' 重新作为 G 一样，资本价值和剩余价值的区别消失了，剩余价值资本化的关系也消失了。

第三，在扩大再生产的生产资本循环公式中，在 $G'-W'<\begin{matrix}A\\Pm\end{matrix}$ 阶段上，已经增大的价值量只能用 W' 来表示，而不能用 A' 和 Pm' 来表示。为什么呢？因为 W 是 A 和 Pm 之和，W' 已表示出它所包含的 A 和 Pm 大于原来的生产资本 P。其次，如果把 W' 分解为 A' 和 Pm'，那反而是错误的。因为随着资本的增大和技术构成的提高，资本的价值构成也提高，用于生产资料 Pm 价值部分的比例会不断增大，用于劳动力 A 的价值部分的比例则相对减少，有时甚至会绝对减少，这就可能出现 A 减少而 Pm 增大的情况，所以把 A 和 Pm 都看成是同时增大，是不切合实际情况的。

Ⅲ. 货 币 积 累

产生货币积累的原因

本节论述扩大再生产条件下的货币积累问题。

为什么会产生货币积累呢？把剩余价值转化为资本，有下述两种情况：一种情况是，把积累起来的剩余价值 g 投资于另一个新建的独立的企业，很明显，g 必须达到这个企业所需要的最低限量，才能用于这个企业，因此，当 g 还未达到这个最低限量时，这部分货币就要以贮藏的形式积累起来。另一种情况是，把积累起来的剩余价值用于扩大原有的企业，那么，“加入生产资本的各种要素的这些物质比例”，即一定量的生产资料和一定量劳动力的结合，“以及它们所承担的价值比例”，即一定量不变资本价值和一定量可变资本价值的比例，都需要达到规定的最低限量。如果只增加纺纱机而不相应增加棉花，或只增加棉花而不相应增加纱锭和雇佣工人，就不能进行扩大再生产。可见，要扩大原有的企业，剩余价值也必须具有一定的数量。这往往必须经过资本循环的多次反复才能达到。当剩余价值的积累还未达到一定的数量时，它就要以货币的形式积累起来。这个道理，在本章第二节第一段中就已简单地提示过。很明显，这种货币积累并不是货币本身的职能，而是 P…P 反复进行的结果。在这里，货币积累，货币贮藏，“表现为随着现实积累即产业资本作用规模的扩大而暂时发生的过程”。为什么是暂时发生的呢？因为这部分剩余价值是要转化为资本，执行资本的职能的，它之所以还停留在货币贮藏的形式上，是因为还未达到一定的数量，当它积累到一定数量时，它就会和原有资本一 道投入生产过程中去，所以，它采取货币积累只是临时的形式。为什么这个货币额会增大呢？“只是因为那种没有它的作用而存在的货币被投到同一个钱柜中去。”这就是说，把刚刚由剩余价值转化为资本的那部分货币，不断地贮藏起来，货币积累的数量不断增大，一直达到最低数量能投入生产时为止。

贮藏货币与潜在的货币资本的关系

存在于贮藏形式上的货币，这是货币本身的职能。在资本主义以前的社会中，只要有商品、货币存在，货币就会起着贮藏手段的作用。但那时，只是为了贮藏货币而贮藏货币，这种贮藏货币不是潜在的货币资本。而在这里，贮藏货币却充当潜在的货币资本，但它之所以能充当潜在的货币资本，并不是因为它是贮藏货币，而只是因为它是剩余价值的转化形态，是处在资本循环过程之外的、但对于 g 转化为执行职能的资本来说是一个确定的预备阶段。就是说，要使剩余价值能够投入生产过程，执行资本的职能，就必须使剩余价值积累到一定数量。所以，这部分货币积累乃是资本积累的必要条件。可以说，这是一部分闲置的货币资本，是还没有执行资本职能的货币资本，它之所以能成为货币资本，是由它不久的未来所决定的。

货币积累的形式

货币积累存在于资本循环过程之外，它基本上有三种形式：一种是货币贮藏，这是货币本来的实在的形式；一种是贷款或债权的形式（这在第92页第2段已经论述过）；一种是银行存款或有价证券形式。如果积累的货币一旦采取银行存款形式，那它就成为生息资本，直接提取利息了，那它就不会作为产业资本发挥作用，而与 P…P′循环过程无关了。

Ⅳ. 准 备 金

准 备 金

本节进一步研究，作为剩余价值存在形式的贮藏货币，也可作为准备金，用于资本循环过程，完成特殊的附带的职能。

一般说来，把起着积累基金作用的贮藏货币作为准备金来使用，是在下列两种情况下出现的：一种是，如果 W′－G′过程超过了正常时间，商品不容易卖出时，资本家就把贮藏货币作为准备金来使用，以便继续再生产。一种是，在 G′－W 阶段中，如果生产资料价格上涨，超过了循环开始时的水平，为了买到预定数量的生产资料，就要把贮藏货币作为准备金来使用，以代替货币资本的一部分。这两种情况都是在资本循环出现干扰的情况下使用的，是一种救急的临时措施。把贮藏货币作为准备金来使用，虽然它也进入资本的循环过程，但只是为了维持原有规模的再生产，并没有使资本主义的再生产扩大。

作为准备金使用的货币，和作为购买手段或支付手段的货币基金是不同的。作为购买手段或支付手段的货币基金，是货币资本，它在资本循环的过程中执行资本的职能。“相反，准备金不是执行职能的资本的组成部分，确切地说，不是执行职能的货币资本的组成部分，而是处在积累的预备阶段中的资本的组成部分，是还没有转化为能动资本的剩余价值的组成部分。”资本家把潜在货币资本作为准备金来使用，只是资本家把积累的预备阶段中的资本成分用于临时的急需而已。所以，这种准备金并不是货币资本的基本职能。

生产资本循环的总公式

在第99—100页中，马克思对本章的研究作了概括性的总结，表述了生产资本循环的总公式：

$$P\cdots\overbrace{W'-G'}^{1}.\ \overbrace{G-W}^{2}<^{A}_{Pm}\cdots P\ (P')$$

这个总公式，既包括简单再生产，也包括扩大再生产。如果P＝P，(2)项的G就等于G′－g，这就是简单再生产。“如果P＝P′，(2)项的G就大于G′－g”，这就是扩大再生产。在扩大再生产的情况下，或者是：G等于G′，即全部剩余价值都积累起来转化为资本；或者是：G等于G′减g（即G比G′少，但又比G′减g多），即部分剩余价值资本化，部分剩余价值被资本家用于个人消费，这就是说，“g是全部或部分地转化为货币资本”。

这个生产资本循环的总公式，无论是在简单再生产或扩大再生产的形式上，都没有揭示剩余价值的起源，而只是表现为生产的扩大，为生产而生产，生产自身是目的，这是生产资本循环形式的片面之处。资产阶级古典经济学家就是在这个片面的循环形式的基础上，来考察产业资本的循环过程的。

■ 马克思是把生产资本的循环当作再生产的过程来研究的。在简单再生产中，着重研究这个运动的形式中所包含的内容。例如，在W′－G′流通阶段，着重分析了剩余价值流通和资本价值流通的关系，接着在G－W阶段中，就舍象掉剩余价值，着重分析了资本价值流通中的货币作用问题，一旦W′－G′－W流通中断，就会引起危机的爆发。在扩大再生产中，研究了生产资本循环的公式和特点，研究了以贮藏货币形式存在的资本化的剩余价值，如何在生产资本循环之外，以潜在的货币形式而存在，又如何作为准备金，直接加入资本的循环过程。这些虽然都是通过一定的形式表示出来，但都包含着资本在运动中的流通阶段所具有的深刻内容。可见，资本循环的不同表述的公式，都是以深刻的理论分析为基础的，都是建立在马克思关于资本流通理论的基础之上的。因此，我们不仅要理解有关公式的具体形式，更要注意研究这些公式所体现的基本内容。

在《资本论》第一卷第三章中，马克思通过对商品流通和直接物物交换不同的分析，指出商品流通包含危机的可能性。在这一章里，马克思又进而指出，资本循环不仅与直接的物物交换不同，而且与简单商品流通也不同，危机不仅有可能性，而且有现实性。可见，对资本主义经济危机由可能性到现实性的分析，是和简单商品生产发展为资本主义生产相适应的，是通过一系列的矛盾分析、矛盾发展、矛盾转化和激化而表现出来的。因此，关于危机的理论，是马克思研究资本主义生产方式总的理论的一个重要组成部分。

第 三 章

商品资本的循环

在研究了货币资本循环、生产资本循环之后，第三章就接着研究商品资本循环。货币资本循环、生产资本循环和商品资本循环，都是产业资本运动的特殊形式，但有着不同的特点。

在本章中，着重通过对商品资本循环的公式的起点 W′和终点 W′的分析，揭示商品资本循环的特点，并进一步证明，商品资本的循环不仅是单个资本循环的形式，而且体现了社会总资本的运动。

商品资本循环的总公式

本章一开始，马克思对商品资本循环的总公式作了如下表述：

W′－G′－W…P…W′（W″）

如果是规模扩大的再生产，终点的 W′应该大于起点的 W′，因此终点 W′应当用 W″来表示。

这个第三个形式（即商品资本循环的形式）和前两个形式（指货币资本循环和生产资本循环的形式）相比，有两个明显的区别：第一，总流通所处的地位不同。在货币资本循环中，流通为生产过程所中断。在生产资本循环中，流通只是再生产过程的媒介。商品资本的循环，则是以包含两个对立阶段的总流通（W′－G′－W）来开始的，流通被提到了首位。第二，起点不同。货币资本循环和生产资本循环的起点是 G 和 P，终点 G′和 P′在开始新的循环时，重新作为 G 和 P 执行职能。但在商品资本循环中，“即使循环以相同的规模更新，起点 W 也必须用 W′来表示”。为什么呢？因为货币资本循环或生产资本循环的起点 G 或 P，不管它们是从哪里来的，都只是当作单纯的预付资本开始循环；而商品资本循环的起点 W′，则是一个既包含资本价值又包含剩余价值的商品资本。因为商品资本循环一开始，剩余价值已被生产出来、并被对象化在 W′中了。也就是说，它一开始，“就不仅包含存在于商品形式中的资本价值的循环”，即 W－G－W，“而且包含剩余价值的循环”，即 w－g－w。因此，“在所有情况下，W′总是作为一个商品资本(＝资本价值＋剩余价值)来开始循环。”

从商品资本循环的总公式起点 W′来看商品资本循环的特点

接着，马克思对商品资本循环的总公式的起点 W′进行了分析，着重说明，作为起点的，永远是 W′，而不是 W。

首先，“在一个单个的产业资本的循环中作为 W 的 W′，不是这个资本的形式，而是另一个生产生产资料的产业资本的形式”。例如，炼铁厂把铁卖给机器制造厂，对炼铁厂来说，铁是生产出的商品资本，而对机器制造厂来说，这是生产资料，是已经购买来的生产资本。所以“第一个资本的 G－W（即 G－Pm）行为，对这第二个资本来说，就是 W′－G′”。在这种 W′－G′的流通行为中，生产资料 (Pm) 和劳动力（A），都是作为商品来买卖，这一点是共同的，但也有不同之处：如果生产资料是资本主义工厂生产出来的，它在出卖时就是资本家的商品资本；而出卖劳动力的工人，只是劳动力商品的所有者，并不是资本所有者，只有把劳动力出卖给资本家，作为资本家所购买的 P 的组成部分，才成为资本。所以，W′是商品资本，是对商品资本循环的起点而言的。这时，作为起点的 W′，不是单纯的 W，不是单纯的预付资本。“作为商品资本，它总是一个二重物。”这是因为：从使用价值方面来看，它是生产资本 P（即已经买进来的生产资料 Pm 和劳动力 A 的结合）执行职能的产物；从价值方面来看，它不仅包含生产资本的价值（即包含 A 和 Pm 的价值），而且包含剩余价值（m），因此，商品资本循环一开始的 W′－G′阶段，既是商品资本价值的货币化，同时又是剩余价值的实现。这种资本价值和剩余价值的实现，在有些产品中（如纱）是可以分离的，在有些不可分割的产品中（如机器）是不可分离的；但不管是哪种产品，都要或早或迟地使资本价值和剩余价值都得到实现。从第 103 页第 3 段到第 106 页第 3 段，列举了这种实现的例证。

其次，W′作为资本关系，是整个循环的起点。在货币资本循环中，货币（G）是出发点，货币之所以转化为生产资本$<\begin{matrix}A\\Pm\end{matrix}$，是为了取得更多的货币。“这是一个完全的营业周期”。这里起点的货币虽然是资本，但不是已经带来剩余价值的资本，而是将会带来剩余价值的资本。一旦终点的G′重新投入循环时，G′已成为G，是预付资本，不再是G′。在生产资本循环时，它的起点是P而不是P′。起点的P，是生产资本，它的职能是生产过程；而终点P或P′不是生产过程，“它不过是产业资本在生产资本形式上的再存在”。所以P…P公式不表示价值增殖是过程、是目的，却好像生产本身是目的，是为生产而生产。在商品资本循环中，循环从W′开始，以W′结束，它同生产资本循环一样，都是未完成的循环。它同货币资本循环可以作为一个独立的完全的营业周期不同，起点的W′是要出卖的商品，终点的W′也是要出卖的商品，它决定着要继续进行再生产，决定着要继续营业，这就不能反映一个独立的完全的营业周期。因此，要使起点的W′能够转化为G′，即能够实现再生产，表现为起点W′的全部是商品必须全部消费掉，这是使循环本身得以正常进行的条件。这就是说，不仅工人需要进行个人消费，资本家需要进行个人消费，而且需要进行生产消费，再生产才能继续进行。这里所说的生产消费，从实质上说，既包括生产资料的消费，也包括工人的个人消费，因为如果没有工人的个人消费，劳动者不能维持生存，也就不会有劳动力的再生产。如果生产出来的商品得不到消费，表示为起点的W′不能实现，再生产就不能继续进行，资本循环就会中断。所以，起点W′的实现，对整个循环起决定性作用。

最后，W′作为商品资本循环的起点，又是它的经过点和终点，“因此，它总是存在着”，“它是再生产过程的经常性的条件”。为什么呢？在货币资本循环中，如果要扩大再生产，就要由终点的G′中所包含的剩余价值g，有多少投入再生产，进行第二次循环来决定。在生产资本循环中，如果劳动生产率提高，商品便宜，用和原有资本价值相同甚至更小的价值，也可能实现规模扩大的再生产；反之，如果劳动生产率下降，各种生产要素变得昂贵，用和原有资本价值相同甚至更大的价值，就会出现规模缩小的再生产。这就是说，再生产的规模要依据生产要素本身的价值变化而定。在商品资本循环中，再生产的进行，必须以商品形式的资本的存在为前提。特别是要以这个循环中在第二个 W 上的商品资本的存在为前提。因为商品资本循环中的第二个 W，一般都是当作另一个产业资本的 W′再生产出来的，因此，没有 W′的存在，没有另一个产业资本的 W′－G′的行为，这个产业资本就买不到所需要的生产资料，就不能实现由 G′－W 的转化，循环就会中断，再生产就不能继续进行，所以，在商品资本循环中，W′的经常存在，是再生产的必要条件。例如，一个机器厂的商品资本循环，首先是把机器（起点的 W′）卖掉，再买进生铁（生铁，是机器厂的 W，即铁厂的 W′），然后再生产出机器（终点的 W′），如果铁厂不能供应生铁（W′），机器厂就没有原料（W），机器厂的商品资本循环就会中断，再生产就不继续进行。这就说明，社会资本各部分间，以 W′的交换为有机联系，是再生产的必要条件。

从商品资本循环的总公式终点 W′来看商品资本循环的特点

从第 109 页第 6 段到 112 页第 1 段，对商品资本循环的总公式的终点 W′进行了分析。

在简单再生产情况下商品资本循环的公式是：

$$W'\begin{cases} W- \\ -G' & \begin{cases} G-W<\begin{matrix}A\\ Pm\end{matrix}\cdots P\cdots W' \\ \\ g-w \end{cases} \\ w- \end{cases}$$

在扩大再生产情况下商品资本循环的公式是：

$$W'\begin{cases} W- \\ -G' & \left.\begin{cases} G \\ \\ g\begin{cases} g_1 \\ g_2-w \end{cases} \end{cases}\right\}-W<\begin{matrix}A\\ Pm\end{matrix}\cdots P\cdots W'' \\ w- \end{cases}$$

公式中的 g_1，用于资本积累，g_2 用于资本家的个人消费。

不管是商品资本循环的简单再生产公式或扩大再生产公式，它和货币资本循环公式、生产资本循环公式有一个共同点，这就是：它们起点的资本形式和终点的资本形式都是一致的，起点是 G、P、W′，终点还是 G′、P、W′，但是由此引起了它们之间的区别，这就是：它们终点的资本形式的前提有所不同。在货币资本循环中，终点 G′是 W′的转化形式，实现这个转化的前提是买者手中的 G，而这个 G 是存在于货币资本循环之外的。在生产资本循环中，终点 P 是 G 的转化形式，实现这个转化的前提是生产资料 Pm 和劳动力 A 的存在，而生产资料和劳动力是在卖者手中，也是存在于该企业资本循环之外的。商品资本循环则不同，它的终极点 W′或 W″，是生产资本 P 的转化形式，因此，(1) 和货币资本循环、生产资本循环不同，在 G…G′中，从 W′－G′；或在 P…P 中，从 $G-W<^{A}_{Pm}\cdots P$，终点的 G′和 P 都是流通过程的直接结果。但在 W′－W′中，终点 W′不是作为流通过程的结果，而是作为生产过程结果，即从 P…W′。(2) 在终点的 W′中，不仅资本的职能的形式发生了变化，例如，机器厂把钢铁等原料制造成机器，而且它的价值量也增加了，这就是说，在 W′中包含了生产过程所创造的剩余价值。(3) W′的前提，是商品 W，W 本身是存在于循环之外，但它作为 W′的前提，又是存在于循环之内，与上述二公式终点的前提都存在于循环之外不同。为什么呢？W′是由 $W<^{A}_{Pm}\cdots P\cdots W'$所形成的，它的前提是 W，即需要购买的生产资料和劳动力，这第二者都是为别人所有的，存在于该企业资本的循环之外的；再者，W′的另一部分，又是 w－g－w 所形成的，w 是用于资本家的个人消费，显然，这些消费品，也是存在于循环之外的；但这些循环之外的东西，一旦被购买，就处于循环之内，作为 W′的直接前提了，所以说，“只有在这个形式中Ⅲ中，W 才在循环自身之内表现为 W 的前提”。在这里，前者的 W，系指生产资料和劳动力，即 Pm＋A，后者的 W，指终点的 W′。P 是由 Pm＋A 所构成的，Pm 和 A 通过直接生产过程 P，才会有终点的 W′。所以，W′的前提 W，是在循环过程之内的，但 W 又是在别人手中，由循环之外引进循环之内的。因此，“W′…W′却以 W (＝A＋Pm) 是他人所有的、他人手中的商品为前提，这些商品由作为先导的流通过程引入循环，转化为生产资本，然后 W′作为生产资本执行职能的结果，再成为循环的结束形式”。

商品资本循环不仅是单个产业资本共有的运动形式，也是社会总资本的运动形式

正因为商品资本循环公式中的 W 存在于别人手中，因而它的循环就要以另一个或一系列的产业资本的循环为前提。作为商品资本循环起点的商品资本，一开始就要转化为货币，并进行一系列的购买，所以这个循环一开始就和其他资本互相交错。例如，机器厂把生产的机器，即它的 W′，卖给织布厂作为生产工具，即织布厂的 W；如果面包厂把生产的面包，即它的 W′，卖给资本家个人消费，即从 W－g，这就出现如下错综情况：甲企业的 G－W，或 g－w，也就是另一企业的 W′－G′。如果从整个社会来看，任何个别商品资本循环中段的 W，都是其他个别商品资本循环中的 W′。由此可见，在商品资本循环中，是以 W 是其他资本家的商品为前提的，从而出现了这一个资本与另一个资本互相交错、互为条件的复杂关系。因此，我们不能把商品资本循环公式仅仅看成是考察每一个单个产业资本的社会形式，“因而不仅看作一切单个产业资本共有的运动形式，而且同时看作各单个资本的总和即资本家阶级的总资本的运动形式，在这个运动中，每一个单个产业资本的运动，都只表现为一个部分运动，和其他部分运动交织在一起，并且受它们制约”。这就是说，商品资本循环不仅是单个产业资本共有的运动形式，而且是社会总资本的运动形式。社会资本是单个资本之和，社会资本的总运动也是各单个资本运动的代数和。因此，在研究社会资本再生产时，就要用商品资本循环公式作为社会总资本的循环公式。所以马克思说：这个形式对《资本论》第二卷“第三篇来说是很重要的，因为在那里，各单个资本的运动要和社会总资本的运动联系起来加以考察”①。

商品资本循环的特征

第 113 页第 2 段到 114 页第 1 段着重研究了商品资本循环公式的特征。首先，作为起点 W′，既包含预付资本价值的那部分产品的运动，又包含形成剩余价值的那部分产品的运动，“因而运动一开始就表明是产业资本的总和运动”。其次，作为起点的 W′，是以商品的形式存在着的，

① 《资本论》第 2 卷，人民出版社 2004 年版，第 173 页。

不论它的使用形式决定它要用于生产消费还是要用于个人消费，“一开始就把生产消费和个人消费包括在内”。最后，“W′的由各个产品部分表现的各个价值组成部分，要看 W′…W′是作为社会总资本的运动的形式，还是作为一个单个产业资本的独立运动，而必然占有不同的位置”。总之，商品资本循环这些特征，都表明它已经超出它作为一个单个资本的孤立循环的范围，实际上，已包含着社会总资本的生产、交换、分配、消费等方面的运动。

研究商品资本循环要注意的问题

商品资本循环既是单个资本循环的前提，又受这种循环的制约，在产业资本的相互之间存在着错综复杂的关系，因此，在研究商品资本循环时，首先需要注意的一个问题是：如果仅仅弄清楚由 W′－G′和由 G－W 的形态变化，就已经不够了，“还必须弄清楚一个单个资本的形态变化同其他单个资本的形态变化的错综关系，以及一个单个资本的形态变化同总产品中用于个人消费的部分错综关系”。这就是说，商品资本循环一开始，就是作为社会总产品运动的有机组成部分，不能孤立地进行研究，而要从社会总资本运动的角度去研究它。因此，在研究单个产业资本的循环时，主要用货币资本循环和生产资本循环的公式，而不采用商品资本循环公式。

其次，“W′…W′循环也表现为一个单独的单个资本的形式，例如在农业中就是这样，在那里，是从收成计算到收成”。因为农业中的产品既是消费资料，又可作为生产资料。如将谷物作种子，起初将种子投入，最后再回收谷物，因此，农业中的 W′…W′循环，一开始就只表现为总产品量的运动的一部分。所以，重农学派魁奈就把商品资本循环公式作为他的《经济表》的基础。可见，研究农业再生产时，是可以运用商品资本循环公式的。至于魁奈怎样把这一公式当作他《经济表》的基础，他在这方面显示出哪些伟大的正确的见解，那是《资本论》第二卷第三篇专门研究的内容。

再次，商品资本循环公式也有片面性，因为公式表明，市场上的商品（W）是再生产过程的经常前提，这就造成一个假象，好像生产过程的一切要素都是来自商品流通，“只是由商品构成”，而与商品无关但又是资本主义生产过程要素的那些方面就被忽视了，因而不能透视资本主义生产的实质。这是在研究时必须注意的。

■ 学完上述三章，人们不禁要问：马克思为什么要对货币资本、生产资本、商品资本的循环分别进行研究呢？研究这三种资本形式的循环的目的是什么？

如前所述，这三种形式的资本循环，都具有各自不同的特征。作为货币资本的循环，以预付资本价值为起点，以价值已经增殖的货币为终点，在这个形态上，很明确地表现了产业资本的目的，是为了价值增殖，为了赚钱发财。作为生产资本的循环，以生产资本职能的生产过程为起点，以货币资本转化为生产资本为终点，在这个形态上，明显地表示了剩余价值的生产过程。作为商品资本的循环，以包含着预付资本价值和剩余价值的商品资本为起点，以经过再生产过程生产出来的商品资本为终点，在这个形态上，可以看出这个已增殖的资本价值的实现条件。因此，这三种资本形式的循环，每一形式都只表现出产业资本循环的某一方面，都只片面地规定着产业资本某一方面的特征，如果我们只根据三种形式中的某一形式来分析产业资本，就会得出错误的结论。例如：如果把货币资本循环作为产业资本运动的唯一形态来把握，就会忽略了资本主义的生产过程，就会产生货币能够生产货币的错觉。如果只根据生产资本的循环来考察产业资本的循环过程，就会把为生产而生产作为资本主义生产的目的，就会把资本占有剩余价值这个唯一真实动机掩盖起来。如果只从商品资本的循环来分析产业资本，就会造成一种错觉，好像资本主义生产是为了满足社会需要，为了消费而发展生产，这就模糊了资本主义生产的实质。总之，必须通过三个形式的统一来把握产业资本运动的真实面貌，才能避免某一形式所表现的片面性。马克思在总结经济思想史的基础上批判地指出：把货币资本的循环肯定为唯一的形式，是重农学派的理论基础；至于古典经济学，又只是把生产资本的循环作为考察产业资本循环过程的形式。这样，虽然他们也能认识到某些方面的问题，但都带有不同程度的片面性。只有马克思运用唯物辩证法，既分析了各种资本形式在循环时所具有的特征，又揭示了它们的片面之处；分析了它们互为前提、互为条件、互相制约的辩证关系，揭示了整个资本运动的各个方面；又从辩证的统一的整体运动中全面地把握产业资本的循环。至于马克思如何把产业资本的循环看成是所有三个循环的统一，则是下一章要研究的问题。

第四章

循环过程的三个公式

在前三章，分别考察了产业资本循环的三种特殊形式，揭示了产业资本循环的个别方面；在本章中，从三种循环的联系和统一中来考察产业资本的循环，也就是说，把产业资本的循环作为一个统一的整体来研究。

产业资本的现实循环，并不是三种循环的机械总和，而是它们的辩证的统一。只有从这种辩证统一的研究中，才能揭露资本流通的矛盾，深刻认识产业资本的本质，因此，这里所涉及的问题，在资本循环的某一特殊形式中是既无法揭示又无法解决的。

产业资本的循环是三个循环的统一

如果把货币资本循环、生产资本循环、商品资本循环做一个总的考察，我们就会发现，从形式上看：(1) 这三个循环的前提都表现为过程的结果，同时，又表现为过程本身所产生的前提，例如，G…G′，G 是前提，G′是过程的结果，而 G′的重新循环则又作为前提；(2) 每一个因素都表现为出发点、经过点和复归点，例如商品资本的循环，$W'-G'-W<^{A}_{Pm}\cdots P\cdots W'$，这里的 $W'-W-W'$，既是出发点，又是经过点和复归点；(3) 总过程表现为生产过程和流通过程的统一，如在货币资本循环中，生产过程成为流通过程的媒介，反之，在生产资本循环中，流通过程则成为生产过程的媒介。

如果从内容上看，“所有这三个循环都有一个共同点：价值增殖是决定目的，是动机”。这个共同点，表示着产业资本的实质。但这个共同点在三个不同的形式中也有不同的具体表现。在货币资本循环中，投入 G

是为了取得 G′，其目的是一目了然的；在生产资本循环中，就是以价值增殖过程的生产行为本身来开始的；在商品资本循环中，“开始过程的资本价值不是预付的资本价值，而是已经增殖的资本价值，是处在商品形式上的总财富，预付资本价值只是其中的一部分”[①]。因此，它既是以已经增殖的价值开始，又是以重新增殖的价值结束。

如果从生产过程和再生产过程来看：在一个不断回转的循环本身，“每一点都同时是出发点和复归点”。这就是说，如以货币资本为起点来考察，就可看到货币资本的不断循环；如以生产资本为起点来考察，就可看到生产资本的不断循环；如以商品资本为起点来考察，就可看到商品资本的不断循环，“不仅每一个特殊的循环都把其他的循环作为前提(包含在内)，而且一种形式的循环的反复，已经包含着其他形式的循环的进行”。例如，在货币资本的不断循环过程中，就已包含了生产资本的循环和商品资本循环的不断进行；同样，在生产资本的不断循环过程中，也包含了货币资本循环和商品资本循环的不断进行。“因此，全部区别表现为单纯形式上的区别，或者说，表现为单纯主观上的、只对考察者才存在的区别。”这就是说，产业资本的循环，既可以货币为起点作为货币资本循环来考察，也可以生产资本或商品资本为起点，当作生产资本循环或商品资本循环来考察，但不管你是从哪个起点来考察，这三种形式的循环都是处于产业资本的循环中，因此，要区别为哪一种形式的循环，是由考察者的主观意志所决定的。

在前三章中，都是假定资本家的资本以一种形式投入循环的，如全部以货币的形式投入，就是货币资本的循环，如全部投入生产资本或商品资本，就是生产资本循环或商品资本循环。“但是实际上，任何一个单个产业资本都是同时处在所有这三种循环中。”在一部分货币资本购买生产资料和劳动力、转化为生产资本的同时，就有一部分产品经过生产过程而生产出来、由生产资本转化为商品资本，并有一部分商品卖出去、由商品资本转化为货币资本，所以，“这三种循环，三种资本形态的这些再生产形式，是连续地并列进行的”。“在这里，总循环是资本的三个形

① 《资本论》第 2 卷，人民出版社 2004 年版，第 172 页。

式的现实的统一”。如果不是这样，而是假定资本价值全部作为货币资本，或作为生产资本，或作为商品资本出现，那么，在资本运动中就必然发生流通过程和生产过程的交替的中断。例如，一个机器厂的 500 万元资本，首先是全部作为货币资本，然后通过购买行为 G－W，购买劳动力和生铁等原料，全部转化为生产资本，这时，它就既不会作为货币资本，也不会作为商品资本，而只是作为生产资本来发生作用，因此，在这个阶段内就只有生产过程，全部流通过程则中断了。经过生产过程以后，生铁等变成机器，生产资本转化为包含有剩余价值的商品资本，这时，全部资本就只是作为商品资本发生作用，必须全部再转化为货币资本，因此，在这个阶段内只有流通过程，全部生产过程就中断了。所以，当全部资本只处在两个流通过程的任何一个阶段上，当作货币资本或商品资本发生作用时，生产过程就会中断；相反，如全部资本只处在生产阶段上，当作生产资本发生作用时，流通过程就会中断。这样，总循环就不能继续进行，它的三个形式的现实的统一就不能实现，再生产就会发生停滞或中断。

实际上，产业资本的三个形式和其循环的不同阶段是互相排斥的。一个资本处在货币资本形式上，就不能同时又处在生产资本或商品资本形式上；反之亦然。同样，一个资本处在生产阶段上，就不能同时又处在流通阶段上；反之亦然。正如马克思所指出的：“资本的循环过程是不断的中断，是离开一个阶段，进入下一个阶段；是抛弃一种形式，存在于另一种形式；其中每一个阶段不仅以另一个阶段为条件，而且同时排斥另一个阶段。”

但是，任何一个工厂都要不断地连续地进行生产，不能时而开工，时而停工，那么，怎样才能使生产连续不断地进行呢？“让我们来看看实际情况是怎样的。”当一部分资本作为货币资本在市场上转化为各种生产要素的同时，就有另一部分资本已经作为生产资本进入生产过程，还有一部分资本作为商品资本从生产过程中出来进入市场，并逐步转化为资本。“资本的所有部分都依次经过循环过程，而同时处在循环过程的不同阶段上。这样，产业资本在它的循环的连续进行中，就同时处在它的一切循环阶段以及和各该阶段相适应的不同的职能形式上。”例如：一个机器厂，一方面要不断地购进生铁等原材料，另一方面要进行生产，又一方面要把生产出来的机器投到市场上去出卖，这样，要使再生产能够正常地继续进行，就必须把全部资本依照一定的比例分成几个不同的部分，即使它同时处在货币资本、生产资本、商品资本的形态上。当一部分资本处在 $G-W<\begin{smallmatrix}A\\Pm\end{smallmatrix}$阶段，就有另一部分资本处在…P…阶段，还有一部分资本处在 $W'-G'$阶段；当一部分货币资本转化为生产资本的同时，就有一部分生产资本转化为商品资本，又有一部分商品资本转化为货币资本。所以产业资本不仅必须同时具备三种不同的特殊形式，而且这三种形式还要同时进行连续不断的循环。由此可见，“产业资本的连续进行的现实循环，不仅是流通过程和生产过程的统一，而且是它的所有三个循环的统一”。所谓“三个循环的统一”，就是说，产业资本必须同时存在于循环的这三个形态上，这三个形态的循环又必须同时交替地连续进行。所以马克思说：“它之所以能够成为这种统一，只是由于资本的每个不同部分能够依次经过相继进行的各个循环阶段，从一个阶段转到另一个阶段，从一种职能形式转到另一种职能形式，因而，只是由于产业资本作为这些部分的整体同时处在各个不同的阶段和职能中，从而同时经过所有这三个循环。”

必须注意，在这里，产业资本各部分的并列存在和每一部分的相继进行，是存在着辩证的统一关系的。从一方面看，资本各部分的并列存在是资本每一部分相继进行的必要条件。例如，在一个工厂内，只有把全部资本按比例分割为货币资本、生产资本、商品资本，才能使资本不断地由货币资本转化为生产资本，由生产资本转化为商品资本，由商品资本转化为货币资本。这种资本按不同比例分割为三种形态，是由企业现有资本额决定的。“现有资本的量决定生产过程的规模，而生产过程的规模又决定同生产过程并列执行职能的商品资本和货币资本的量。”从另一方面看，“并列存在本身只是相继进行的结果”。这就是说，资本各部分之所以能并列存在，是因为它们都能依次通过资本运动的各个不同阶段。如果一部分货币资本买不到生产资料，货币资本就停滞在货币形式上，不能转化为生产资本，如果原有生产资本已转化为商品资本，这时，生产资本的形式就不复存在，生产过程就会停止，三种形式的资本同时并列的现象就遭到破坏，因此，“相继进行一停滞，就使并列存在陷于混乱”。可见，“资本的一部分，一个不断变动、不断再生产出来的部分，作为要转化为货币的商品资本而存在；另一部分作为要转化为生产资本的货币资本而存在；第三部分则作为要转化为商品资本的生产资本而存在。所有这三种形式的经常存在，正是由总资本经过这三个阶段的循环为中介而造成的”。

总之，在资本主义社会里，产业资本的循环总是使资本的每一个部分都不断地依次由一个阶段过渡到另一个阶段，由一种职能形式过渡到另一种职能形式，从而依次在一切阶段和一切职能形式中执行职能。“因此，这些形式都是流动的形式，它们的同时性是以它们的相继进行为中介的。”所以，“只有在三个循环的统一中，才能实现总过程的连续性，而不致发生上述的中断”。

在资本主义社会中，不仅个别资本如此，社会总资本也是如此。“社会总资本始终具有这种连续性，而它的过程始终是三个循环的统一。”这就是说，全部社会总资本都要同时处在资本的三个形态上和三个循环阶段上。当然，这并不是说，在资本主义社会里，资本主义生产不会受到阻碍，再生产的连续性不会受到破坏。事实上，由于资本主义生产包含着深刻的矛盾，产业资本总循环过程的连续性经常受到破坏，特别是经济危机时期，这种破坏是极其严重的。

就个别资本循环来说，这种连续性受到破坏，引起资本循环的中断，往往是由于以下的原因产生的。第一，资本的价值总量分配在各个不同阶段和职能形式的部分，在不同时期往往是不等的，因此在循环中就会出现不平衡。例如：总资本 500 元，其中货币资本 150 元，商品资本 150 元，生产资本 200 元，如果生产资本已全部转化为商品资本，货币资本也全部转化为生产资本，则生产资本只有 150 元，这时，生产规模就会缩小，造成开工不足，生产部分中断。第二，由于资本所投入的生产部门不同，因而所生产的商品性质不同，这就使资本的各个部分在不同的企业里的分配也有所不同。有的企业需用的生产资本多些，有的企业需用的货币资本或商品资本多些，因而在循环中也会因出现不平衡而造成中断。第三，在一些有季节性的生产部门，连续性的生产也会发生中断。例如，以甘蔗为主要原料的糖厂，在甘蔗收成时，就要以大量的货币资本收购甘蔗并使之转入生产过程，但当甘蔗收获季节已过，有的糖厂就因原料用完而停产。尽管由于上述原因可以造成循环过程的中断，但在这些不同的生产部门里，资本循环的形式和过程也还都是一样的。

价值革命对资本循环的影响

从第121页第4段到126页第1段，马克思着重论述了价值革命对资本循环的影响。在这里，是把价值革命的影响作为引起资本循环连续性中断的一个因素来研究的。

首先，马克思指出，在资本循环中，证实了价值的独立性；价值革命也不会影响价值的独立性。资本"是一种运动"，这种运动从内容上讲，是"自行增殖的价值"，即资本是通过剥削剩余价值来增殖自己的运动。从形式上讲，"是一个经过各个不同阶段的循环过程，这个过程本身又包含循环过程的三种不同的形式"。也就是说，资本是经过三种不同形式以及这些形式不断循环的运动。但是作为这种运动主体的资本价值，它是独立存在的。不管它是采取货币资本形式，还是生产资本形式或商品资本形式，从质的方面看，都是同一的，都是人类社会抽象劳动的凝结；从量的方面看，都是由社会必要劳动时间决定的，这就是价值的独立性，也就是价值自身的同一性。所以在资本循环中，尽管形式不断变化，作为资本主体的价值独立性，是客观地存在着的。价值革命，即价值量的剧烈变动，只会对资本循环有影响，但不会影响价值的独立性。例如，生产资料的价格突然提高，如以原有数量的货币资本就买不到原有数量的生产资料，资本循环就会受到阻碍，资本家会因此受到损失。但是，不管生产资料的价值如何变动，不同商品中所包含的价值还有它的同一性，还是可以互相比较的，如把500元的资本和600元的商品相比较，就可看出它是否赚钱。所以"处在过程中的资本的这个形态变化序列，包含着在循环中变化了的资本价值量和原有价值的不断比较"。因此，马克思指出，这些周期性的价值革命，"证实了价值作为资本所获得的、通过自身的运动而保持和加强的独立化"。

英国资产阶级庸俗经济学者贝利，从反对劳动价值论出发，否定价值作为对象化的劳动是具有独立性的客观存在。他认为，交换价值等于价值，价值形式就是价值本身，因而价值只是在交换中才存在，而不是在交换以前已经作为对象化的劳动而存在了，这样，就把价值独立性看作是单纯的抽象，不懂得“产业资本的运动就是这种抽象的实现”。他把价值与交换价值相混同，把价值实体与它的表现形式相混同，目的是：企图证明商品自身不存在价值，从而反对价值的独立性和同一性，以便进一步证明，在资本循环中，价值增殖是不可能的，从而掩盖资本家对工人的剥削。事实上，商品与商品相交换，不能以它们的物质形式相比较，只能根据它们所包含的具有质的同一性的价值在量上互相比较。在资本循环中，“货币、商品和生产要素只是处在过程中的资本价值的互相交替的形式，过去的价值量是和现在的已经变化的资本价值量相比较的”。只有在这个比较中才能看出，资本作为自行增殖的价值，在运动中是否保存了价值，增殖了价值，以及增殖的程度。

其次，把其他的一些复杂情况和条件暂置不论，价值革命对资本循环究竟有怎样的影响呢？从纯粹的形态看，由于价值革命：(1) 如果生产资料的价值提高了，仅用原有的货币资本就买不到原来那么多的生产资料，如要保持原有的生产规模，就要有追加的货币资本；(2) 如果生产资料的价值下降了，只用原有货币资本的一部分就能买到原有数量的生产资料，就会有一部分货币资本多出来；(3) 只有价值关系保持不变，过程才能完全正常地进行。因此，为了对付价值革命对资本循环的影响，资本家必须持有大量的货币资本，才能排除因价值的激烈变动所引起的干扰。特别是在价值的大变动时期，工业资本家缺乏必要的货币资本，不得不向银行贷款，货币资本家就利用这个情况控制工业，从而产生银行资本与工业资本的结合，产生金融资本和金融资本的垄断统治，这就是马克思所说的“使产业资本家的职能越来越转化为各自独立或互相结合的大货币资本家的垄断”。

最后，“生产要素的价值一有变动，G…G′形式同 P…P 和 W′…W′形式之间就会显示出差别”。从价值革命对货币资本循环的影响来看，如果生产资料的价值降低了，开办一个具有一定规模的企业所需要的货币资本，就会比价值降低以前少；反之，如果生产资料价值提高了，开办一个同上述规模相同的企业所需要的货币资本，就会比价值提高以前多。在这两种场合，受影响的只是新投入的预付的货币资本量。从价值革命对生产资本循环和商品资本循环的影响来看，受影响的不是预付的货币资本，而是处在再生产过程中的 $W'\cdots W<^{A}_{Pm}$，“即商品资本向它的由商品组成的生产要素的再转化”。在价值降低时可能有三种情况：(1) 再生产以相同的规模进行，原有的货币资本就有一部分被游离出来；(2) 再生产以扩大的规模进行，把游离出来的货币资本用于追加的生产资料和劳动力；(3) 把游离出来的货币资本用于购买原料，就会有较大的原料储备。如果相反，在价值提高时也可能有三种情况：(1) 以缩小的规模进行再生产；(2) 为了维持原有生产规模，必须使用追加的货币资本；(3) 或者动用一部分积累的货币基金。这就是说，由价值革命而引起的价值的降低或提高，都会直接影响到再生产规模的扩大或缩小。但是，在生产资本循环和商品资本循环中，还可能发生引起变化的情况。如果企业主存有大量的原料，在原料价格跌落时，他的生产资本价值就会贬值，如果原材料价格上涨，他的生产资本价值就会提高。另一方面，如果企业主存有大量的产品，那么原料价格跌价时，他的商品资本就会贬值，在原料价格上涨时，情形则相反。总之，价值的上涨或下降，直接影响到资本价值的增加或减少。可见，由价值革命所引起的价值变动，对三种不同的循环形式会显示出差别的。

资本循环和商品流通的交错关系

从第126页第2段到131页第2段，研究资本循环和商品流通的交错关系。在这里，马克思着重说明了两个问题。

第一，资本流通往往是和各种不同的社会生产方式的商品流通交错在一起的。在资本主义社会里，从买者来看，$G-W<^{A}_{Pm}$，是从货币资本转化为生产资本；从卖者来看，$W'-G'$，是从商品资本转化为货币资本，这就使某一产业资本的循环与另一产业资本的循环相互交错，是资本流通之间的相互关系。但是这种情况并不是绝对的，“产业资本不论作为货币资本还是作为商品资本的循环，是和各种不同的社会生产方式的商品流通交错在一起的”。例如：产业资本家要用货币购买生产资料，或

者他要以剩余价值的一部分作为个人收入购买消费品，而这些生产资料和消费品，可能是一些各种不同的社会生产方式的生产者所生产出来的，既可能是奴隶制基础上生产的产品，又可能是小农经济的产品，也可能是农村公社的产品（如荷属东印度），还可能是国家生产的产品[①]，它们通过商品流通渠道进入产业资本的循环和商品资本所包含的剩余价值的流通。所以说，资本循环不是绝对纯粹的，它往往是和非资本主义生产方式的商品流通交错在一起的。在这种交错中，有两点必须注意。(1) 如果资本家用货币资本购买非资本主义生产方式生产的商品作为生产资料，这些生产资料就不再是商品，而成为他的生产资本了，这样，这些生产资料的来源（是什么生产方式的产品）就看不出来了。但是，资本家为了使生产不停顿，就要进行多次购买，所以要经常和这些非资本主义的生产者打交道，“就这一点来说，资本主义生产方式受到在它的发展阶段以外的生产方式的制约”。为了打破这种制约，资本主义生产发展的趋势就是尽可能把一切生产都转化为商品生产，都转化为资本主义的商品生产，这就是要破坏旧的生产关系，建立资本主义的生产关系。由此就可看出在资本循环和商品流通交错的过程中，产业资本对非资本主义生产所发生的作用。(2) 进入产业资本流通的商品，不管它是在哪一种非资本主义的生产形式下生产出来的，它都要通过商业资本或商人资本的形式，进入商品流通。所以商业资本不只是经营资本主义生产的商品，也经营那些非资本主义生产的商品。商业的存在是资本主义生产的前提，而且随着资本主义的发展而发展。现在我们研究资本循环和商品流通的交错关系时，假定产业资本家自己直接出售产品，而没有商人做中介。至于有关商业资本的一系列问题，那是在《资本论》第三卷中才进行研究的。

第二，研究产业资本循环的职能上确定的阶段时，一般商品流通的规律是不适用的。在《资本论》第一卷第三章就已研究过一般商品流通规律和货币流通规律。例如：在货币流通速度增大时，同一货币量能使更多的商品形式的资本投入流通；货币作为支付手段，只支付抵账后的

---

① 例如中国宋明时代官办的手工工场之类。

差额，支付期越短，同量资本价值的流通所需要的货币量就越小；流通中的货币量，是由商品价格总额、货币流通速度和货币本身的价值所决定的。这些规律，“只有在资本流通过程形成简单流通行为的序列时，才是适用的，而在简单流通行为的序列形成单个产业资本循环的职能上确定的阶段时，却是不适用的”。例如，在生产资本和商品资本循环中的流通过程 W－G－W 或 G－W－G，作为一般流通行为，卖者的 W－G 就是买者的 G－W，商品在 W－G 中的第一形态变化，同时就是 G－W 中的第二形态的变化。因此，在这个流通行为中，商品资本和货币资本是执行商品和货币的职能，“那么，关于一个商品在一个阶段上的形态变化和另一个商品在另一个阶段上的形态变化的交错所作的说明，对于资本流通也是适用的”。但是在实际生活中，资本流通与商品流通的交错是复杂多样的，这种交错并非同时就是资本的形态变化交错的表现。马克思举了两方面的情况作例证。(1) 从 G－W (Pm) 方面来看，可能是单个资本形态变化的交错。如机器厂主向钢铁厂购买生铁，一方是从 G－W (Pm)，另一方是从 W′－G′，同一个流通行为在这里表示两个产业资本的相反的形态变化，也就是表示单个资本形态变化的交错。但是，资本家用货币 G 购买的生产资料 Pm，也可能是非资本主义生产者生产出来的，不是绝对意义上的商品资本，这时，一方的 G－W (Pm)，和另一方的 W (Pm) －G，就不是资本形态变化的交错了。其次，从 G－W (A) 方面来看，资本家用货币购买劳动力，也不是资本形态变化的交错，因为劳动力的出卖者这一方是工人，不是资本家。再从 W′－G′方面来看，G′也不一定都是由商品资本 W′转化而来的，它可能是劳动力商品转化成的工资，也可能是农民、小商品生产者所生产的产品转化成的货币。这些错综复杂的情况说明，资本流通不是纯粹的，因而一般商品流通规律和货币流通规律已不完全适用了。(2) 我们假定，世界市场的全部生产都是按资本主义方式经营的，不存在非资本主义生产的商品，即使是这样，对于某一产业资本在循环上的确定阶段，也不一定代表另一产业资本在循环上相应的相反形态的变化，这就是说，某一产业资本的 G－W，不一定就是另一产业资本的 W′－G′。这是因为，资本循环既包括预付资本价值的流通，也包括剩余价值的流通。如在 W′－G′中，从买者方面看，G′可能是他的用于个人消费的剩余价值转化成的货币（如果 W′是消费品），也可能是预付资本转化成的货币（如果 W′是 Pm）；从卖者方面看，G′可能用来补偿预付资本而进入资本流通，也可能用作个人收入消费掉而不再进入资本流通。这就是说，一般商品流通规律能说明社会资本总流通中的补偿问题。所以马克思作出结论说：社会总资本的“各个不同组成部分在流通过程中怎样互相补偿的问题（无论说的是资本还是剩余价值），不能从商品流通的简单的形态变化的交错得到说明，这种交错是资本流通行为和其他一切商品流通所共有的，这里需要用另一种研究方式”。这是因为，研究社会总资本的再生产和流通，不仅需要说明商品如何交换的问题，而且需要说明剩余价值如何流通的问题，以及资本各部分如何补偿的问题，因此，这种研究既要考察价值形式的变化，又要考察物质形式的相互替换。《资本论》第二卷第三篇就是运用这种研究方式来说明上述问题的。

批判以交易方式来划分经济时期的错误观点

产业资本循环最明显的特征之一是：一方面，要从市场上把生产资料买进来，另一方面，要把生产出的商品卖出去，极大程度上依赖于商品交换和商品流通。有些资产阶级庸俗经济学家，如德国的旧历史学派的代表人物布鲁诺·希尔德布兰德（1812—1878），就抓住这一点把交易方式作为划分经济时期的标志。他把社会经济的发展划分为自然经济、货币经济、信用经济三个阶段，自然经济阶段主要是物物交换，货币经济阶段主要是通过货币来进行交换，信用经济阶段则依靠信用来完成交换。这种观点是错误的，因为：

第一，“这三个形式并不代表对等的发展阶段”。在发达的资本主义生产中，信用经济只是货币经济的一种形式，货币经济则是信用经济的基础，因此，货币经济和信用经济只是资本主义生产的不同发展阶段，绝不是与自然经济对立的两种不同的独立的交易方式。如果资本主义交易方式的这两个不同发展阶段（货币经济和信用经济）可以作为独立的经济形态而与自然经济相对立，那么，自然经济形态内部也有不同阶段，也可以独立出来作为经济形态而与货币经济、信用经济相对立了，这样，历史就不仅仅是三个形态，而应是更多的形态了。这样，也就不是以交易方式作为划分的标准了。由此可见，希尔德布兰德把经济时期划分为三个阶段的论点，在逻辑上是荒谬的。

第二，他们不以生产过程本身，而以不同生产者之间的交易方式作为划分经济时期的标志。如果把这种划分方法坚持到底，那么，自然经济这个词就不确切，而应以物物交换经济来代替。这样一来，那种根本没有交换的自给自足的自然经济“就不属于这些范畴中任何一个范畴”，因而就不能包含在经济发展阶段之中了，但事实上，这种经济是曾经存在过的。因此，三阶段的划分是不符合历史发展的实际的。

第三，只要有商品生产和商品交换，就要有货币经济，因此，货币经济是一切商品生产所共有的。但产品表现为商品，不仅存在于资本主义社会里，而且存在于过去的一切社会生产方式中。如果以货币经济作为资本主义的经济特征，这就混淆了货币经济与资本主义经济的区别，抹杀了资本主义生产建立在雇佣劳动基础上的社会性质。因为作为资本主义经济特征的不是一般的商品生产，而是劳动力成为商品，“劳动越变为雇佣劳动，生产者就越变为产业资本家”。资本家和雇佣工人的买卖关系，又转化成为资本主义生产本身的关系。“这种关系的基础是生产的社会性质，而不是交易方式的社会性质；相反，后者是由前者产生的。”如果用交易方式作为划分经济时期的标志，就抹杀了资本主义生产的社会性质。本来，生产方式是交易方式的基础，但是，希尔德布兰德却把它反过来，把交易方式当成生产方式的基础。为什么呢？“这是和资产阶级眼界相符合的，在资产阶级眼界内，满脑袋都是生意经”。因为资本运动一定要经过流通过程，既要从市场上购买生产资料和劳动力，又要在市场上出售商品，因此，资产阶级经济学家往往从流通出发来考察经济问题。这种资产阶级的生意经，是产生希尔德布兰德的世界观的经济根源。

那么，划分经济时期的标志应该是什么呢？马克思在《资本论》第一卷第五章中早就指出：“各种经济时代的区别，不在于生产什么，而在于怎样生产，用什么劳动资料生产。劳动资料不仅是人类劳动力发展的测量器，而且是劳动借以进行的社会关系的指示器。”[①] 在《资本论》第

① 《资本论》第1卷，人民出版社2004年版，第210页。

二卷第一章中又指出："不论生产的社会形式如何，劳动者和生产资料始终是生产的因素……凡要进行生产，就必须使它们结合起来。实行这种结合的特殊方式和方法，使社会结构区分为各个不同的经济时期。"[①] 马克思的上述观点，是批判希尔德布兰德的重要理论武器。

资本家的供给和需求的不平衡

第 133 页第 4 段到本章末，是恩格斯从马克思笔记本上的读书摘要中找到的一个注，着重说明资本家的供给和需求的不平衡问题。在这里，只是提出了问题，对这个问题的全面研究，则是在本书第二、三篇中进行。

为什么资本家的供给大于他的需求呢？"资本家以货币形式投入流通的价值，小于他从流通中取出的价值，这是因为他以商品形式投入流通的价值，大于他以商品形式从流通中取出的价值。"前句是说，资本家投入货币，经过生产，取得剩余价值，故投入的价值小，而取得的价值大；后句是说，资本家把生产出来的商品卖掉，这种商品的价值是 W'，比他起初用货币购买的 $W<\begin{matrix}A\\Pm\end{matrix}$ 价值为大，因为 W' 中已包含了剩余价值。这也就是说，资本家"通过资本主义生产过程，把他所购买的价值较小因而较廉价的商品，转化为价值较大因而较贵的商品。他之所以卖得贵，不是因为高于他的商品价值出售，而是因为所卖商品的价值大于它的生产组成部分的价值总额"。所卖商品的价值所以较大，是因为包括了剩余价值的缘故。这样我们就可看出，资本家经过生产后投入市场上的商品价值，是不变资本加可变资本加剩余价值，即 $c+v+m$；资本家要在市场上购买的是生产资料和劳动力，即 $c+v$；可见，"资本家需求的最大界限 $=C=c+v$，但他的供给 $=c+v+m$"。"他供给的商品价值，总是大于他需求的商品价值"。例如，某一资本家生产出来的商品构成是 c80 元 + v20 元 + m20 元，但他所要购买的生产资料和劳动力，即他的需求只是 c80 元 + v20 元，从价值上看，前者是 120 元，后者是 100 元，供给比需求大 $\frac{1}{5}$。m 即剩余价值越多，供给和需求的差额就越大，如 m 从 20 元增

① 《资本论》第 2 卷，人民出版社 2004 年版，第 44 页。

至 40 元，供给就比需求大$\frac{2}{5}$。可见，资本家的供给超过需求部分，就由剩余价值量的大小所决定的。这种情况，对单个资本家来说是如此，对整个资产阶级来说也是如此。

那么，问题就出来了，资本家的供给超过需求的这一部分商品，谁来购买呢？这一部分商品价值的出售必须要有一定数量的货币，既然资本家投入市场的货币都少于从市场取得的货币，那么，这一部分货币又是从何而来呢？对前一问题，是在本书第三篇中进行研究的；对后一问题，是在本书第二篇第十七章中进行研究的。马克思在这里只是提出了问题。

第 135 页第 2 段到 136 页第 3 段，马克思以资本周转为例，论证供给大于需求。关于资本周转的理论是在第二篇中才进行研究的，学习过第二篇后再来看这个例证，就很简单明了，在这里，不必进行解说了。

第 136 页第 4 段至 137 页第 5 段，马克思又从再生产的角度，论证供给大于需求。如上例，资本家生产出的商品供给市场的是 c80 元＋v20 元＋m20 元，在进行简单再生产情况下，他只把原来的 C（即 c＋v）100 元再转化为生产资本，而把 20 元的剩余价值都花掉（购买消费品），这样，需求和供给在价值上就会相等。但这个假定等于假定资本主义生产不存在，“因为只要假定发挥作用的动机是享受而不是发财致富本身，资本主义就从根本上被废除了”。事实上，资本家是不可能把全部剩余价值都“作为非资本家花掉的”，即都花在个人需要或享受上。因为他不仅必须留一部分作为准备资本，以应付价格的变动，特别是他要把剩余价值的大部分积累起来，即积累资本，以便扩大生产，榨取更多的剩余价值，并采用新技术，把技术的进步合并到他的生产机体中去，才能在竞争中处于有利地位，并榨取超额剩余价值。而为了积累资本，资本家就首先要把以货币形式存在的剩余价值的一部分贮藏起来，并在能够用来扩大旧企业或开设新企业以前，继续把货币形式的剩余价值贮藏起来。这样，资本家从市场上把一部分货币转入贮藏，但并没有因此从市场上取出同这一部分货币价值相等的商品，因而商品供给超过了需求，这就是说，上述“这个假定在技术上也是不可能的”。

总之，不管是从资本主义市场的实际情况看，还是从资本周转的情况看，还是从再生产的过程看，供给与需求的不平衡都是现实地存在着。为了实现产业资本的循环，为了继续进行再生产，就需要研究实现问题，这就是说，这种供给大于需求的部分，在实物形式上如何补偿的问题；在价值形式上，购买这部分商品的货币又是从何而来的问题。

■ 马克思关于资本循环的原理，今天仍有它的现实意义。

首先，马克思告诉我们，在每一个资本主义企业里，资本家为了使资本主义生产不致中断，就必须把资本分成三部分，即货币资本（如资产表上所表现的那些现金、存款等等）、生产资本（如土地、建筑物、机器设备、原材料、燃料、半成品等等）、商品资本（如贮存在仓库中的制成品、运输过程中的商品等等），它们都不断地从一种形式转化为另一种形式，从一个阶段推移到另一个阶段。这些道理，如果撇开资本主义的特点，对于社会主义企业在一定程度上也是适用的。当然，由于社会主义企业内部不再存在着资本家和雇佣工人的阶级关系，但是，社会主义企业为了更好地进行社会主义生产，企业的资金仍然要以货币形式、生产形式、商品形式存在着、运动着，因而要采取资金循环的形式。为了持续、快速、健康地发展社会主义经济，用经济的方法管理经济，就要根据企业经济活动的规律和技术的要求，对企业资金的各个部分进行合理的安排，这对于改进社会主义企业的经营管理，加速资金周转，提高企业的资金利润率，提高经济效益，都是极其重要的。因此，学习马克思关于资本循环的原理，并运用它来研究社会主义经济，有一定的现实意义。

其次，马克思指出：资本主义发展趋势“是尽可能使一切生产转化为商品生产；它实现这种趋势的主要手段，正是把一切生产卷入它的流通过程；而发达的商品生产本身就是资本主义的商品生产。产业资本的侵入，到处促进这种转化，同时又促使一切直接生产者转化为雇佣工人”①。帝国主义对中国侵略的历史，完全证实了马克思的上述论断。帝

① 《资本论》第2卷，人民出版社2004年版，第127页。

国主义的入侵对中国的社会经济起了很大的分解作用，破坏了中国的自给自足的自然经济，把中国经济卷入外国资本主义的商品流通过程，破坏了城市的手工业和农民的家庭手工业，促进了中国城乡商品经济的发展，给中国资本主义生产的发展造成了某些条件。但是帝国主义侵略中国的目的，绝不是要把封建的中国变成资本主义的中国。因此，帝国主义又勾结中国封建、买办势力阻碍中国民族资本主义的发展。正如毛泽东同志所指出的，“帝国主义列强还在中国经营了许多轻工业和重工业的企业，以便直接利用中国的原料和廉价的劳动力，并以此对中国的民族工业进行直接的经济压迫，直接地阻碍中国生产力的发展”①。马克思和毛泽东同志的上述论断，对于研究帝国主义对我国的侵略所引起的社会经济的分化、解体和发展，如何由封建社会沦为半殖民地半封建社会形态的过程，也有一定的指导意义。

① 《毛泽东选集》第 2 卷，人民出版社 1991 年版，第 629 页。

第五章

流通时间

前四章研究了资本循环的形式变化，本章就要研究资本循环一次所经过的时间。产业资本循环既然是生产过程和流通过程的统一，因而资本循环一次既要包括生产时间也要包括流通时间。“所以，资本完成它的循环的全部时间，等于生产时间和流通时间之和。”

本章的标题“流通时间”，不是指与生产时间相对而言的流通时间，而是从资本流通的角度来讲的，也就是资本流通一次所需要的全部时间，是广义的。至于第十四章所讲的流通时间，是就流通领域的流通时间而言，是狭义的。因此，在这一章中，从资本流通的时间总和出发，具体研究了生产时间和流通时间这两方面的问题。

生产时间

生产时间，一般地是指生产资本留在生产领域里的时间。马克思有时也称之为生产资料的生产时间。这里所说生产资料的生产时间，不是指生产生产资料所需的时间，而是指生产资料参加一个商品产品的生产过程的时间。我们知道，生产资本就它的物质内容来说，包括生产资料和劳动力；根据二者是否结合的情况，从而区分劳动时间与非劳动时间。在劳动时间内，劳动者发动着生产工具，作用于劳动对象，进行物质资料的生产。例如，生产一匹布，从把棉花纺成棉纱开始，再把棉纱织成布，一直到印染完成为止，共要花费 30 个劳动小时，这 30 小时就构成生产一匹布的劳动时间。可见，生产资料在劳动过程内的劳动时间，即完成某一制成品所必需的劳动小时或劳动日数。除去劳动时间以外，生产资本停留在生产领域内的还有非劳动时间。在非劳动时间内，不实现生产资料和劳动力的结合。在这里，有三种情况。(1) 因生产过程中断，生产资料的职能也随之中断。例如，机器、厂房是在生产过程中不断发生作用的，如果仅仅是日班制，夜间停止生产，这时它虽然还留在生产场所，但不发挥职能。（2）生产资料已经作为生产过程的条件而存在，但尚未加入生产过程。例如，储备一定量的原料和辅助材料，以保证生产的正常进行，而不受每日市场供应的偶然情况的影响。（3）劳动过程中断，生产资料在自然过程中发生物理变化、化学变化或生理变化。例如，用谷物造酒，就要有一个发酵时间。在发酵过程内，劳动过程中断了，生产资料作为劳动手段的职能也中断了，但生产过程和生产资料的职能还在继续。由此可见，“生产时间当然包括劳动过程期间，但劳动过程期间并不包括全部生产时间”，因为除劳动时间外还有非劳动时间。“在这里，生产时间比劳动时间长。二者的差，就是生产时间超过劳动时间的部分。”这超过部分，就是由上述停工、原材料储备和自然作用这三种情况所引起的。资本的生产时间的组成如下图所示。

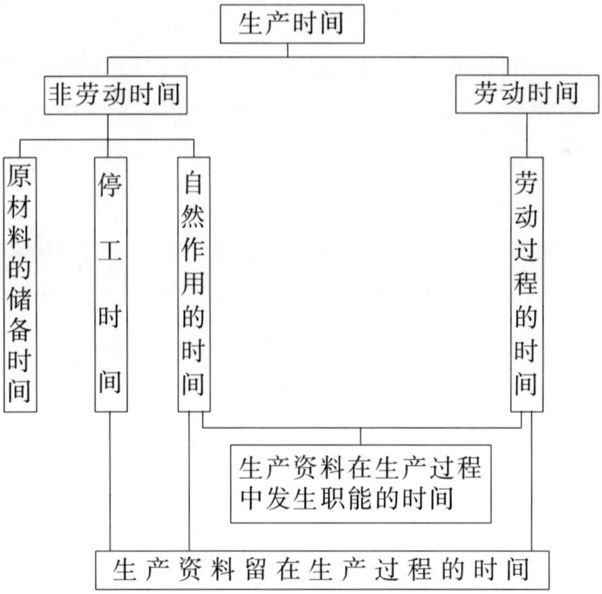

在劳动时间内，劳动不仅创造价值，而且创造剩余价值，这在《资本论》第一卷中已讲清楚了。但在非劳动时间内，对价值形成和价值增殖有什么影响呢？第 139 页第 3 段到 140 页第 2 段，都是研究这个问题。

首先，在贮备期间的原料和辅助材料，是使生产过程连续不断进行的一个条件，是潜在的资本。它暂时闲置着，没有参加生产，它们“既不起产品形成要素的作用，也不起价值形成要素的作用”，它虽然停留在生产领域，但并不转移价值。至于为了保存这些原材料而必需的建筑物(如仓库)、装置等等，也是生产过程的必要条件，“从而也是预付生产资本的组成部分”，它们的价值就要逐步转移到产品中去。至于为了保管这些原材料而追加的必要的活劳动，如保管人员的劳动，同其他的雇佣劳动一样，“是生产劳动”，不仅形成价值，“并且形成剩余价值”。

其次，生产过程中断，生产资本不执行职能的间歇期间，例如，夜间的停工期间，“既不生产价值，也不生产剩余价值”。因为这期间没有新劳动的加入，因此不会有剩余劳动，这时，剥削剩余劳动的过程停止了，资本价值增殖的过程也停止了。但是，必须注意两点。(1)“装置等等的价值，按照它们执行职能的全部时间成比例地转移到产品中去”。这就是说，虽然这时停工了，但装置等等设备仍然在执行职能，如仓库，不会因为停工而不起保存物资的作用，只要在它发生职能的情况下，即使停工，也都要转移价值。(2)机器、建筑物等潜在资本，在正常的情况下，虽然在停工期间仍然要转移价值。为什么呢？因为计算机器设备的折旧率，是由它的平均寿命决定的，是由它丧失使用价值的情况决定的。机器在生产中固然会发生物质损耗，即使不开动即不执行职能时，也会生锈，损坏，也会丧失使用价值，所以机器、建筑物等，“只加进价值，不加入产品的形成”①。当然，在非正常情况下，如因生产的缩减、危机等等引起的不规则的中断，它们就不能转移价值，成为纯粹的损失。

最后，在劳动过程中断、劳动对象发生自然作用的时间内，劳动对象被安置在某些条件下，经过一段时间，结果是使劳动对象产生某种有用的效果或改变它们的使用价值形式。这时，劳动过程虽然中断了，不会创造新价值，但生产资料的价值还会按照它执行职能的时间而转移到产品中去。

总之，在非劳动时间内，“无论在哪一种情况下，生产资料都不起劳

① “不加入产品的形成”，指不形成商品的使用价值实体。

动吸收器的作用。它们不吸收劳动，也就不吸收剩余劳动。因此，当生产资本处在超过劳动时间的那一部分生产时间时，即使价值增殖过程的完成和它的这种休止是不可分离的，生产资本还是不会增殖”。这个道理很简单：因为剩余价值是由剩余劳动创造的，在非劳动时间内，劳动停止了，中断了，当然不能创造价值，也不能创造剩余价值，生产资料也就不能起劳动吸收器的作用了。“显然，生产时间和劳动时间越吻合，在一定期间内一定生产资本的生产效率就越高，它的价值增殖就越大。因此，资本主义生产的趋势，是尽可能缩短生产时间超过劳动时间的部分。”这就是说，只有在劳动时间内才能提供剩余价值，所以，生产时间和劳动时间越接近，资本的增殖就越大；反之，非劳动时间越长，资本的增殖就越小，因此，资本家为了追求更多的剩余价值，就要尽可能地减少非劳动时间。例如，他们用换班制度使工人夜间劳动，把工人在工厂中的一切时间都变为劳动时间。

流 通 时 间

流通时间，是资本在流通领域停留的时间。在流通领域中，资本不是当作生产资本来执行职能，而是当作商品资本和货币资本来执行职能。资本流通的两个过程是：由 W－G，由 G－W。从形式上看，前者是由商品形式转化为货币形式，后者是由货币形式转化为商品形式。从内容上看，前者的转化包含着剩余价值的实现，后者的转化包含着资本价值再转化为各种生产要素。但是不管怎样转化，资本在流通时间内既不会生产商品，也不会生产剩余价值。

从第 141—145 页，马克思着重分析了下述两个问题。

第一，流通时间和生产时间的关系。

“流通时间和生产时间是互相排斥的。”在流通时间内，资本是不会带来剩余价值的。如果在资本循环过程中，总资本每次都是由一个阶段推进到另一阶段，很显然，资本停留在流通时间内，生产过程就会中断，资本的自行增殖也会中断，就不会带来剩余价值。如果总资本是分成各个不同部分依次通过循环，很显然，资本的各组成部分在流通领域的时间越长，它在生产领域执行职能的部分就越小，因而直接剥削剩余价值的资本部分就越少；反之，“流通时间越等于零或近于零，资本的职能就越大，资本的生产效率就越高，它的自行增殖就越大”。例如，某资本家工厂按订货生产，把生产出来的商品立即卖掉，取得货币，同时，又用货币立即在市场上买到再生产所需要的各种生产要素；这样流通时间等于零或近于零，他就可以把全部资本都投入生产过程，使全部资本都发挥剥削作用，从而榨取更多的剩余价值。由此可见，资本的流通时间会限制资本的生产时间，“限制的程度与流通时间持续的长短成比例”。这就是说，流通的时间越长，限制的程度越大；反之，则相反。

资产阶级政治经济学从流通时间对资本增殖的作用这个表面的现象出发，把流通时间的“这种消极的作用理解为积极的作用”，认为流通过程是创造剩余价值的源泉，流通时间越长，带来的剩余价值越多，从而掩盖资本对劳动的剥削。“甚至科学的经济学①也不免受这种假象迷惑”。以后还会看到，这种假象是由下述各种现象而确立起来的。(1) 资本主义的利润计算方法。按照这种计算方法，流通时间越长，价格越高，平均利润越大，这样，流通时间就成了利润平均化的原因之一了。(2) 流通时间只是周转时间的一个要素，但实际生活中却存在一种假象：“由周转时间引起的事情，好像是由流通时间引起的”。(3) 商品必须先转化为货币，然后才能以货币作为可变资本的工资发出去。这样，在资本积累时表现为追加的可变资本的货币，是在流通时间中由商品转化成的，“因此，由此产生的积累，好像也是由流通时间引起的”。资产阶级政治经济学局限于对这些表面现象或假象的观察，当然不可能揭示剩余价值生产的真正源泉，更不可能认识流通时间对生产时间的消极限制作用。

第二，影响流通时间的诸因素。

资本流通总要通过 W－G 和 G－W 这两个对立的阶段，因而资本流通时间也要分成两部分：商品转化为货币所需要的时间，即售卖时间；货币转化为商品所需要的时间，即购买时间。从售卖时间看，“W－G 即卖，是资本形态变化的最困难部分”。为什么呢？因为在资本主义社会里，供给与需求、生产和消费，都是在盲目的无政府状态下进行的，它们之间是不平衡的，同时由于劳动人民购买力低，有些商品往往卖不出

① 指古典学派的李嘉图。

去。因此，在通常情况下，售卖时间“占流通时间较大的部分”。从购买时间看，资本家用货币购买生产资料，这些生产资料也许市场上现在还没有，要等待生产出来，或者要到很远的地方才能买到，或者暂时缺货，或者价格发生了变动，等等，因而使购买时间时而较长，时而较短。资本家为了尽量缩短售卖时间与购买时间，往往把这项工作委托给流通当事人去进行，采取利润分成办法，对流通当事人支付报酬。不管是售卖时间还是购买时间，对于资本家来说都是很重要的，但“卖比买更为重要”，因为商品的售卖不仅包含着预付资本的流回，而且包含着剩余价值的实现。

商品的售卖时间有没有一个限度呢？有的，这个限度是由商品本身的使用价值的形态决定的。如果商品没有在一定时间内卖掉，就会变坏。由于“不同商品的使用价值变坏的快慢程度不同；因此，在使用价值的生产和消费之间的间隔时间，可以长短不等”。这就是说，有些商品，如蔬菜、水果等易腐物质，必须在较短期内售出，转入消费；有些商品不易损坏，流通时间就可以稍长一些。使用价值是交换价值的物质承担者。如果商品坏了，丧失了使用价值，卖不出去，它所包含的资本价值和剩余价值也将随之丧失。因此，“由商品体本身会变坏所决定的商品资本流通时间的界限，就是流通时间的这一部分或商品资本作为商品资本能够经过的流通时间的绝对界限”。这也就是说，售卖的时间不能超过该商品的使用价值的存在时间。因此，一种商品越容易变坏，越要赶快卖掉，它能够流通的时间就越短，这样，它就不能运到很远的地方去销售，因而它的销售就越带有地方性。这种商品只有在人口稠密的大城市，或运输工具较为发达的地方，才能造成较大的销售市场，因而也才能成为资本主义生产的对象。当然，由于现代科学技术的发展，已经可以在较大程度上改变上述状况，一些容易腐烂的物品，用特殊的包装或冷藏等方法，也可以保存一个较长的时期，从而可以运到很远的地方去出售，但由此又会使售卖时间延长。

■ 马克思对生产时间和流通时间的关系的分析，是建立在生产和流通的辩证关系的基础上的。“资本不能从流通中产生，又不能不从流通中产生。它必须既在流通中又不在流通中产生。”[①] 资本的整个运动过程是生产和流通的统一。生产决定流通，流通反作用于生产。生产时间和流通时间是密切联系、互为条件的。如果没有在生产时间内生产出产品来，流通就无物可售，如果没有在流通时间内购买到生产资料，生产也无法进行。生产时间和流通时间又是互相排斥的，资本停留在流通时间越多越长，停留在生产时间上的资本就越少；流通时间越等于零或近于零，全部资本越集中使用于生产过程，资本的增殖率就越大。马克思关于生产时间和流通时间辩证关系的原理，既反映了经济发展过程的一般性，又反映了资本主义的特殊性，是活生生的辩证的对立统一。

马克思有关生产时间和流通时间的原理，是就资本主义经济进行分析的。如果撇开其资本主义性质，对社会主义企业也是适用的。例如：劳动中断的时间越是缩短，生产过程进行愈快，资金的周转也就愈快的原理；合理组织市场，减少商品的流通时间，在提高资金利用率的基础上来提高企业资金利润率的原理，等等。对于改进社会主义的企业管理，也有一定的现实意义。这一章虽然是比较容易读懂的，但如从理论和实际的结合上学习它，研究它，就包含着生动而丰富的理论内容和实际内容。

① 《资本论》第1卷，人民出版社2004年版，第193页。

第六章
流 通 费 用

上一章研究了资本的流通时间，这一章就研究资本循环经过流通过程所花费的各种费用。

流通费用是资本循环在流通过程所消耗的费用。它是由纯粹流通费用、保管费用、运输费用构成的。从它们的性质和在价值增殖过程中的作用看，基本上可以分成两大类：一类是纯粹流通费用，它是非生产性费用，不创造价值和剩余价值，只能由剩余价值来补偿；一类是保管费用和运输费用，它是生产过程在流通中继续进行而产生的费用，是创造价值和剩余价值的。

本章分三节，对这三项费用进行具体分析，重点在于研究这些费用的性质和作用。

Ⅰ. 纯粹的流通费用

什么是纯粹流通费用，马克思有一个概括的说明。“在这里，我们不必考察流通费用的一切细目，如包装、分类等等。一般的规律是：**一切只是由商品的形式转化而产生的流通费用，都不会把价值追加到商品上。**这仅仅是实现价值或价值由一种形式转变为另一种形式所需的费用。投在这种费用上的资本（包括它所支配的劳动），属于资本主义生产上的非生产费用。这种费用必须从剩余产品中得到补偿，对整个资本家阶级来说，是剩余价值或剩余产品的一种扣除，就像对工人来说，购买生活资料所需的时间是损失掉的时间一样。”[①] 这就告诉我们：(1) 纯粹流通费用是“由商品的形式转化而产生的”，也就是由商品转化为货币和由货币转化为商品的过程中产生的，因此，凡是一切直接与流通过程相联系的费用，即由单纯的价值形式的变化所引起的费用，都可称为纯粹流通费用。(2) 这种费用的性质是非生产费用，它不创造价值，更不创造剩余价值，因此，“都不会把价值追加到商品上”[②]。(3) “这种费用必须从剩余产品中得到补偿”，对资本家来说，是他收入的一种扣除。在这里，马克思只对“补偿”作了一般性的论述，他在《资本论》第三卷第十七章中，又进行了深入的研究。

纯粹流通费用可以分为：买卖时间的费用，簿记的费用，货币的费用。下面就分别进行研究。

买 卖 时 间

资本由商品到货币和由货币到商品的形式转化，是资本家的买卖行为；资本家在市场上执行卖者和买者的职能所需要的时间是买卖时间；在买卖时间中所支出的各种费用，如商业中使用的雇佣劳动的工资，各种商业的广告费、邮电费、办公费、出差费等等，都是买卖时间的费用。正像资本的流通时间是资本再生产时间的一个必要组成部分一样，资本家在市场上进行买卖的时间也和生产时间一样是必要的，因而买卖时间的费用也是不可少的。

怎样看待买卖时间所花费的劳动呢？在由货币到商品或由商品到货币的买卖过程中，不管是按商品的价值出售还是不按商品的价值出售，都只是单纯的价值形式的变化，并不创造价值。所以，马克思说：“状态的变化花费时间和劳动力，但不是为了创造价值，而是为了使价值由一种形式转化为另一种形式。”由于商品价值不是在流通过程产生的，而是在生产过程中创造出来的，因此，不管在买卖上花了多少时间，花了多少活劳动和对象化劳动，都不会创造出价值。但是，“这种劳动对于作为总体的资本主义生产过程来说，即对于包含着流通或被包含在流通中的

① 《资本论》第2卷，人民出版社2004年版，第166—167页。

② 纯粹流通费用虽然不会加到商品价值中去，但它会加到商品价格中去。这个问题，马克思在《资本论》第三卷第十七章中有专门论述。

资本主义生产过程来说，是一个必要的因素”。马克思以“燃烧劳动”为例来说明。我们为了取暖而燃烧某种燃料，如果没有燃烧劳动的加入，燃料是不能燃烧的，所以，燃烧劳动对于燃烧过程来讲是必要的，但它并不会造出“热”来。燃烧劳动所支出的力，并不直接转化为“热”，只是变更燃烧形态使之氧化而发出“热”来而已。这正如买卖上所花的劳动，虽然是必要的，但并不创造价值，它只是购进能创造价值的生产因素，或者只是卖出商品而实现价值和剩余价值而已。正如燃烧劳动不直接造出“热”一样，买卖劳动也是不直接创造价值和剩余价值的。如果进行买卖的是独立的直接生产者，买卖时间就是他劳动时间的一种扣除。如果是资本家，或资本家的代理人，或资本家雇佣的劳动者，不管买卖的规模的大小，时间的长短都“不会使那种并不创造价值而只是为价值的形式变换作中介的劳动，转化为创造价值的劳动”。

“买卖时间并不创造价值”，从商品生产者的观点来看，这是很清楚的。“错觉是从商人资本的职能产生的。”从商人的角度看，在买卖过程中取得了商业利润，这种利润好像是在买卖过程中创造的。其实，商品的流通过程虽然是再生产的必要因素，但它终归是非生产的，把买卖活动独立起来变为商人的特殊行业，只是为许多生产者缩短买卖时间，并不会改变买卖活动的性质。

如果从事买卖行为的不是资本家而是资本家雇佣的工资劳动者，他的劳动究竟有什么作用呢？是否也受资本家的剥削呢？“他的劳动的内容既不创造价值，也不创造产品。他本身属于生产上的非生产费用。”他的劳动既不能使非生产职能转化为生产职能，也不能使非生产劳动转化为生产劳动。他只是把本来由许多人所进行的买卖活动集中在少数人身上，因此，他的作用“是使社会的劳动力和劳动时间只有更少一部分被束缚在这种非生产职能上”。这就是说，由于买卖行为专业化的结果，使得大部分人能摆脱这种非生产职能的束缚，从社会的观点看，节约了劳动时间。不过，这种劳动虽然不创造价值和剩余价值，但从事这种劳动的雇佣工人还是受资本家的剥削的。作为一个雇佣工人，他的劳动时间总是要分为必要劳动和剩余劳动的。例如，他每天劳动 10 小时，8 小时为必要劳动，2 小时为剩余劳动，在 10 小时内，为资本家买卖了 100 件商品，本来，这100件商品的流通费用应该支付10元，假定资本家一天内剥削到的剩余价值为50元，资本家就要拿出10元来作为流通费用，因而一天内剥削的收入只有40元。假定商业工人的工资每小时为1元。按8小时必要劳动支付8元，资本家从10元流通费用中以8元支付工资，而2小时剩余劳动所体现的2元，又被资本家拿去了。由此可见，这种由买卖行为而产生的纯粹流通费用的一部分——对商业雇佣劳动所支付的工资，是要用资本家剥削的剩余价值来补偿的，"是对他的收入的扣除"，但商业工人所提供的剩余劳动，又成为资本家的一种积极的收入，因为这种劳动既减少了流通费用，因而也减少了对资本家的剩余价值的扣除。如上例，资本家本应扣除10元，结果是只扣除了8元，他本应只收入40元，结果是收入42元。对商业工人来说，这2小时的剩余劳动虽然不形成剩余价值[①]，但仍然遭受到资本家的剥削。所以马克思说，"他从事的两小时剩余劳动，和他的8小时必要劳动一样不生产价值"，但"资本家会由于未对这两小时支付报酬而减少**他的**资本的流通费用，而这种费用是对他的收入的扣除。对资本家来说，这是一种积极的收入"。

第150页第2段，是对上述分析的小结。马克思强调指出："无论如何，用在买卖上的时间，是一种不会增加转化了的价值的流通费用。这种费用是价值由商品形式转变为货币形式所必要的。"这里所说的"转化了的价值"，系指价值形式的转化，不是指价值实体的转化。因为用在买卖上的费用，只是使价值由商品形式转化为货币形式，或由货币形式转化为商品形式，即只是使价值转化了形式，价值本身并没有增加，所以这"是一种不会增加转化了的价值的流通费用"，即价值形式转化了，但价值量并没有增加的流通费用。对这项流通费用必须支付出一定量的资本。"资本的这种预付，既不创造产品，也不创造价值。它相应地缩小预付资本生产地执行职能的范围。这就好像是把产品的一部分转化为一种机器，用来买卖产品的其余部分。这种机器是产品的一种扣除。它虽然能够减少在流通中耗费的劳动力等等，但不参加生产过程。它只是流通

① 必须注意，在剩余劳动时间内并不是都创造剩余价值的。在封建社会里，农民的剩余劳动只向地主提供地租，不创造剩余价值。因为地租不是以商品买卖的形式来实现的。只有在资本主义制度下，工人的剩余劳动才形成剩余价值。

费用的一部分。”

簿　记

所谓簿记，就是记账、算账。它一方面要耗费对象化劳动，如钢笔、墨水、纸张、写字台、事务所等费用；另一方面要耗费劳动力，如会计员、簿记员，以及因此而发给他们的工资。这种簿记的费用，同买卖时间的费用一样，也是一种非生产的纯粹流通费用。

为什么要支出这种簿记的费用呢？这是因为：资本，这个处在不断运动中的价值，不管是在生产阶段还是在流通阶段，首先是通过货币形态观念地表现出来的，“这种运动是由包含商品的定价或计价（估价）在内的簿记来确定和监督的”。这就是说，要以货币为主要计量单位的簿记，连续而系统地对企业的经济活动进行核算和分析，从而控制整个企业生产过程和流通过程。可见，簿记是管理企业的一个重要的经济手段。

这种簿记费用的性质仍然是非生产性的。为什么呢？因为它是在流通过程发生的，是为价值由商品形式转化为货币形式或由货币形式转化为商品形式直接服务的。在资本主义制度下，只有创造价值和剩余价值的劳动才是生产性的，这种为了价值形式变换而支付的费用，显然是非生产性的。在个体劳动者所经营的小商品生产手中，记账算账是生产过程中的一项附带活动，在执行记账算账职能中所消耗的劳动时间和劳动资料笔、墨、纸张等，必须从生产时间中，从参加产品形成过程的劳动资料中扣除。这种职能是不形成产品和价值的，因为生产和记载生产的簿记是两回事。即使这种职能由小商品生产者手中转到资本主义商品生产者手中，即使这种职能不再是生产职能的附带部分，而是从生产职能中分离出来成为特殊的、独立的职能，这种职能本身的性质也是不会改变的。因为一种职能如果在未独立出来以前不能形成产品和价值，那么，这种职能在分工独立出来以后仍然不能形成产品和价值。

簿记的费用和单纯买卖时间的费用，虽然都是纯粹流通费用，但还是有一定的区别的。“单纯买卖时间的费用只是由生产过程的一定的社会形式而产生，是由这个生产过程是商品的生产过程而产生。”这就是说，单纯买卖时间的费用，不是任何社会形态下都有的，只是在一定的社会形态下才产生的，也就是说，只有在商品生产的条件下，产品采取商品形态，需要进行买卖，才需要支付买卖时间的费用；如果商品生产消失了，买卖行为停止了，买卖时间的费用当然也就不存在了。但是簿记则不同，它不仅存在于商品经济的社会中，而且也存在于其他的社会形态中，它是作为对生产“过程的监督和观念总括”而存在的，生产过程越是按社会的规模向前发展，簿记就越是必要。“簿记对资本主义生产，比对手工业和农民的分散生产更为必要，对公有生产，比对资本主义生产更为必要。”这是因为生产越是社会化，对企业的经济活动进行核算和分析就越是必要。在个体农民和小手工业者的生产中，生产范围狭小，生产条件简单，进行记账算账也是比较简单的。在资本主义制度下，生产和社会化程度有了很大的发展，资本主义的大企业陆续出现，对大企业的生产和经营，就要运用货币工具进行核算分析，以衡量经济效果，加强对剩余价值的榨取。但是资本主义是建立在生产资料私有制的基础上的，整个社会的生产是盲目的、无政府的，对整个社会经济不可能建立统一的经济核算。只有在以生产资料公有制为基础的社会主义和共产主义社会里，生产社会化发展到更高的程度，整个社会生产是一架大机器，可以实现统一的国民经济计划，不仅在个别企业中实行经济核算，而且对整个社会经济也要实现全面的经济核算，因此，利用簿记对经济活动进行核算分析就更加必要了。但是必须注意，在不同的社会里，簿记具有不同的性质。在资本主义制度下，簿记只是资本家经营企业、统治雇佣劳动、加强对剩余价值的剥削的工具；在社会主义制度下，簿记则成为组织社会生产和分配的重要的经济手段之一。“但是，簿记的费用随着生产的积聚而减少，簿记越是转化为社会的簿记，这种费用也就越少。”

货　币

货币的费用就是为货币本身而支出的费用。这包含两个因素，其一是，金和银是当作货币来发生职能的商品，是社会财富的一部分，但把它当作货币来使用时，既不进入个人消费，也不进入生产消费，只是当作单纯的流通机器而发生作用，社会花在货币上的费用，是社会财富为流通而牺牲的部分。另一是，金银作为货币来使用时是会磨损的，为了替换这部分磨损了的货币，还需要一部分补偿费用，“这种补偿费用，在资本主义发达的国家是很可观的”。总之，作为货币商品的金和银的消耗，是由生产的一定社会形式而产生的，它是随着价值形式的转化而付出的纯粹流通费用。这种费用是非生产的，但又是必要的，没有它，买卖就无法进行。它的消耗也是由剩余价值来补偿的。随着商品生产的发展，特别是资本主义生产的发展，货币的费用也不断增大。

Ⅱ. 保 管 费 用

凡是用于保管储备品的一切费用，都叫保管费用。保管费用和纯粹流通费用不同，纯粹流通费用是由价值的单纯形式变换而产生的，保管费用（以及下节要研究的运输费用）则是由商品使用价值运动而产生的。马克思在谈到保管费用的性质时指出："它们可以产生于生产过程，这种生产过程只是在流通中继续进行，因此，它的生产性质完全被流通的形式掩盖起来了。另一方面，从社会的观点看，它们又可以是单纯的费用，是活劳动或对象化劳动的非生产耗费，但是正因为这样，对单个资本家来说，它们可以起创造价值的作用，成为他的商品出售价格的一种加价。"这就告诉我们，从一方面看，保管费用在生产过程中就已产生，但这种生产过程只是在流通中还继续进行，它既能起保存使用价值从而保存价值的作用，同时又能起创造价值的作用；它不仅能创造价值，还能创造剩余价值，因为在资本主义社会里，一切追加价值的劳动总是要追加剩余价值，① 这样，"对单个资本家来说，则可以成为发财致富的源泉"。从另一方面看，这种保管费用只能保存商品的使用价值，而不能增加商品的使用价值，因此，由保管而引起的活劳动和对象化劳动的消耗是非生产消耗，因此，保管费用"对社会来说，是生产上的非生产费用"。

---

① 为什么呢？"因为劳动形成的价值取决于劳动本身的量"，这就是说，价值量是由劳动量决定的；而"劳动形成的剩余价值则取决于资本家付给劳动的报酬额"，这就是说，剩余价值量是由工资和劳动所创造价值之间的差额决定的；资本家总是只把工人劳动所创造的价值的一部分付给工人，另一部分则作为剩余价值而无偿占有，否则，资本家就不成为资本家了；所以，一切追加价值的劳动总是要追加剩余价值。

一般储备的形成

在任何社会里，为了生产和再生产的正常进行，都要有生产资料和生活资料的储备。在资本主义社会里，这种商品储备对于资本主义的生产和再生产更加重要。资本主义的商品储备，在每个循环中出现两次，一次是经过生产过程所创造出来的待出售的商品，即 W′，一次是作为将被购买而进入生产过程即将转化为生产资本的商品（生产资料和生活资料），即 W。作为 W′的储备，要尽量少些，这就是说，越能迅速地把生产出来的商品卖出去，即越快实现 W′－G′，再生产过程就越流畅；作为 W（生产资料和生活资料）的储备，则希望多些，以便能根据生产不断进行的需要，随时实现 G－W，既使资本家能买到生产资料，又使作为资本主义生产要素之一的雇佣工人能够买到生活资料。由此可见，保存一定量的商品储备，对资本主义生产来说是必要的。

为了储备商品，就要有储备费用，马克思在本章中有三处谈到这种储备费用的具体内容，即第 156 页第 2 段，第 162 页第 5 段，第 166 页第 2 段。总括起来说，储备费用的内容是：(1) 在储藏期间，被储商品因自然因素而产生的数量减少，即所谓折耗，如储藏食油 500 千克，因风吹或干燥之故，过一段时间只剩 450 多千克了，这种折耗的部分应归入储备费用。(2) 在储藏期间，由于自然因素的影响而产生的质量变坏，如储藏苹果 5000 千克，结果有些苹果霉烂，不能出售，这部分消耗也应归入储备费用；(3) 为了储藏商品就要有房屋、仓库、容器等，还要有搬运和保管储藏品的劳动力，这就是说，要支付一定量的对象化劳动和活劳动，资本家要相应地投入追加的不变资本与可变资本。如上所述，这种对象化劳动是要转移到商品中去的，这里所消耗的活劳动是会创造价值和剩余价值的，因而它们都归入储备费用。

这种储备费用的特点是什么？纯粹流通费用是由价值的单纯形式变换而产生，是不形成价值的。储备费用则不同，它主要由于使用价值的运动而产生，有时也会由于价值形式的变换而产生，但“它们在一定程度上加入商品价值，因此使商品变贵”。为什么呢？因为“这些费用的目的本身不是价值的形式转化，而是价值的保存”。这就是说，储备费用的支出，虽然不能增加使用价值的数量或提高使用价值的质量，但能避免使用价值的损耗，限制使用价值的减少，从而保存商品的价值，使商品的使用价值与价值少受损失。因为只有通过产品的保存，使用价值才能保存，价值也才能得到保存，所以储备费用在一定程度上会加入商品价值。这既是储备费用的作用，又是它的特点。

在一切社会里都要有产品储存，因而也都有储备费用，但在资本主义社会里，储备却采取一种特殊的表现形式。资产阶级经济学者不懂得这种特殊性与一般性的关系，在对储备品的认识上产生了各种各样的错误观点。古典学派的代表人物亚当·斯密就认为，储备只是资本主义生产所特有的现象。他认为，资本就是待用的生产资料，就是储备品。在他看来，没有分工和交换的原始社会里，是不需要储备的，他们什么时候感到需要，什么时候就去满足需要；随着分工和交换的发展，在从事生产以前才要储备各种货物，到了生产力进一步发展、广泛采用机器大生产以后，才需要有更多的商品储存，所以他说，储备是资本主义的特有现象。斯密的这种观点，既否定了其他社会都有储备的必要性，又把储备品与资本混为一谈，模糊了资本的本质，所以马克思批判地指出，这是“一种荒诞的见解”。至于英国的资产阶级庸俗经济学者莱勒，则断言储备将随着资本主义生产的发展而减少。他认为，商品储备是资本主义社会的一个最大的优点，只有储备增加，才能促进工商业的发展，增加工商业的利润。但他的看法是片面的，看到某一方商品储备向另一方转移时，他就误认为是储备减少，慨叹这一优点没有充分发挥出来。这种观点显然也是错误的。至于法国的小资产阶级经济学家西斯蒙第则和莱勒相反，认为储备的存在是资本主义生产的一个缺陷。在他看来，生产是由消费决定的，如果生产的扩大超过了消费，有些商品就卖不出去，就会产生商品储存。在这里，西斯蒙第既不懂得商品储存是任何社会都有的经济现象，也不懂得它又是资本主义生产的必要条件，更不懂得这种储备是随着社会积累的增加而增加，是扩大再生产所必需的物质要素。由此可见，上述资产阶级和小资产阶级经济学家，不懂得储备在一切社会里所具有的共同性和在资本主义社会里所具有的特殊性，因而对储备的意义和作用作了片面的错误的解释。

储备有三种形式：一是生产资料的形式，这些生产资料或者已经处于生产过程，或者已在生产者手中，即已潜在地处于生产过程，它的资本形式就是生产资本的形式；二是个人消费基金的形式，这是为了满足个人需要的消费品的储备；三是商品储备的形式，当商品生产出来停留在市场上尚未卖出时，它已经离开生产过程但还未进入消费过程而成为商品储备，它的资本形式即商品资本的形式。随着社会历史的发展，这三种储备形式都是在不断增加的，但在不同的历史发展过程中，相对地说，某一形式多些，另一形式则少些。如在自给自足的自然经济的条件下，生产出的产品绝大部分直接进入个人消费，产品作为商品的部分很小，因而商品储备极少，而生活资料的消费基金的储备，相对地说则很多。例如中世纪个体农民的产品，直接用作生活资料或转化为备用的生产资料，几乎不形成什么商品储备。发展到资本主义初期，生产资本的储备就占了很大的比重。一方面，由于机器的使用，机器、厂房这一类生产资本大大增加了，另一方面，随着生产规模的扩大，生产中所消费的原料、辅助材料的量也大大增加了，为了保持生产过程的连续性，就要为生产场所准备更多的原材料，“因此，这种以生产资本形式存在的储备的规模是绝对增大的”。这种以原材料形式储备的生产资本的多少，要以客观经济条件为转移。如果原材料的供应更迅速、更有规则、更有保证，它的储备就可少些；相反，如果原材料的供应越缓慢、越不规则、越没有保证，它的储备就要越多，才能保证生产连续性的需要，不致使生产中断。这些条件是随资本主义生产的发展水平和社会劳动生产力的发展水平而变化的，二者的发展水平越高，对原材料的储备要求越少，反之，就越多，它们之间成反比例。资本主义愈是向前发展，相对地说，生产资本的储备就会减少，而商品储备则会增加。但是从表面现象上看，好像商品储备在减少，而生产资本储备在增加。莱勒就是从这个假象出发而作出“储备将随着资本主义生产的发展而减少”的错误结论的。事实上，这“只是同一个储备的形式变换”，即商品储备的增加表现为生产资本储备减少的这个假象而已。为什么会产生生产资本储备下降的现象呢？马克思指出了四个方面的原因，第一，原料的生产规模和能力很大，生产者可以源源不断地保证得到供应，不需要大量购买进行储存，因此，这部分生产资本的储存就减少了，相反，这部分原材料在市场上，或在商人手中的储存即商品储存，就相对地增加了。第二，运输工具的发展和运费的低廉有很大作用。因为运输工具越发展，就越能从较远地方很快地把原材料运来，原材料的供应就越有保证，因而生产者不需要大量储存，但原材料在另一资本家手中作为商品储备却增加了。第三，信用制度的发展，使生产者不必把生产出的产品全部卖掉后再购买生产资料，他可以依赖信用购买生产资料，因此，不需要对生产资料有较多的储备，但另一方面，商品储备却增加了。第四，为了保证生产的进行，需要一定量的原材料储备，"如果在产业资本家手中这种储备减少了，那不过表明，它在商人手中以商品储备的形式增加了"。所以生产资本储备的相对减少，同时是商品储备的相对增加，"这只是储备形式的变换"而已。由此可见，随着资本主义的向前发展，生产资本储备相对减少，商品储备相对增加，这是客观发展的必然趋势。

真正的商品储备

生产资料储备和个人消费基金的储备是一切社会所共有的，商品储备则是商品经济所特有的，在资本主义条件下，这三种储备形式都表现为资本储备的形式。现在就来着重研究资本主义的商品储备问题。

上一段说过，为什么资本主义越发展，生产资本储备会相对减少；现在再从另一方面看，为什么资本主义越发展，商品储备会不断增大。

商品储备的扩大是由三个因素造成的。第一，随着资本主义生产的扩大，社会总产品的量也增加，不仅商品储备的相对量增加，它的绝对量也同时增加，由直接的生产储备和消费储备形式转化为商品储备的形式也增加。第二，资本家无厌地追求剩余价值，不断把剩余价值转化为资本，他支配的资本的量不断增大，生产规模不断扩大，因而生产出来的商品只有极小部分是为满足资本家对产品的直接需求，而更大量的商品是为市场而生产，因此，每个部门、企业为市场而生产的商品量不断增大，固定在商品资本形式上的资本量也增大，因而商品储备也增大。第三，社会上绝大部分人变成雇佣工人，他们靠按时领取工资，购买必需的生活资料，因此，在市场上作为商品储备的生活资料部分也要增加。"所有这些因素，都来源于生产的形式和它所包含的、产品在流通过程中所必须经历的形式转化。”这就是说，是由于在资本主义生产过程中必须进行资本循环，必须完成由商品转化为货币这一过程而产生的。

既然有商品储备，就必须为它支付保管费用。这种费用需要多少，是由商品的性质和数量决定的。“储备越是社会地集中，这些费用相对地就越少。”但是，保管费用的支出，不管是对象化劳动还是活劳动，总是社会劳动的一部分，“它们不进入产品形成本身，因此是产品的一种扣除”。这就是说，在一定条件下，保管费用虽然会加到商品价值中去，但不能创造出新的产品。如果把 10 吨生铁保存一年，绝不会因此变成 11 吨或 12 吨。在这里，它只起着限制使用价值减少的作用。因此，保管费用的支出只是对产品的一种扣除。

那么，在正常的情况下，一定量的商品储备究竟需要支付多少保管费用呢？因而，“这些费用在多大程度上加入商品价值”呢？

商品储备的时间越长，支付的保管费用越多。能不能用储备时间的长短来决定保管费用加入商品价值的数量呢？不能。这同个别劳动时间不能决定商品价值的原理一样。不是所有的保管费用都会加到商品的价值中去，它只是在社会必要的限度内，才加入商品的价值中去的。在这里，决定的因素有：正常储备和非正常储备，商品储备量的正常规定，商品储备的正常损耗等问题。

生产出来的商品在进入消费领域以前，必须有一个由商品到货币的转化过程，必须经过流通领域，必须暂时停滞在商品形式上，如果“没有商品储备，就没有商品流通”。这是“非自愿储备”，是商品生产者无法知道的，这种储备是必要的、正常的，由它所消耗的社会劳动会加入商品价值。如果资本家有意地囤积居奇，等待价格上涨，硬把可以卖出的商品放在仓库里不卖，这时的商品储备是资本家的“自愿储备”，是人为的、不正常的，“由此引起的费用就不会把价值加到商品上”。

在正常的情况下究竟要有多少商品作为储备？少了，不能满足需要，影响再生产的继续进行；多了，造成物资积压，增加保管费用，浪费社会劳动。这就需要确定正常条件下的商品储备的一定量的问题。这个量是由以下因素确定的：一、储备的商品量，必须满足一定时期内对它的需求量。例如，一天内，市场上对该商品出卖多少，有多少放在货柜内等待明天出卖，有多少放在仓库内以便补充市场供应。二、储备量要大于平均出售量或平均需求量，否则就会出现供不应求现象，买不到所需要的东西。三、储备不断消耗，所以要不断更新，才能保证再生产的连续进行。“更新以商品再生产所需要的时间为转移。在这个期间，商品储备必须够用。”一旦商品储备的量确定了，在这范围内因储备所消耗的保管费用，就会加到商品价值中去。

商品在储备期间是会发生物质损耗的，这种损耗也应该是社会地规定的。如果在正常情况下，储备 100 斤米，在一定的时期内要损耗 5 斤，这 5 斤米的损耗就是必要的，它的价值就要平均分摊、移转到其余的 95 斤米中去。如果某个人因保管不善，损耗了 10 斤或 20 斤，这是非正常损耗，那超过 5 斤损耗的部分，不属于社会必要损耗的范围，是不能转移价值的。

由此可见，保管费用究竟有多大程度加入商品价值，也是社会地客观地规定着的。

另外，作为生产储备和消费基金储备所需要的费用，也是储备费用，也是对对象化劳动和活劳动的社会消耗，它将按不同比例分摊在不同的商品上，这种“储备费用仍然是社会财富的扣除”。

在商品储备不正常的情况下，市场上的商品卖不出去，从生产过程生产出的商品又源源涌来，致使这种储备的蓄水池泛滥起来，“商品储备就会因流通停滞而扩大”。这种储备，不论是在产业资本家的仓库内，还是在商人的栈房内，都是一样的。这时，商品储备已经不是不断出售的条件，而是商品卖不出去的结果。因储备而产生的保管费用，仍然要付出，但这种费用“不加入商品价值，而成为在价值实现时的扣除，即价值损失”。这就是说，因为销路停滞而引起的储备品的保管费用，是不能追加到商品价值中去的，只能由剩余价值来弥补，这种费用属于纯粹流通费用的范围。但是在资本主义的实际经济生活中，正常的商品停滞和不正常的商品停滞，往往交织在一起，可以互相混同；又由于生产出的商品虽已发生过剩，但产业资本家仍把生产出的商品卖给商人，再加上信用制度等条件，产业资本的循环依然能够畅通，虽然这时已是危机的前夕，但社会上仍存在着生产不断扩大和繁荣的假象，这种假象的存在，使得不正常的商品储备越来越多，这是资本主义制度下的特有现象。

Ⅲ. 运 输 费 用

“商品在空间上的流通，即实际的移动，就是商品的运输。”[①] 为什么要进行商品的运输呢？这是因为：商品的使用价值只有在商品的消费中才能实现，而商品的消费有时又必须经过地域上的转移。如果不把农村生产的粮食运到城市，城市居民就没有饭吃；如果不把矿山的煤炭运到工厂，工厂就没有燃料。因此，要使商品的使用价值得以实现，“物品的位置变化成为必要，从而使运输业的追加生产过程成为必要”。[②] 运输业一方面形成一个独立的生产部门，另一方面又表现为生产过程在流通过程内的继续。

运输和商品流通并不是完全相结合、不可分割的。有的商品流通并不需要运动。如买卖房屋，是作为商品流通的，但没有通过运输。有的进行运输，但不是商品流通。如保存着很多原始社会残余的奴隶占有制的印加国，虽然要运输物品，但他们的社会产品并不作为商品流通。也有的是在商品流通时，物品本身没有实际移动，而实际运输的只是物品的所有权证书。如某商品留在货栈内，但经过投机者反复买卖，商品是流通了，所有权转移了，但物品本身没有发生场所的变换。可见，在没有商品生产的社会里，运输是存在的；在有商品生产的社会里，运输商品和商品流通又往往（但不完全是）结合在一起进行的。

在商品运输上支出的一切费用，就是运输费用。“投在运输业上的生产资本，会部分地由于运输工具的价值转移，部分地由于运输劳动的价值追加，把价值加到所运输的产品中去。”这就是说，运输费用包括两个方面，一是由运输工具转移来的旧价值，一是由运输工人新创造的价值，这个新创造的价值部分，包括工资补偿和剩余价值。

---

① 《资本论》第 2 卷，人民出版社 2004 年版，第 170 页。

② 《资本论》第 2 卷，人民出版社 2004 年版，第 168 页。

运输费用和纯粹流通费用不同。运输是产品由一个地方到另一个地方的实际运动，是产品的空间变换、场所变更的物理运动，而纯粹流通则是单纯价值形式的变换，是价值形式的运动；运输只促使物品的位置变动，但不会发生所有权变动，纯粹流通则主要表现为所有权的变动，可以不发生物品的位置变动；运输是生产过程在流通领域的继续，因而运输费用是生产性的，但也和保管费用一样，“产品总量不会因运输而增大”，但它能加入商品价值，并能创造出剩余价值，纯粹流通费用则相反，是非生产性的费用，不能加入商品价值，当然也不能创造剩余价值。

为什么运输费用是生产性的费用呢？运输虽然不能创造使用价值，但可使使用价值通过消费而实现。物品只有从生产场所运到销售场所，才能到达购买者手中。如果没有运输，产品到达不了消费者手里，使用价值就无法实现，生产等于白费。在工厂内部，把劳动对象和半成品由一个场所运到另一个场所，由一个空间运到另一个空间，以便下一个工序的继续进行，这种运输显而易见是生产性的，人们也是容易理解的；但是企业之间的商品运输，是工厂的外部运输，这种运输也不过是厂内运输在社会规模上的进行，是生产过程在流通领域的继续，这一点，人们往往是不容易理解的。当然，厂内的运输费用直接加入生产过程，成为直接的生产费用；在社会上进行运输所需要的费用，才是运输业的业务范围，才是现在所研究的运输费用。①

运输业既然是产业部门，因而商品生产的一般规律同样也适用于运输业。运输业费用的规律是：

“在一定距离内运输商品所需要的劳动量——死劳动和活劳动量——越小，劳动生产力就越大；反之亦然。”这就是说，劳动生产力越高，在一定范围内的运输所需的社会劳动就越少，运输费用就越少；反之，劳动生产力越低，因运输所花费的社会劳动就越大，运输费用也就越大。

“在其他条件不变的情况下，由运输追加到商品中去的绝对价值量，和运输的生产力成反比，和运输的距离成正比。”这就是说，运输业的生

---

① 必须指出，不是所有的运输费用都是生产性的，凡是由于投机，销路停滞，或由于竞争，发生不正常辗转运输而产生的运输费用，是不能追加到商品价值中去的，它要由剩余价值来弥补，也属于纯粹流通费用的范围。

产力越大，由运输追加到商品上的价值越小，反之，就越大，它们之间成反比；商品运输通过的距离越长，由运输追加到商品上的价值就越大，反之，就越小，它们之间成正比。

“在其他条件不变的情况下，由运输费用追加到商品价格中去的相对价值部分，和商品的体积和重量成正比。”这就是说，商品的体积越大，重量越重，由运输追加到商品上的价值也越大；反之，就越小。当然，由于物品容易破碎、腐烂和爆炸等不同情况，在运输时要采取相应措施，所支出的费用不同，因而由运输追加到商品上的价值也不同。

“运输费用追加到一个物品中去的相对价值部分和该物品的价值成反比”。这就是说，一个物品的价值较大，追加入该物品中的运输费用的价值所占的比重就较小；相反，如果某一物品的价值较小，追加入该物品中的运输费用的价值所占的比重就较大。

在资本主义制度下，运输费用发展的趋势：一方面，由于交通运输工具的机械化、现代化，运输的规模不断扩大，“使单个商品的运输费用减少”；另一方面，由于资本主义使一切产品都转化为商品，又开辟了远方市场，使耗费在商品运输上的活劳动与对象化劳动增加，这就使运输费用在绝对量上有增加的趋势。

■ 马克思对流通费用的研究，主要是围绕它的性质及其在价值增殖过程中的作用而展开的。纯粹流通费用是非生产费用，它不能加入价值，更不能产生剩余价值，只能由剩余价值来补偿，是产品的一种扣除；保管费用和运输费用是生产过程在流通领域的继续，是生产性的，它不仅形成价值，而且能产生剩余价值，资本家可由此得到很大的好处。这种分析，是紧紧围绕资本运动这个中心，贯串着资本对劳动的剥削、资产阶级对工人阶级的尖锐对立进行论证的。这样，就不会陷入对这些费用的零星的琐碎的研究，而是抓住问题的实质，从现象到本质，逐步深入，逐步展开。

在中国当前社会主义制度下，还存在商品生产和商品流通，因而纯粹流通费用、保管费用、运输费用也都是存在的、必要的，但性质和作用已发生根本的变化。如果我们撇开这些费用的资本主义性质，从理论和实践的结合上来研究现实经济生活中的问题，是有一定的意义的。例如，减少商品流通的中间环节，加速商品流转，以减少纯粹流通费用的支出，节约社会劳动的问题；搞好综合平衡，既要适当地保持储备，留有余地，又要防止物资积压，做到物尽其用的问题；充分认识运输的作用，利用运输费用的规律，不断改进运输工具，提高运输效能的问题，等等。这些都是理论和实践的重要课题，学习马克思的上述原理，对于研究社会主义经济有很大的指导作用。

第二篇

资本周转

第七章

周转时间和周转次数

什么是资本周转呢？马克思指出："资本的循环，不是当作孤立的行为，而是当作周期性的过程时，叫作资本的周转。"在第 389 页他又说："这个循环，作为周期性的过程，即经过一定期间不断地重新反复的过程，形成资本的周转。"我们知道，资本的整个运动，就是资本循环的不断反复。个别资本循环一次，只是资本运动不断反复过程中的一个阶段、一个期间、一个环节而已。资本完成一次循环，是从出发点再回到出发点，如 G…G′。如果我们把 G…G′单独地抽出来加以考察，这个 G…G′就是资本的循环。如果把 G…G′作为不断进行的无数次反复的 G…G′的运动，从周期过程来加以观察，这个 G…G′就叫作资本的周转。资本循环和资本周转是密切联系着的，但资本周转不是一次的而是不断重复的资本循环，因此不能说资本的循环就是资本的周转。

在第一篇研究了资本循环以后，第二篇就进而研究资本周转。马克思指出："在第二篇，循环是作为周期的循环，也就是作为周转来考察的。这里一方面指出了，资本的不同组成部分（固定资本和流动资本）怎样在不同的时间以不同的方式完成各种形式的循环；另一方面又研究了决定劳动期间和流通期间长短不同的各种情况。我们还指出了，循环期间及其组成部分的不同比例，对生产过程本身的范围和年剩余价值率有怎样的影响。”① 这说明，第二篇的主要问题，就是研究资本周转速度以及它对资本价值增殖的影响。第二篇共十一章，基本上可分为四个部分。第七章是第一部分，属于绪论性质，着重说明有关资本周转速度的两个问题：周转时间构成部分和周转次数的计算方法。第八章到第十一章是第二部分，着重研究影响资本周转速度的一个方面的因素，即生产资本的构成——固定资本和流动资本问题。第十二章到第十四章是第三部分，着重研究影响资本周转速度的另一方面的因素，即生产时间和流通时间问题。第十五章到第十七章是第四部分，着重研究资本周转时间的长短对剩余价值生产和实现的影响。但是必须注意，“在第一篇和第二篇，我们考察的，始终只是单个资本，只是社会资本中一个独立部分的运动”②。

研究资本周转要用货币资本循环和生产资本循环的公式

研究资本周转，要用货币资本循环和生产资本循环公式。为什么呢？这是因为：资本周转，是以价值增殖为目的，以循环的资本价值回到原来的形式为条件的。这二点，在货币资本循环和生产资本循环的公式中都已具备，如用商品资本循环的公式就反映不出来。我们试以三种公式相对照，就可看出如下区别：在货币资本循环 G…G′中，G 既是出发点，也是复归点，在 G′中，包含 G 和 g，如 G′全部再作为出发点，就实现了剩余价值资本化；如把 G′中的 g 转入资本家的个人消费，剥削剩余价值的目的也是一目了然的。在生产资本循环 P…P 中，作为生产要素形式的 P 同样是资本价值的出发点和复归点，这个形式同样包含预付资本的价值增殖。如果是简单再生产，P…P，资本就是以 P 的形式重新开始循环过程；如果是扩大再生产，P…P′，“资本价值虽然比以前大了，过程仍然以原来形式的预付资本价值开始”。在商品资本循环中，不是以资本的预付价值开始，而是以已经增殖的资

① 《资本论》第 2 卷，人民出版社 2004 年版，第 391 页。

② 《资本论》第 2 卷，人民出版社 2004 年版，第 392 页。

本价值开始，其中既包括预付资本，又包括剩余价值，因此，“在考察资本周转时，这个形式是不适用的，因为资本的周转总是以货币形式或商品形式的资本价值①的预付开始，并且总是使循环中的资本价值回到它预付时的形式”。

那么，研究资本周转究竟是用货币资本循环公式还是用生产资本循环公式呢？这就要看研究什么问题，如果是“研究周转对剩余价值的形成的影响”，就要用货币资本循环公式，如果是“研究周转对产品的形成的影响”，就要用生产资本循环公式。资产阶级经济学家不懂得这三种资本循环形式的不同作用，因而也不考察这三种形式对资本周转的关系。他们考察货币资本循环的形式，是因为对他们计算有用；考察生产资本循环的形式，只注意收回，但又不谈收回的形式究竟是什么；考察商品资本循环的形式，又仅仅是从收回资本的时候算起。这些肤浅的片面的看法，是不可能懂得资本周转和资本循环具体形式之间的辩证关系的。

周转时间和周转次数

每个资本家投放的总资本价值，从预付资本价值开始，完成它的运动循环，复归到它原来的形式为止，要经过生产阶段和流通阶段，在每一阶段上都必须经历一定的时间，留在生产阶段上的生产时间与留在流通阶段上的流通时间之总和，就构成资本的周转时间。所以马克思说，“这种周转的持续时间，由资本的生产时间和资本的流通时间之和决定。这个时间之和形成资本的周转时间”。“资本的周转时间计量总资本价值从一个循环周期到下一个循环周期的那段时间，计量资本生活过程经历的周期”。所谓周期，就是从这一循环的开始到结束，即再到下一循环的开始，它是不断循环过程中的一个阶段。资本运动由不断的周期循环形成资本周转。资本周转一次，经历一个周期，这表示同一资本价值经历了一次增殖过程，或经历了一次生产过程的更新和重复的时间。可见，资本周转一次，也就是资本价值增殖一次；同一资本的周转时间愈短，周转的次数愈多，资本价值增殖的次数也愈多，资本家剥削到的剩

① 这里所说的“商品形式的资本价值”，不是指商品资本，而是指生产资本，即 P。因为生产资本的起点是生产要素，即生产资料和劳动力，这些都是具有一定价值的商品，故马克思称之为“商品形式的资本价值”。

余价值也就愈多。

“资本的周转时间在不同的投资部门是不同的。”像重工业部门的机器厂，需要较多的技术装备和厂房等建筑物，产品又需要较长的生产时间，这类企业的资本周转时间就比较长；反之，如轻工业部门的面包厂，不需要太多的技术装备，它的产品在很短时间内就能被制造出来，这类企业的资本周转时间就比较短。可见，不同部门、不同企业的资本周转时间是不同的。

怎样计算资本的周转次数？首先，要确定一个一定时间的共同单位，作为衡量次数的标准。否则，没有共同单位作为次数的衡量标准，那是无法比较、无法计算的。马克思把“年”作为“资本的周转的自然计量单位”。为什么要用“年”作为计量的共同单位呢？因为资本主义生产的国家在温带地方，那里农产品都是一年收获一次，所以经济学上往往有年周转、年产品、年剩余价值、年剩余价值率等概念。其次，在时间的计量单位确定以后，就要确定计算方法。马克思用 U 表示周转时间的计量单位——年，用 u 表示一定资本的周转时间，用 n 表示资本的周转次数，那么，计算资本周转次数的公式是：

$$n=\frac{U}{u}$$

例如：某产业资本的周转时间为 3 个月，他每年的资本周转就是 4 次，因为：$n=\frac{12}{3}=4$。又如，另一产业资本的周转时间为 18 个月，那么，$n=\frac{12}{18}=\frac{2}{3}$，即一年只完成周转时间的$\frac{2}{3}$，也就是说，这个资本要有一年半的时间才能周转一次。“如果资本的周转时间等于几年，那么，它就要用一年的倍数来计算。”资本的周转时间越长，资本的周转速度就越慢，而资本的周转的次数越多，资本的周转速度则越快；反之亦然。

必须注意，周转时间和周转次数，只是对同一资本周转速度的两种表现方法，并不是表示两个不同的周转速度。或者说，周转时间与周转次数，只是周转速度在正反两方面的表现，它们二者都是为了表示资本的周转速度。

那么，有哪些因素影响资本周转的速度呢？第八章所研究的固定资本与流通资本，是一方面的因素，第十二、十三、十四章所研究的，是另一方面的因素。

■ 本章的标题是“周转时间和周转次数”，但其中心是围绕着资本周转的速度来研究的，周转时间和周转次数只是计算资本周转速度的两种不同表现方法。资本周转速度直接关系剩余价值量的多少。在同一时间内，同一资本周转速度愈快，剩余价值量就愈多；反之，资本周转速度愈慢，剩余价值量就愈少。剩余价值的生产是资本的直接目的，所以资本家就要千方百计地加快资本周转的速度，以攫取更多的剩余价值。马克思正是从这一指导思想出发来研究资本周转的。我们学习第二篇，也要紧紧把握这个重点，才能理解其精神实质。

第八章
固定资本和流动资本

生产资本是由发挥职能的生产资料和劳动力构成的，它的不同部分的价值移转的方式是不同的，因而它的周转的方法也是不同的，根据生产资本的这种不同构成，区分为固定资本和流动资本。固定资本和流动资本以不同的情况加入资本周转，是决定资本周转速度的一个重要因素。

本章着重研究固定资本和流动资本怎样加入资本周转过程、从而对周转速度有着怎样的影响。本章共分二节，第一节研究固定资本和流动资本的区别，第二节研究固定资本的组成部分如何补偿、修理和积累的问题。

Ⅰ.形式区别

固定资本

我们知道，生产资本是由厂房、机器、设备、工具、原料、辅助材料、燃料以及其他物质生产要素和工人的劳动力构成的，根据它们在剩余价值生产中所起的不同作用，区分为不变资本和可变资本。如果从它们参加资本周转的不同情况看，又可分为固定资本和流动资本。

一部分不变资本——机器、厂房、工具、设备等劳动资料，在一个或长或短的时间内，在不断的劳动过程中，总是起着相同的作用，保持着原来的使用价值形态，而它的价值则逐步地转移到产品中去。转移到产品中去的那部分资本价值直接加入资本周转，尚未转移的那部分资本价值则仍然包含在原有的使用价值形态中，一直到它完全损耗、不能使用、必须用新的产品来代替它时，它的价值才全部转移完毕。这部分在物质形态上全部参加生产，而其价值一部分一部分地逐渐转移到产品上去的生产资本，叫作固定资本。例如，一台价值 12 万元的机器，可用 10 年，在 10 年时间内，它一直发挥着机器这个使用价值的作用，但它的价值却不断地平均地转移到新产品中去，1 年可转移 1.2 万元，1 个月可转移 1000 元。

这种固定资本有哪些特征呢？

一是固定性。从使用价值方面看：机器、工具、厂房等劳动资料和原料不一样，原料一进入生产过程，就转化为产品的形成要素而包含在新产品中，从而脱离生产过程转入流通领域；机器等劳动资料一进入生产过程，就不再离开，而是一直被固定在它的职能所决定的形式上。例如机器，一直在生产中充当机器的作用，厂房，一直在厂房的形式上发挥其作用。这就是说，它们的使用价值形态是一直固定在生产中的。从价值的方面看：它的价值一部分转移到新产品中去，“另一部分则仍旧固定在劳动资料中，因而仍旧固定在生产过程中”。随着生产的进行，这种固定的价值在不断转移、不断减少，但是，“只要它还不需要由同一种新的物品来替换，就总是有不变资本价值固定在它里面”。劳动资料越耐用，它的损耗越慢，资本价值固定在这种使用形式上的时间就越长。

二是独特的流通。一切资本价值都要处在不断运动的过程中，从这个意义上说，一切资本都是在流动着，都是流动着的资本。但是，固定资本的流通有它的特殊之处。首先，它的使用价值形态一直存在于生产过程中，它的磨损部分并不物质地转移到新产品中去，这就是说，它在使用价值形式上是不进行流通的。其次，“进行流通的只是它的价值，并且这种流通是逐步地、一部分一部分进行的”。它不像原料一样，一下子把价值全部转移到新产品中去，而是按照它的使用形式的磨损情况，用折旧费的方式，每次转移一部分价值到新产品中去参加流通。即使一部分价值转移出去参加流通了，也还有一部分价值固定在它里面，保持自己的独立。所以，“决定一部分投在生产资料上的资本价值具有固定资本性质的，只是这个价值的独特的流通方式”[①]。“由于这种特性，这部分不变资本取得了**固定资本**的形式。”

① 《资本论》第 2 卷，人民出版社 2004 年版，第 179 页。

在这里，必须注意如下两种情况：

一种情况是，像辅助材料，如照明用的煤气，由蒸汽机而消费的煤炭之类，从物质上看，它们不加入新产品中去，从价值上看，它们又会转移到新产品中去，这种情况和固定资本是相同的。但是，它们并不是固定资本。因为：一、它们在劳动过程中被全部消费掉，使用价值形态在生产中不是固定的；二、它们的价值全部转移到新产品中去，“资本价值没有任何部分固定在它们的旧的使用形式即实物形式上”，不形成“独特的流通”。

另一种情况是，一般地说，表现为固定资本的真正的劳动资料，只被生产地消费，不能进入个人消费，这和能进入个人消费的原料部分是不一样的。为什么不能进入个人消费呢？因为“它与产品相对立，在它完全损耗以前一直保持独立的形式”。这也是由“独特的流通”所引起、所决定的。当然，这是指一般情况，特殊情况的例外还是存在的。例如运输工具，起着位置移动作用，对于货运来说，它是生产过程，如对旅客来说，同时又是个人消费过程。在化学工业中，在农业中，也都有类似的特殊情况。

三是在生产过程中作为劳动资料执行职能。不能认为所有劳动资料都是固定资本。劳动资料成为固定资本，必须在生产过程中发挥资本的职能。例如机器，只有在使用它进行生产的产业资本家手里才成为固定资本。如果在机器厂，它刚从生产过程生产出来，作为商品等待出售，这只是商品资本，不是固定资本。因为固定资本只是存在于生产过程中，只是生产资本的一种形式。

固定资本既然是存在于生产过程中的，它越具有耐久性，它存在于生产过程中的时间就越长，它的价值逐步转移的速度就越慢，资本价值固定在劳动资料上的期间就越长。“固定在劳动资料上的资本价值和这个价值量中由劳动资料在反复进行的劳动过程中转给产品的部分之间的差额，就是由这种耐久性决定的。”这种价值的转移进行得越慢，在生产中“固定化的资本就越大，生产过程中使用的资本和生产过程中消费的资本之间的差额也就越大”。

这里也有一种情况，这就是，不是本来意义上的劳动资料，但从价值转移来看，也是逐步地移转到产品中去的，因而也可作为固定资本来发挥职能。例如，用于改良土壤的肥料，虽然是一次加入到土地中去，但在若干年内它都会发挥作用，它的价值也只是逐年移转到年产品中。不过，它和一般的固定资本也有不同之处，它的使用价值实体不是在生产过程中固定地存在着，而是也加入到产品中去。

资产阶级经济学家错误地把固定资本、流动资本和不变资本、可变资本混为一谈。他们不懂得，生产资本之分为不变资本和可变资本，是由它们在生产过程中所起的不同的作用而决定的；生产资本之分为固定资本和流动资本，则是由它们各组成部分参加周转的不同情况而决定的。他们除了这个根本错误以外，对固定资本的错误认识有下述原因：

他们把劳动资料在物质上具有的某些自然属性，如一定物体的不动性和一定地点的固定性，看成是固定资本的特征。这完全是错误的。例如，房屋，是固定的、不动的，如果只是供居住，不供生产使用，它不能成为固定资本；相反，如船舶、机车，“也可以在物体上不断变更位置，不断运动，然而却不断处在生产过程中”[①]，虽然它不是固定的、不动的，而是不固定的、可动的，但却成为固定资本。可见，“在一个场合，不动性不会使劳动资料取得固定资本的性质，在另一场合，可动性也不会使它丧失这种性质”。确定是否固定资本，绝不是由它的物理的不动性或可动性来决定的。

他们还把那种由价值流通引起的经济的形式规定性和物质的属性混同起来，把资本的社会性质当成物体的自然性质，因而认为生产资料天然就是资本，劳动资料天然就是固定资本。事实上，生产资料本身不是资本，只有在资本主义制度下，被资本家作为剥削雇佣劳动的工具时才成为资本。而且，同一劳动资料，是不是固定资本，“就要根据它的职能的不同来决定”。例如牛，用于耕田，是劳动资料，是固定资本；如作为长肉的家畜，便是原料，它会作为产品进入流通，是流通资本，不是固定资本。

也不能把生产期长短作为划分固定资本和流动资本的根据。农业上

① 《资本论》第2卷，人民出版社2004年版，第182页。

的种子，差不多有几个月的时间固定在生产过程中，但它只是原料，是流动资本，不是固定资本。“由于生产过程的种类不同或预期的有用效果不同，资本的这种固定存在，在时间上是长短不等的，但这并不造成固定资本和流动资本的区别。”

资产阶级经济学家关于区分固定资本和流动资本的错误的根源，就在于把资本主义生产方式看成是自然的、永恒的，因此，他们看不到资本的社会属性，而把资本看成是生产资料本身的自然属性，他们不是根据生产资料的价值在周转中的不同情况，而是根据它们自然属性的差异来划分固定资本与流动资本。

四是独特的周转。固定资本的独特的周转，是由独特的流通引起的。由于它的价值一部分逐渐转移到产品中去，一部分仍固定在原来的使用价值形态上，因而劳动资料的价值获得双重存在，这是独特的价值流通所产生的结果。“在这里，生产资本的这个要素在周转上的特征显露出来了。”这种周转的特征是什么呢？转移到产品中去的部分价值再转化为货币，是和生产出来的商品转化为货币同时进行的，因为它的价值转移到商品中，通过商品出售，这部分价值就同时转化为货币；“但是，它由货币形式再转化为使用形式，是和商品再转化为商品的其他生产要素相分离的”。例如：某织布厂生产1000匹布，其中900匹布值9万元，是要补偿原料、工资等流动资本支出的，这900匹布卖出后，就要再购买棉花、棉纱等商品形式的生产要素；其中100匹布值1万元，是由固定资本转移来的价值，假定该厂固定资本，例如一台机器值10万元，平均10年周转1次，每年可转移价值1万元，这100匹布的1万元，正好抵偿这一台机器转移来的部分。但这1万元并不是马上用来购买机器，而是作为货币准备金的形式暂时存起来，一直要等到10年以后，这台机器10万元的价值全部转移完毕，才能用来重新购买一台机器，以便在生产中代替旧机器。这样就可看出，作为1万元的固定资本转移来的价值，和作为9万元的原料等流动资本的价值，在再生产过程中就分开进行了。这就是固定资本的独特的周转。这种独特的周转，是由固定资本“本身的再生产期间决定的，即由这样一段时间决定的，在这段时间内，劳动资料已经损耗掉，必须用同一种新的物品替换”。

流动资本

在生产资本中，除去上述劳动资料以外，还有原料、辅助材料等属于劳动对象的部分，以及投在劳动力上的可变资本部分，这两者作为产品形成要素和价值形成要素是不同的，但它们的价值的周转方式却是共同的。现在就来分别进行考察。

从原料、辅助材料等的情况看，它们是不变资本的一部分，经过生产过程，它们的物质形态改变了，旧的物质形态不见了，加入到新的物质产品中，它们的价值也与之相适应，全部转移到新的产品中。尽管有的辅助材料会以物体加入产品，成为产品的实体材料，如染布的染料；但也有的辅助材料只是在劳动过程消费掉，不在物质上加入产品，如充作燃料的煤炭；不过这都与问题无关。“只要辅助材料和原料在形成产品时全部消费掉，它们就把自己的全部价值转移到产品中去”，并且通过商品的卖出，再返回到资本家手中。

从投在购买劳动力上的可变资本的情况看，劳动力是按一定时间购买的，一旦资本家购买了劳动力，就把它并入生产过程，从而构成他的生产资本的一个组成部分。它每天在一定时间内发生作用，在这个时间内，劳动力使用了，消耗了，它的价值不见了，但劳动力的使用是劳动，劳动是能创造价值的，而且能创造超过劳动力价值的价值即剩余价值，这里暂且把剩余价值撇开不谈。劳动创造的新价值会补偿已经消耗的劳动力价值，在这里，实际上是把它的价值再生产出来，所以劳动力的价值并不是直接转移到产品中去，但这种再生产出来的相等于劳动力价值的部分，是对可变资本的补偿，要使生产不致中断，这部分可变资本就要不断地由货币再转化为劳动力。在这里，作为价值形成要素，用于购买劳动力的可变资本和用于购买原料、辅助材料的不变资本是不一样的，但它们的资本价值都要完全转移到产品中去，这种周转方式却是一样的。所以马克思说：“不管劳动力和不变资本中形成**非固定**资本的组成部分多么不同，它的价值的这种周转方式却和这些部分相同，而与固定资本相反。”上述生产资本中的这两个组成部分——投在劳动力上的可变资本和投在原料、辅助材料上面的不变资本的一部分，“由于它们在周转上的这种共同性，而作为**流动**资本与固定资本相对立”。因此，资本的这两部分统称为流动资本。

在这里，需要注意下述几个问题。

第一，“和固定资本相对立而取得流动资本的规定性的，不是工人的生活资料，也不是工人的劳动力，而是生产资本投在劳动力上的那部分价值”。这是因为：工人把劳动力卖给资本家，取得工资，用来购买生活资料，进行个人消费，这种生活资料不是可变资本，因为资本家购买的是劳动力，不是生活资料。那么劳动力本身是不是可变资本呢？也不是。劳动力是工人的劳动能力，是工人把它作为商品出卖给资本家的，如果说劳动力就是可变资本，等于说工人就是资本家，这是荒谬的。劳动力只有被资本家买去以后，进入生产过程，与物质资料相结合，才成为现实的生产资本的一部分，这部分资本价值是可变资本，也是流动资本的一部分，它的价值是要再生产在新的产品中，也可以说，是要转移到新的产品中去的。因此，这一部分价值所以是流动资本，是从它的周转方式来说的。

第二，企业所需流动资本，要和由固定资本所决定的生产规模的大小相适应。如和固定资本相比，流动资本的价值是要全部转移到产品中去的，然后通过把商品卖出，取得货币，再购买生产要素，重新并入生产过程，所以它的投入和取出是比较频繁的，它是在较短时间内更新的，它的量也是比较小的。“这种不断的更新，是通过把它们的全部价值带入流通的产品的不断出售来进行的。”在使用价值方面，流动资本的物质形态不会长期固定在生产过程中，也要不断地变化，“它们不断地由商品再转化为同种商品的生产要素”。

第三，在劳动力把它自己的价值加进产品的同时，还会不断地创造出剩余价值，加入产品中去。在这里，剩余价值也和资本的价值要素一样，不断地被产品带入流通过程并转化为货币。这种剩余价值的周转，是在第十六章、第十七章中进行研究的。现在，我们着重考察资本价值的周转，暂时把它撇开不说。

结　论

根据以上对固定资本和流动资本的分析，可以得出如下结论：

第一，固定资本和流动资本的区别，是由

生产资本在生产过程中有不同的周转而产生的。生产资本在生产中的不同周转，不是由于它在生产过程中有增殖价值的独特作用，而是由于它的不同组成部分、按照不同方式、把价值转移到产品中去而产生的。这种不同组成部分的价值转移方式的不同，又是由于生产资本借以存在的物质形式有差别、“这个物质形态的一部分在形成单个产品时全部消费掉，另一部分只是逐渐消耗掉”而产生的。“只有生产资本能够分为固定资本和流动资本。”相反，这种固定资本和流动资本的对立，在货币资本和商品资本中是不存在的。货币资本与商品资本是处在流通过程的资本形式，只是与生产资本相对立的流通资本。它反映资本的流通过程。流通资本不处在生产过程当然不是生产资本，更不能划分为固定资本和流动资本。所以，固定资本和流动资本的“这种对立只是**对生产资本并且在生产资本之内**才是存在的”。但是亚当·斯密以来的资产阶级经济学家，往往把生产资本中的流动资本部分和流通资本混为一谈，事实上，这是有严格区别的两个不同范畴。为了弄清上述区别，特图示如下：

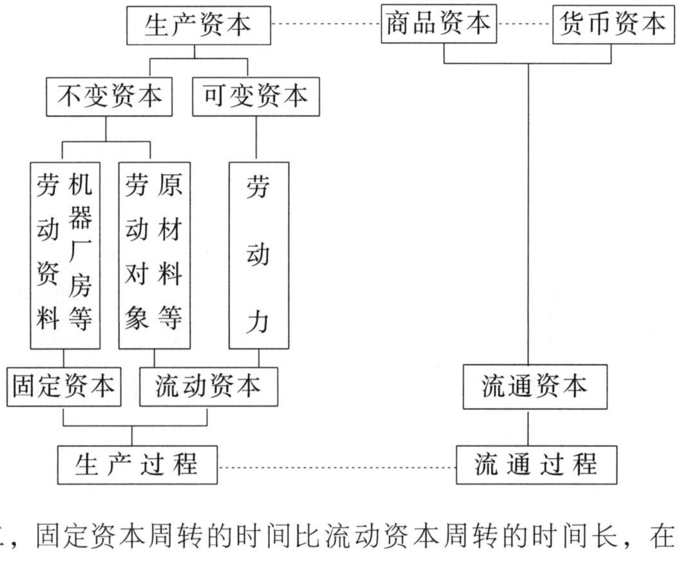

第二，固定资本周转的时间比流动资本周转的时间长，在固定资本周转一次的时间内，流动资本会周转多次。为什么会产生这一现象呢？因为固定资本的价值只是逐步地部分地随新生产出来的商品进入流通，而流动资本的价值则是一下子全部进入流通。

第三，固定资本的使用价值形态，较长期地留在生产领域中，只有到它的寿命终结时，才会替换。固定资本的价值，是一次预付，分批收回的，它的一部分逐渐地转移到产品中去，另一部分仍存在于原使用价值形态中。这种逐渐地部分地转移出去的价值，不断地作为商品的价值进入流通，并转化为货币，“但不由货币再转化为它原来的实物形式”，而是作为准备金积累起来。只是固定资本价值（如机器）全部转移完毕时，才用新的机器来替换旧的机器，“这种由货币到生产资料的实物形式的再转化”才会发生。

第四，在生产过程的继续进行中，流动资本的各种要素，要不断地在实物形式上更新。例如：旧的原料和辅助材料在生产中消耗掉，就要购买新的原料和辅助材料；劳动力在生产中使用了，消费了，就要重新购买劳动力，这时，往往有人员变动。固定资本则不同，“在它们存在的整个期间内，本身既不更新，它们的购买也不需要更新”。例如机器，它不断存在于生产过程中，不断发生作用，一直到报废为止。

Ⅱ. 固定资本的组成部分、补偿、修理和积累

上一节着重研究了固定资本的特征、固定资本和流动资本的差别，这一节就着重说明固定资本本身的补偿、修理和积累的问题。

固定资本的各个要素有不同的寿命，从而也有不同的周转时间

在同一个投资中，固定资本是以各种不同的物质形式存在着，这种种不同的物质形式，其使用期间是不一样的，因而它们的周转时间也是不一样的。例如，在铁路上，有铁轨、枕木、车站建筑物、机车、车厢、隧道、桥梁等等，它们各自发生不同的作用，在不同的时间内替换其使用形式，也在不同的时间内逐步转移其价值。一般地说，像铁轨、机车，损坏得快些，因而它的价值周转的时间也短些；同铁轨、机车比，车站建筑物的损坏则比较慢，因而它的价值周转的时间也较长。即以同一铁轨而论，在一般路基上的铁轨就比在车站上的铁轨磨损得慢些。由此可见，同一企业的固定资本的不同要素，有不同的周转时间，这是由它的使用形态的磨损情况不同而引起的。

为什么会产生这种磨损的不同情况呢？“磨损首先是由使用本身引起的。”一般说来，劳动资料的磨损和它们发挥职能的强度和时间是成正比的，转动快的机器比转动慢的机器磨损多，日夜不停开动的机器比一天只有一班工作的机器磨损多。“其次，磨损是由于自然力的影响造成的。”如铁路的枕木会因腐烂而磨损，铁质的机器会因生锈而磨损，砖、石、水泥的建筑物会因风、雨、热、冷等等而磨损，这都是从它的物质形式的磨损而说的。最后，如果从价值方面来说，“无形损耗也起着作用”。无形损耗是由两种不同的情况引起的，一是由于劳动生产率提高，生产相同的机器的价值降低，从而引起已经生产或使用的机器贬值；一是由于技术的改进，有质量更高、效率更好的机器来代替生产中的旧机器，虽然旧机器的价值还未转移完毕，但因技术比较落后之故，不能使用，这种尚未转移完毕的价值也就白白浪费了。这种价值上的损耗，是看不出来的，是无形的，故称为无形损耗。

固定资本的更新

固定资本的不同物质形态，因磨损之故，到一定时间就要用新的物质形态来替换旧的物质形态，即进行固定资本的更新。由于随着劳动生产力的发展，技术的进步，劳动资料的大部分都要不断革新，如用新的机器来代替旧的机器，因此，固定资本的更新，“不是以原来的形式，而是以变革了的形式进行补偿”。这种革新的趋势，是由两方面的因素互相制约着的，一方面，投在机器、设备上的固定资本，要在它的价值逐渐地部分地转移完毕以后，才用新的机器来代替，因此，在它的实物形态尚能使用、价值尚未全部转移完毕以前，就会阻碍新机器的采用。另一方面，由于竞争、危机，资本家为了降低个别生产成本，以便取得超额剩余价值，或摆脱危机的困难，往往在旧机器的自然寿命尚未完结之前，就用新机器来代替，提前实现固定资本的更新。

“损耗（无形损耗除外）是指固定资本被消耗而逐渐转移到产品中去的价值部分。这种转移是按照固定资本丧失使用价值的平均程度进行的。”可见，固定资本的更新既包括价值补偿，也包括物质替换。

固定资本的更新有两种不同情况：

一种是固定资本的全部更新。例如，一台机器能使用 10 年，资本家把机器买来，一下子投入了该机器的全部价值，但机器到10年以后不能使用，就要用新的机器来代替。这时，既是在价值上补偿，也是在物质上替换。

一种是固定资本的部分更新。这种部分更新又是由两种不同情况引起的。一是同一种物质形态的固定资本，由于使用情况不一样，更新的时间就有长有短。例如，枕木，如在一般路基上可使用10年，在车站上只能使用5～6年，因此，不是一下子把所有的枕木全部更新，而是5～6年内把车站上的枕木更新一次，10年内把一般路基的枕木更新一次。这种同一物质形态在不同时间内所进行的部分更新，是由它实际发挥的作用、磨损的程度所决定的。另一是物质形态不同的固定资本，它们在不同时间内消耗掉，因而必须在不同时间内进行补偿。例如，枕木需要10年更新一次，机车需要50年更新一次，车厢需要30年更新一次，等等，这种不同的物质形态所以具有不同的更新时间，是由它本身有不同的寿命所决定的。如从某一铁路企业来说，它们分别在不同时间的更新，只是整个固定资本的部分更新。

必须注意，在固定资本部分更新的同时，还会出现企业逐渐扩大的情况。前面说过，固定资本的价值是逐渐地部分地转移到新产品中去的，这部分价值和产品一道进入流通，转化为货币，成为准备金，但固定资本继续以实物形式如机器在生产中使用，因而只有到机器使用期满，这部分准备金才全部用于购买新的机器，在未购买新机器前，资本家就可以用这些货币来“扩大企业，或改良机器以提高机器效率”。如果是生产场所的扩大，就是外延上的扩大，即量上的扩大；如果是采用了新机器，提高了生产效率，就是内含上的扩大，即质上的提高。这种扩大并不是由于把剩余价值资本化，实现资本积累所引起的，“而是由从固定资本的本体分出来、以货币形式和它分离的价值再转化为追加的或效率更大的同一种固定资本而引起的”。这种扩大究竟能达到什么程度，一方面“取决于该企业的特殊性质”，从而确定该企业以多大的规模、以多少准备金、用多长时间来进行扩大；另一方面又取决于“现有机器的局部改良能够达到什么程度”，这当然取决于改良的性质和机器本身的构造，还取决于可以利用的空间等客观实际情况。由于农业生产的实际条件，把这些货币准备金一部分一部分再投入企业扩大生产，在农业中实行起来是最容易的。

为了研究在固定资本更新以前，如何运用货币准备金扩大企业的生产问题，马克思在 1867 年 8 月 24 日写信给恩格斯，要恩格斯“不谈理论，**纯粹谈实际**”[①] 地回答这个问题。恩格斯于同年 8 月 27 日作了答复。[②] 信中列了两张表，第一表说明，产业资本家把这种更新基金作为生息资本获取利息的情况，第二表说明，产业资本家把更新基金逐年投资，购买新机器扩大企业生产的情况，这是对固定资本补偿基金的专题研究，学习时可以参看。

固定资本的维持和修理

为了使固定资本的物质形态得到正常的保持和使用，就需要进行维持和修理，即所谓维修，这就要花费资本和劳动，就要有维持费用和修理费用。

首先看固定资本的维持费用。固定资本的维持是在两种不同情况下进行的。一种情况是，它依靠劳动自身来维持。机器如果不参加生产，就会生锈、损坏。机器通过使用，在劳动过程中得到保存。这种“劳动的保存力是二重的”，一方面，它保存机器的价值，把这种价值一部分一部分地转移到产品中去；另一方面，它通过保存机器这个使用价值自身而保存机器还没有转移的那部分价值。这种通过劳动本身而对劳动资料的维持，“是活劳动的无偿的自然恩惠”，不需要支付维持费用。另一种情况是，为了保存劳动资料，如机器，就必须经常擦洗。擦洗机器就要花费一定的劳动。这种擦洗劳动，既不是因机器价值转移而补偿的劳动，也“不是机器所做的劳动”，而是为正常地使用机器而必须不断追加的劳动。投在这种劳动上的资本，属于流动资本，“属于流动资本中要弥补一般非生产费用的部分”，这个部分要按年平均计算，分摊到价值产品中去，不断地由产品价值来补偿。由于这种情况而支付的费用，成为固定资本的维持费用。

---

① 《马克思恩格斯〈资本论〉书信集》，人民出版社 1976 年版，第 226 页。

② 《马克思恩格斯〈资本论〉书信集》，人民出版社 1976 年版，第 227—231 页。

在真正工业中，这种擦洗劳动，是工人利用休息时间无偿地完成的。一方面，资本家不付给任何代价，由此节省了机器的维持费用；另一方面，“这种劳动不计算在产品的价值中”，由此也不会增加消费者的支出；结果，损失的只是工人。只有在某些部门，机器如机车必须离开生产过程专门进行擦洗，这种维持劳动才得到支付，列入经常的维持费用。

其次看固定资本的修理费用。机器的修理或修补，都需要支出资本和劳动，需要支出一定的修理费用。这种修理的劳动或费用，不能通过机器价值的逐渐转移得到补偿。如果一台机器值1000元，使用 10 年，每年转移 100 元，10 年转移完毕，共1000元，这1000元只补偿机器本身的价值，不能补偿因修理机器而支出的资本和劳动。这种在修理上追加的资本或劳动，只是追加的价值的组成部分，它是分别预付的，它的预付时间也是偶然性的，因为机器损坏了就得马上修理，而机器的损坏是偶然的。但是，修理劳动也多少带有固定的性质。例如，一台机器进入生产过程后，一般会出现一些缺陷，需要用补充劳动来纠正；机器使用到中年后就会经常损坏，需要更多的修理劳动。所以说，尽管因修理劳动而支出的修理费用带有偶然性质，但“经验会告诉人们投在一定生产部门的固定资本在平均寿命期间遇到的这种事故和所需要的维修劳动的平均量会有多大。这种平均支出被分配在平均寿命期间，并以相应的部分加进产品的价格，从而通过产品的出售得到补偿”。

“这种投在真正修理上的资本，从某些方面看，形成一种独特的资本”，为什么呢？因为它是为固定资本发挥职能而服务的资本，是那些用于日常修理和保管固定资本的资本，同一般意义上的资本是不完全一样的。这种独特的资本，既不能列入流动资本，也不能列入固定资本，但作为一种经常的支出，算作流动资本较为合适。

修理费用怎样进行计算？第 196 页第 4 段讲了许多生产部门经常采用的一种计算方法，其要点是，缩短固定资本周转的时间，提高折旧率，把多余出来的周转时间内所转移的价值，用来补偿修理费用。例如，一台机器值1200元，12 年转移完毕，每年转移 100 元。现在缩短周期时间，假定它 10 年转移完毕，每年可转移 120 元。最后的第十一、十二年两年所转移的 240 元，即可补偿修理费用。“这种计算方法，当然不会妨碍固定资本和投在修理上的追加资本形成不同的范畴。”

在修理费用中，还要区分正常损耗和临时性修理。正常损耗是由时间、自然影响和正常使用本身引起的；临时性修理则是在正常使用期间，为了保持该物的完好程度而进行的。在资本主义社会里，区分这两者的目的，是为了解决修理费用是归所有者负担还是归使用者负担的问题。

必须把修理费用和保险费用严格区别开来。保险费用是为了对付异常自然现象，如火灾、水灾等引起的破坏作用而支出的。它和更新费用、修理费用都不同，它既不是价值的转移，也不是价值的追加，“保险必须由剩余价值补偿，是剩余价值的一种扣除”。

在实际生活中，修理和补偿，维持费用和更新费用，是不容易辨别清楚的，只有依靠经验来区分。第 198 页第 4 段到 201 页第 6 段，用了许多实际材料来说明这个问题。

折 旧 基 金

产业资本家把固定资本中逐渐转移到商品中去的价值部分，在货币的形式上收回，作为货币准备金，以便在若干年后全部补偿那部分固定资本。这种按照固定资本价值转移的程度而为它的更新提取准备金的办法，叫作折旧。把这部分资本额储存起来，作为折旧基金，有的作为全部更新之用，成为基本折旧基金，有的作为局部更新之用，成为大修理的折旧基金。为了这个目的，必须有一定量的货币额。在达到这一定量货币额以前，货币总是要从流通中取出，成为贮藏货币，所以折旧基金往往以储藏货币的形式而存在。

随着信用制度的发展，产业资本家把这部分表现为储藏货币形式的折旧基金，在它还不能实现全部更新或局部更新以前，作为生息资本存入银行，取得利息。这时，这种表现为折旧资金的货币就不再是储藏的形式，而是作为资本发生作用，不过，这些货币不是在原产业资本家手中，而是转入另一些使用这种货币的资本家手中。

■ 固定资本和流动资本这两个范畴，在马克思以前的资产阶级政治经济学的著作中就已经提出来了，但是他们既不懂得不变资本和可变资本的区分，又不懂得固定资本和流动资本的真正区别。马克思在经济思想史上，第一次创造性地提出了不变资本和可变资本的范畴，并指出它们与固定资本和流动资本的区别。从生产资本在增殖过程中的作用来区分不变资本和可变资本，就可看出剩余价值的真正来源，以便进一步分析工人的受剥削程度。从生产资本各部分周转的不同情况来区分固定资本和流动资本，就可根据它们周转的不同方法，研究资本周转的不同速度。但当生产资本区分为固定资本和流动资本后，可变资本只作为流动资本的一部分，剩余价值作为可变资本产物这一实质就被掩盖起来了，资本的剥削关系看不清楚了。所以，资产阶级利用固定资本和流动资本的范畴来掩盖资本主义的剥削实质。马克思在分析可变资本和不变资本的基础上，再指出固定资本和流动资本的区别，既揭示了资本主义的剥削实质，又揭示了资本在流通过程中，如何加速周转，如何提高年剩余价值率，增加剩余价值。由此可见，马克思虽然沿用了资产阶级经济学家关于固定资本和流动资本的概念，但却把它们纳入马克思主义政治经济学的科学体系之内，成为整个经济范畴体系的一个有机组成部分，这是批判性的继承，也是创造性的继承，读完第十章和第十一章以后，更会加深对上述问题的认识。

在社会主义企业里，固定资金和流动资金仍然要进行补偿、修理和折旧，因此，本章第二节的基本内容，撇开其资本主义特质，对社会主义企业也是适用的。运用这些原理，可以帮助我们加强企业管理，合理组织资金流通，节约社会劳动，讲究经济效果。特别是从事企业管理工作的人员，更可以从中学到很多有益的东西。

第九章

预付资本的总周转。周转的周期

本章研究预付资本的总周转和周转的周期问题，目的在于考察资本周转对剩余价值生产的影响。

预付资本的总周转

“预付资本的总周转，是它的不同组成部分的平均周转。”我们知道，在每次循环中，流动资本的价值是全部转移的，而固定资本的价值则是一部分一部分转移的，因此，固定资本的周转时间比流动资本的周转时间长，固定资本周转一次，流动资本就会周转好多次。我们还知道，固定资本的不同组成部分的特殊周转，既有量的差别，也有质的差别。这就是说，固定资本的不同组成部分，不仅一部分一部分转移出去的价值量是不相等的，而且由于它们的物质形式不同，物质补偿的形式也不同，有的采取在较短时间内更换部件的形式，如机器的有些部件或零件，在一年或不到一年的时间内就要补偿一次；有的经过若干年后才要进行全部的物质更新，如整个机器的物质补偿，要到它寿命终结时一次进行。这就要求我们，“必须把固定资本不同部分的特殊周转化为周转的同种形式，使它们只有量的差别，即周转时间上的差别”。这样，我们就可以计算出固定资本各个不同组成部分的平均周转。例如：某企业的固定资本共 15 万元，其中：生产建筑物价值 4 万元，40 年周转 1 次，每年周转的价值为 1000 元；机器的价值 9 万元，10 年周转 1 次，每年周转的价值为 9000 元；小工具的价值 2 万元，4 年周转 1 次，每年周转的价值为 5000 元。这样，全部固定资本每年周转的资本价值为 1.5 万元；而全部固定资本 15 万元，要用 10 年的时间才能周转 1 次。至于流动资本，假定为 5 万元，3 个月周转 1 次，全年周转 4 次，共 20 万元。这样，每年周转的固定资本 1.5 万元加流动资本 20 万元，等于该年周转的资本共 21.5 万元。该企业预付总资本共 20 万元，则一年周转 1 次以上。其计算公式如下：

$$预付资本的总周转=\frac{年周转价值}{预付资本量}=\frac{215000}{200000}=1\frac{3}{40}（次）$$

$$或=\frac{预付资本量}{年周转价值}=\frac{200000}{215000}\approx 0.9302（年）$$

这就是说，这项资本每年周转 $1\frac{3}{40}$ 次，或者说，周转 1 次，大致需要 0.9302 年，即 11 个月零 5 天左右。上述例子告诉我们：固定资本各组成部分周转的平均数，是由各组成部分所占的比重和它的周转速度所决定的。上述例子还告诉我们：虽然固定资本在生产资本中所占的比重较大（如上例，生产资本 20 万元，固定资本 15 万元，占 $\frac{3}{4}$），流动资本所占的比重较小（占 $\frac{1}{4}$），但流动资本周转的速度较快，“在一年内反复周转”，因而在“一年内周转的资本价值还是能够大于预付资本的总价值”。

必须注意，对预付资本总周转的计算，不能用生产资本循环（P…P）的公式，因为生产要素的一部分必须用实物来补偿，如已消耗的原料还要用新的原料来补偿，而生产要素的另一部分则不必用实物来补偿，如在生产中继续使用的机器；因而，在 P…P 的形式的补偿上，“这种质的同一性是不会发生的”。那么，用什么公式来计算呢？只能用货币资本循环（G…G′）的公式，因为从货币开始，到货币结束，都“会提供周转的这种同一性”。所以，“在计算预付生产资本的总周转时，我们把它的全部要素固定在货币形式上，这样，回到货币形式就是周转的终结”。

周转的周期

“预付资本的价值周转，是和它的实际再生产时间，或者说，和它的各种组成部分的现实周转时间相分离的。”如上例，虽然在 11 个月内预付资本 20 万元周转了 1 次，但它的各组成部分的实际周转时间是不一样的，如生产建筑物只周转了 $\frac{1}{40}$，机器只周转了 $\frac{1}{10}$，小工具周转了 $\frac{1}{4}$，而流动资本则周转了 4 次。这就说明：流动资本和固定资本各组成部分的实际周转的时间是不一样的，它们和预付资本总周转的时间也是不一样的。固定资本周转 1 次的时间，等于该固定资本的全部寿命时间。“因此，预付资本价值必须完成一个包含多次周转的周期，例如在上述场合，就是一个包含 10 个年周转的周期”，这就是说，如果固定资本周转 1 次需要 10 年，而在这 10 年中，预付总资本也许要周转若干次，因而在一个周转的周期中，包括几次预付资本的总周转。由此可见，预付总资本的周转，是指预付总资本周转 1 次；周转的周期，是指固定资本周转 1 次；在一个周转的周期中，可以包含若干次预付总资本的周转。这个周转的周期“是由所使用的固定资本的寿命决定的，从而是由它的再生产时间或周转时间决定的”。例如：机器的更新的时间是 10 年，它的再生产时间也就是 10 年，因而，10 年就形成一个周转的周期。

固定资本的更新是危机周期性的物质基础，而危机又是下一个周转周期的新的物质基础

随着资本主义的发展，固定资本的平均周期发展的趋势是：一方面，随着科学技术的发展、新技术的不断采用，固定资本的价值量会增加，质量也不断提高，因而固定资本的平均寿命会延长；另一方面，在新技术采用的同时，固定资本的无形损耗也增加，生产资料的变换加快了，因而，固定资本的平均周期会缩短。在当时，马克思指出，“大工业中最有决定意义的部门的这个生命周期现在平均为 10 年”。10 年，作为更新固定资本的一个周期，这是就当时的情况而说的，但这个时间并不是固定不变的。马克思曾经指出：“直到现在，这种周期的延续时间是十年或十一年，但绝不应该把这个数字看作是固定不变的。相反，根据我们以上阐述的资本主义生产的各个规律，必须得出这样的结论：这个数字是可变的，而且周期的时间将逐渐缩短”①。

这种周转的周期，对资本主义经济有着怎样的影响呢？马克思指出：“这种由一些互相连结的周转组成的包括若干年的周期（资本被它的固定组成部分束缚在这种周期之内），为周期性的危机造成了物质基础。”这

① 《马克思恩格斯全集》第 23 卷，人民出版社 1972 年版，第 695 页编者注①。

就是说，固定资本的平均周转的周期，是危机周期性的物质基础。或者说，固定资本的更新，是危机周期性的物质基础。

为什么呢？固定资本在社会资本中所占的比重是比较大的，要作一次大规模的更新，就会对社会提出较大的新的需要，这就使得生产扩大、市场繁荣；但经过一段时间，虽然生产出的产品很多卖不出去，而产业资本家仍在盲目地扩大再生产，到一定时候，就会引起生产过剩，爆发危机。营业就是在依次通过危机、萧条（松弛）、复苏（中等活跃）、高涨（急剧上升），再到危机的反复循环中进行的，虽然各个资本家把资本投入营业的时间是极不一致的，“但危机总是大规模新投资的起点”①。这就是说，每一次危机都为下一次出现的大规模新投资创造了前提条件。这是因为：资本家为了摆脱经济危机，除加强剥削工人外，就要采用新的技术，提高劳动生产率，使商品的个别价值低于社会价值，以便继续获得利润，这就要进行固定资本的大规模更新，因此，一次危机总是形成大规模投资的起点。随着大规模投资的开始，周期又逐步从萧条向复苏、繁荣、直到下一次危机阶段发展，所以，这种新投资的起点，只是暂时摆脱经济危机的一种措施，但同时又成为下一次危机到来的前提条件。因此马克思又说：“就整个社会考察，危机又或多或少地是下一个周转周期的新的物质基础。”可见，一方面，固定资本的更新成为危机周期性的物质基础；另一方面，危机又成为固定资本周期更新的物质基础。它们互相联系，互相作用，使得资本从一个周期发展到另一个周期，不断地通过危机、萧条、复苏、繁荣、再到危机的各个不同阶段。

必须注意，固定资本的更新，只是下一次危机到来的重要条件，但绝不是资本主义经济危机产生的原因。资本主义经济危机产生的原因在于资本主义的基本矛盾。马克思在这里着重研究的是资本主义经济危机的周期性，至于产生经济危机的原因，是在《资本论》第三卷中另行研究的。

---

① 据张薰华、洪远朋：《资本论提要》第2册，上海人民出版社1978年版，第212页的解释，这句话在恩格斯校订的英译本中原意应该是：“但一次危机总是形成大规模投资的起点”。因此，不能把这句理解为，危机本身是大规模投资的起点，而应理解为，一次危机是形成（导致）大规模投资的起点。

批判斯克罗普关于资本周转的错误观点

从第 207 页第 2 段到本章末，是对资产阶级经济学家斯克罗普关于资本周转的错误观点的批判。

斯克罗普的错误之一是，在对资本周转进行计算时，把利润和资本一起当作资本周转来进行计算了。在他所举的那个具体实例中，全部资本为50000美元，一年周转33750美元，全部资本周转 1 次应该是 18 个月，但他却说成是 16 个月，为什么呢？因为他把全部资本50000美元的 $7\frac{1}{2}\%$ 的利润也计算在内了。马克思在手稿中指出，这种计算资本周转时间的方法是错误的。

斯克罗普的另一错误是，“把那种对单个资本家来说由支付期限和信用关系而在流动资本某些部分的流动中引起的差别，和那种由资本性质引起的周转混为一谈”。这说明他不懂得资本的不同部分在周转上的表面差别和实际差别。什么是资本的不同部分在周转上的实际差别呢？这是指投在机器、建筑物、工资等各不同组成部分上的资本周转是不同的。什么是资本的不同部分在周转上的表面差别呢？这是指支付期间和信用关系在流动资本某些部分的流通中所引起的差别。斯克罗普把这两种差别混淆起来了，因而产生了绝对化的错误的解释。例如，他认为：“工资必须每周用每周的卖货或付账所得的进款来支付”。事实上，工资的支付期限也是有长有短的，有一周的，也有一月的，这种工资支付期限的实际差别是客观存在的，因而这部分流动资本的周转在不同企业里其周转时间也是不一样的。又如，原料、辅助材料的实际周转时间也是存在差别的，有的部门需要储备较多的原材料，才能保证再生产的正常进行，有的部门则不一样。至于成品储备，各企业之间也不会完全一样，有的由于销售上困难一时卖不出去，有的由于是订货生产，商品要按照订货的数量一起交货，在未达到这个订货的数量以前，已经生产出的商品只能作为成品储备在仓库中。可见，在现实经济生活中，不仅固定资本的不同组成部分在周转上有差别，而且流动资本的不同组成部分在周转上也有差别，在这里，既存在着表面差别，也存在实际差别。斯克罗普用形而上学的观点来研究资本周转，看不出它们之间的差别，把错综复杂的经济现象，作了简单化、固定化的片面解释，这就产生了上述错误。

■ 在上一章，对固定资本不同组成部分不同的周转情况进行了分析，在这一章末，对流动资本不同组成部分进行分析，这种固定资本和流动资本不同组成部分的不同周转情况，不仅存在于资本主义的经济生活中，如果撇开其资本主义的特点，在社会主义企业中也是存在的。认识企业资金流通的规律，加速企业资金的周转，合理地使用资金，节约人力、物力和财力的消耗，是用经济的方法管理社会主义企业的一个重要课题。因此，运用马克思关于社会资本总周转的原理来研究社会主义经济，改进企业管理，有一定的现实意义。

马克思关于固定资本的更新是危机周期性的物质基础的原理，是研究资本主义经济危机的一个重要的理论依据。百余年来，主要资本主义国家的经济发展过程更加证实了马克思上述论断的正确性。特别是第二次世界大战以后，有些资本主义国家的经济得到迅速发展，也是把更新固定资本、采用先进技术，作为新投资的起点。但伴随着经济的迅速发展，也同时酝酿着新的危机。现在，虽然固定资本更新的周期发生了变化，但上述原理对研究资本主义的经济危机，仍然是有指导意义的。

本章所研究的社会资本的总周转和周转的周期，不仅是研究一般的计算方法问题，实质上是为了研究资本的周转速度问题；资本周转速度的快慢，直接关系剩余价值量的多少以及以后要研究的平均利润量的多少问题，这是资本主义生产的直接目的，也是学习本章以及第二篇时所必须掌握的重点。

第十章

关于固定资本和流动资本的理论。重农学派和亚当·斯密

第十、十一两章，研究资产阶级古典政治经济学关于固定资本和流动资本理论的发展史。在第十章中，首先指出了重农学派关于固定资本和流动资本理论的正确方面，然后着重批判了英国古典学派的主要代表人物亚当·斯密关于固定资本和流动资本理论的错误方面。

重农学派把用于农业的生产资本分为“原预付”和“年预付”是正确的

18世纪法国资产阶级古典政治经济学、重农学派的创始人弗朗索瓦·魁奈，把农业资本分为两个部分——“原预付”和“年预付”。所谓“原预付”，就是几年预付一次的部分，如耕畜、农具、仓库、房屋等；所谓“年预付”，就是每年要付出去的部分，如种子、肥料、农业工人的工资等。魁奈说：“年预付是由每年在耕作劳动上的支出构成的；这种预付必须和代表农业创办基金的原预付相区别。”[①] 这也就是说，生产过程要能继续进行，全部进入生产费用之内的“年预付”，必须由每年生产物中取得补偿；只是部分地进入生产费用之内的“原预付”，必须经过多年，或相当长的期间，才能完全取得补偿。在这里，魁奈虽然还没有提出固定资本和流动资本的一般概念[②]，但他在实际上已经有了这种区分。“晚一辈的重农学派已经时常把‘预付’直接叫作‘资本’：‘资本或预付’”。“杜尔哥已经更经常地用‘资本’一词代替‘预付’，更彻底地把‘工厂主’的‘预

---

① 魁奈：《经济表分析》。参见《资本论》第2卷，人民出版社2004年版，第212页，注(23)。

② 这个概念是由亚当·斯密首先提出来的。

付’和租地农场主的‘预付’等同起来。”[①]

关于魁奈的“原预付”和“年预付”的区分，马克思指出：它的正确性表现在如下两个方面。首先，“他正确地把这种区别说成是生产资本即并入直接生产过程的资本内部的区别”。这是因为：魁奈把农业看成是唯一能够生产“纯产品”（实即剩余价值）的生产部门，把农业上使用的资本看成是唯一的实际存在的生产资本，他把这种在农业上使用的生产资本区别为“原预付”和“年预付”，也就是说，这种区别唯一地只是存在于生产资本中，或者说，“这两种预付的区别，只有在预付货币转化为生产资本的要素时才产生”。这就明确地肯定了，“原预付”和“年预付”，只是生产资本的内部区别，这种区别，又是由周转时间不同而引起的，资本的一部分是每年周转一次，另一部分是多年周转一次；至于在市场上出现的商品资本以及货币资本，是和生产资本相对立的，不属于生产资本的范畴，所以魁奈就不把货币算在“原预付”或“年预付”之内。其次：“在魁奈那里，生产资本的这两种要素的区别，被正确地归结为它们加入成品价值的不同方式，从而归结为它们的价值随着产品价值而流通的不同方式，并从而归结为它们的补偿或再生产的不同方式”。这就是说，由于它们的周转时间不同，“年预付”的部分是一年周转一次，“原预付”的部分是多年周转一次，因而前者的价值在一年内全部加入成品，随产品价值一起流通，并在本年内得到补偿；后者的价值在一年内只是部分地加入成品，部分地随产品价值一起流通，在多年内才能得到补偿。

但是，魁奈对资本的理解也有其片面之处，这就是：他只把资本在生产领域中所取得的生产资本形态当作资本，而不把流通领域中出现的货币资本形态和商品资本形态当作资本，他不了解货币资本、商品资本也是资本的一种形态，而把生产资本看成是资本的唯一形态。尽管如此，他从生产领域中探索资本的意义和作用，这就为研究资本的性质开辟了正确的道路。

---

① 参见《资本论》第2卷，人民出版社2004年版，第212页，注（23）。

和魁奈相比，斯密的唯一进步是把“原预付”和“年预付”范畴普遍化

和魁奈相比，“亚·斯密的唯一进步是上述范畴的普遍化”。魁奈所说的“原预付”和“年预付”，所指的只是农业资本，斯密则把它推广到“每一种形式的生产资本”，即其他形式的资本，主要是工业资本。魁奈从农业中所得出的一年周转一次和多年周转一次的区别，斯密则把它发展成为“被周转时间的不同这个一般的区别所代替”，即固定资本的一次周转，总是包含流动资本的多次周转。斯密把魁奈所说的“原预付”称为固定资本，把“年预付”称为流动资本。上述范畴的普遍化，是斯密比魁奈进步的方面。马克思指出：资本在流通中所采取的形式（固定资本、流动资本，不过重农学派用的是别的术语）以及资本的流通过程和再生产过程之间的联系，“在这两个要点上，亚·斯密继承了重农学派的遗产。他的功绩，在这方面，不过是把抽象范畴固定下来，对重农学派所分析的差别采用了更稳定的名称”[①]。但是，斯密的进步也只限于上述方面，至于他对固定资本和流动资本所作的说明，“是远远落在魁奈后面的”。

粗浅的经验主义方法

斯密对固定资本和流动资本说明上的错误，一开始就在方法论上表现出来。他所采用的是粗浅的经验主义方法，离开了所要研究的主题。斯密说：“一个资本可以有两种不同的使用方法，都会给它的所有者提供收入或利润。”他从资本的使用方法不同来区分固定资本和流动资本。这是资本可以投入不同的生产部门的问题。如果进一步引申，那就会包含这样的问题：资本，即使不当作生产资本，而当作商人资本或生息资本投入时，究竟怎样会对它的所有者作为资本执行职能？这个问题，与现在研究的主题：生产资本如何区分为固定资本和流动资本？它们对资本周转有什么影响？真是相差十万八千里！在这里，斯密把投资部门的差别和资本周转方法上的差别混为一谈了，这是从表现的经济现象出发的，是运用经验主义方法所产生的糊涂观念。

---

① 《马克思恩格斯全集》第 33 卷，人民出版社 2004 年版，第 15—16 页。

斯密划分固定资本和流动资本的错误标准

斯密是根据什么标准来划分固定资本与流动资本的呢？他说："他的资本不断地以一种形态离开他，以另一种形态回到他那里，并且只有通过这样的流通或连续的交换，才能给他提供利润。因此，这种资本可以非常恰当地称为流动资本。""它〈资本〉可以用来改良土地，用来购买有用的机器和劳动工具，或者用来购买这一类东西，这些东西不必更换所有者或进一步流通，就可以提供收入或利润。因此，这种资本可以非常恰当地称为固定资本。"[①] 这就是说，资本是能提供利润的，根据提供利润的方法不同，把资本区分为固定资本和流动资本。那么，资本提供利润的方法有哪些不同呢？斯密认为，流动资本是依靠不断流通、不断交换、不断更换所有者而取得利润的资本，固定资本是不必经过交换和流通，不必更换所有者就能提供利润的资本。显然，在这里，斯密把是否通过交换、是否更换所有者作为划分固定资本和流动资本的标准。

斯密的这种划分标准是错误的。为什么呢？从资本主义再生产过程看，在再生产的各个阶段，资本都要相应地采取不同形态。在生产过程开始之前，资本家必须用一定数量的货币资本来购买生产资料和劳动力，由货币资本转化为生产资本；在生产过程进行时，生产资料全部或部分地被消费，它的价值全部或部分地转移到新产品中去，而劳动力在使用中则创造着价值和剩余价值，这时，生产资本就转化为商品资本；当商品出卖以后，商品资本又转化为货币资本。这就是说，随着再生产的进行，资本循环采取三种形式，不断地交替。从货币资本到生产资本，从商品资本到货币资本，都属于流通过程，都称为流通资本，它们都没有资本的构成问题。只是在生产资本转化为商品资本的生产过程中，由于生产资本各部分的构成因素的作用不同，特性不同，才把生产资本区分为固定资本和流动资本。可见，固定资本和流动资本的区分，仅仅限制在生产资本的范围内。斯密上述标准的一个重大错误，就是把划分生产资本的两个特殊种类和资本循环的三种不同形式混同起来，从而把流通

---

① 《资本论》第2卷，人民出版社2004年版，第214、216页。另见于亚当·斯密著《国民财富的性质和原因的研究》上卷，郭大力、王亚南译，商务印书馆1972年版，第254—255页。译文稍有出入。

资本说成是流动资本。斯密所说的是否通过交换，是否更换所有者，是指流通过程中的商品资本或货币资本，即流通资本。他曾说“一个商人的资本完全是流动资本”，就是明显的例证。实际上，生产资本只处于生产过程中，它是既不进行交换又不更换所有者的。固定资本的自然形态，虽然保持在生产过程中，但它的价值却逐渐地部分地转移到新产品中去；至于流动资本，虽然它的自然形态变换了，但只是并入新产品中，它仍然没有参加流通和交换，它始终为资本家所占有。如果把新产品拿去交换，这时，已不是生产资本，而是商品资本了，已不是流动资本，而是流通资本了。马克思指出，以后将会看到，斯密“把生产资本和处于流通领域的资本（商品资本和货币资本），同固定资本和流动资本根本混同起来，会引起什么样的后果”。这个后果，在第221－223页、235－239页中进行了论证。

为什么斯密会产生上述错误呢？这是因为：“在亚·斯密的头脑里，一方面是重农学派所说的区别，另一方面是资本价值在它的循环中所经过的形式的区别。这二者杂乱无章地混在一起。”这就是把产业资本在循环过程中的不同形式和生产资本周转的不同形式混为一谈，从而把流通资本当成流动资本。

除上述划分标准外，斯密还把生产要素在物体上是否加入流通，带来利润，作为划分固定资本和流动资本的标准。他认为：劳动工具这类生产要素，始终固定在生产过程中，没有在物体上加入产品，进行流通，就可以提供利润，这就是说，在物体上是固定的，故称为固定资本。投在原料、辅助材料、工资上面的资本，由于它们在生产过程中，从物体上加入产品，即从旧的物体转化为新的物体，并进行流通，取得利润，这就是说，在物体上是要发生变动的，故称为流动资本。斯密这种把生产要素在物体上是否加入产品作为划分的标准的观点更是错误的。因为它在实际上是说不通的，在理论上是把两个不同的概念混淆在一起。

为什么说在实际上是说不通的呢？以采矿业为例。首先，采矿业是不用原料的，它的对象是自然界的矿产，它不是生产资本，生产资本价值的任何部分都没有投资到矿床上，虽然矿石最后会加入产品。其次，采矿业所使用的煤炭、水等等辅助材料，在生产过程中完全消费掉，它们只是在价值上加入产品，并没有在物质上加入产品。最后，采矿时所花费的劳动力，在生产过程中消费了，由于他的劳动，创造了新的价值，但工人仍然独立于产品之外，更谈不到在物质上加入产品了。所以，按照斯密的标准，以生产要素是否在物体上加入产品进入流通来划分，采矿业就全部都是固定资本，没有流动资本了，因为它的生产要素都没有在物体上加入产品进行流通。实际上，采矿业的生产资本也是划为固定部分和流动部分的，因此，斯密的划分标准对采矿业就是说不通的了。再以纺织业为例。它的原料，由棉花形成棉纱，由棉纱织成棉布，是在物体上加入产品的，但只要棉花、棉纱在生产过程中发挥原料的职能，只是由一种物质形式变为另一种物质形式，它仍然是生产资本，所有者并没有把它卖掉，它没有更换所有者，怎么能像斯密所说的那样，“通过卖掉，通过更换所有者，或者通过流通”而取得利润呢？这就是说，在纺织业中，虽然它的原料部分在物体上是加入产品的，也不能以此为标准从而确定它是流动资本。

为什么说在理论上是把两个不同的概念混淆在一起呢？斯密“在这里，他不分青红皂白地把商品转化为货币和货币转化为商品，即卖和买，同生产要素转化为产品混为一谈”。这也是他认为固定资本不经过流通也能带来利润的原因。事实上，纯粹形态上的商品形态的变化，即商人资本由商品转化为货币，或由货币转化为商品，都是在流通领域进行的，虽然对产业资本来说，由货币转化为生产要素——生产资料和劳动力，是保证再生产继续进行的前提条件，但这种形态变化仍然属于流通过程。至于生产要素转化为产品，如把棉花纺成棉纱，把棉纱织成棉布，则是属于劳动过程的形态变化，这种形态变化是在生产领域进行的，属于生产过程。斯密把纯粹商品形式上的商品形态的变化同生产要素转化为产品混为一谈，把生产过程和流通过程混同起来，所以就得出以生产要素是否从物体上加入产品，进行流通，并提供利润作为划分标准的错误论断。实际上，“生产资本的各种要素在劳动过程中的不同作用，只是固定资本和非固定资本的区别的出发点，而不是这种区别本身”。这是因为：棉纱作为原料，织布机作为生产工具，它们在劳动过程中的这种不同作用在资本主义以前就存在了，因此，这种不同作用不是区分固定资本和流动资本的原因。棉花和织布机之所以会形成流动资本和固定资本的区别，是因为在资本主义社会里，它们都作为资本而发挥职能，它们的价值在生产过程中用不同的方式转移到产品中去，即棉花的价值是全部转移到新产品中去，而织布机的价值则是逐渐地一部分一部分地转移到新产品中去。"因此，资本成为固定资本，不是因为它固定在劳动资料中，而是因为它投在劳动资料上的价值的一部分，在另一部分作为产品的价值组成部分流通时，仍然固定在劳动资料中。"这也就是说，固定资本和流动资本的区分，不是由于它们的物质形式，以及是否在物体上加入产品，也不是由于它们在劳动过程中的作用①，而是根据它们在生产过程中用不同的方式把价值转移到新产品中去。由此可见，生产资本，就物质形态说，它的各种形成要素都经常存在于生产过程中；就价值形态说，它们都会将全部或部分地转移到新产品中去，它们的区别只在于：转移到新产品中的价值，是部分的，还是全部的，从而有不同的周转和补偿方法。

根据斯密上述的划分标准，会产生怎样的结果呢？

第一，把价值的补偿和剩余价值的创造混为一谈，产生了流通过程创造剩余价值的粗浅观点。斯密认为：固定资本是在保留它的物体时产生利润，流动资本是在放弃它的物体时（即流通）产生利润。在这里，是保留其物体还是放弃其物体，指的都是价值的补偿问题。原料的价值，全部转移到新的产品中，劳动工具的价值，部分地转移到新产品中，劳动力的价值，在再生产过程中由于劳动创造了价值得到补偿和再现，"这种补偿无论如何不会成为利润的源泉"。不管补偿是通过产品的出售全部一次实现，还是通过产品的出售一部分一部分地实现，这只是价值补偿的方法和时间不同而已，并不能"转化为剩余价值的创造"。这种流通过程中对价值的补偿，和在生产过程中对剩余价值的创造，是完全不同的两回事，流通过程是不会产生利润的。认为流通产生利润，这是把工人在劳动过程中创造剩余价值，和生产资本价值通过流通补偿这两个不同的内容混为一谈了。为什么斯密会产生上述错误呢？这是因为，斯密把

① 马克思根据它们在劳动过程中的作用不同，而区分为不变资本和可变资本。

生产资本的不同要素所发生的不同作用（如劳动工具和原料在生产中的不同作用），看成是产生利润的不同方法，这就造成了一个假象，好像一切资本都会产生剩余价值，差别仅仅在于生产剩余价值的方法不同而已（事实上，这是指的价值补偿方法的不同）。这样，就把可变资本与不变资本在价值增殖过程中的本质区别，掩盖在流动资本这一范畴之下了。本来，斯密是主张劳动价值论的，这是深刻而正确的见解；但在这里，却又主张流通过程产生利润，“这种观念是从普通资本家的看法中得出来的，是和亚·斯密自己的较为深刻的内在的见解完全矛盾的”。与斯密相反，魁奈却从再生产过程的必然性引申出“年预付”和“原预付”在价值补偿上的区别，在这个问题上，“亚·斯密是远远落在魁奈的后面”。

第二，不是把生产资本和流通资本（商品资本和货币资本）相对立，而是把流动资本和流通资本相混同。本来，固定资本和流动资本仅仅是生产资本的两种不同构成，它们的划分只限于在生产资本的范围内，而和商品资本、货币资本是对立着的。但是，按照斯密的观点，固定资本是劳动资料，是和在它帮助下制造的产品相对立，而不是也和作为商品流通的产品相对立；流动资本，既采取商品形式，又采取货币形式，是它的流动组成部分的价值承担者，这就是说，和固定资本相对立的流动资本，也是流通资本，它不仅出现在生产过程中，也出现在流通过程中。这就把流动资本混同为流通资本，把生产过程混同于流通过程。所以马克思说，“他把流动资本同资本从生产领域转到流通领域时所采取的形式即商品资本和货币资本混为一谈。但是，这两种形式，即商品资本和货币资本，既是生产资本的固定组成部分的价值承担者，又是它的流动组成部分的价值承担者。二者是和生产资本相对立的流通资本，而不是和固定资本相对立的流动资本”。

第三，掩盖了剩余价值剥削的实质。本来，生产资本的构成，如果从它在生产过程中发挥的不同作用来看，划分为不变资本和可变资本，这说明，不变资本是生产剩余价值的必要条件，而可变资本才是创造剩余价值的唯一源泉。如果从它们价值转移的不同情况来看，又划分为固定资本和流动资本，从而说明它们在资本周转过程的不同情况。斯密不懂得可变资本和不变资本的划分，不懂得生产资本的前一种构成，这就不能发现剩余价值生产的秘密；斯密虽然论述了后一种构成，对固定资本和流动资本作了一系列的说明，但却出现了许多严重的混乱和错误。由于他认为固定资本保留在生产过程中而产生利润，流动资本离开生产过程并进入流通而产生利润，加上可变资本和不变资本中的流动部分在周转中本来就具有相同的形式，所以他就用固定资本与流动资本的划分掩盖了可变资本与不变资本的区别，这就掩盖了剩余价值的真正来源，掩盖了资本主义的剥削实质，“因而资本主义生产的全部秘密就更加隐蔽了。在流动资本这个共同的名称下，这个本质区别被抹杀了”。斯密以后的资产阶级经济学家更是如此，他们牢牢地固执着固定资本和流动资本的对立，不承认可变资本和不变资本的区别，这是由他们的资产阶级立场所决定的。

进一步批判斯密有关固定资本和流动资本的错误理论

在批判了斯密划分固定资本和流动资本的错误标准以后，马克思还进一步批判了斯密关于固定资本和流动资本理论的一系列错误。

第一，进一步批判了斯密“把固定资本和流动资本的性质看作是物品固有的性质”的错误。资本可以表现在生产资料的形式上，但生产资料本身不是资本，它只有在一定的社会条件下才成为资本。这就是说，生产资料之所以成为资本，不是由于它的物质属性，而是由于它的社会职能。斯密在谈到固定资本和流动资本的构成时，列举了一些物质要素，“好像这种规定性是这些物品在物质上天然具有的，而不是由这些物品在资本主义生产过程中的一定职能产生的”。这就是说，斯密是把固定资本和流动资本的性质看成是由物质属性决定的。当然，斯密也曾正确地认为，物品之所以成为资本，是由于它执行资本的职能，例如住宅。但在谈到固定资本和流动资本构成时，他却把这种正确的认识抛在一边，而主张什么资本是物质上天然具有的规定性了。马克思用实际事例批判了斯密的上述观点。他指出，一方面，同样的物品是作为固定资本还是作为流动资本，“要看它在劳动过程中执行什么职能”。例如牲畜，把它放在生产过程中，是生产资本，如果作为役畜，如用牛耕地之类，它就是劳动资料，发挥生产工具的职能，它是固定资本；如果作为肥育的牲畜，如供食用的猪、牛，就是作为原料，发挥原料的职能，它是流动资本。由此可见，猪、牛等牲畜成为固定资本或流动资本，不是由于它的物质形态，而是由于它在生产过程中的职能。反之，如果把猪、牛等牲畜作为商品买卖，它就不是生产资本，既不能作为固定资本，也不能作为流动资本，而只是商品资本，是流通资本了。另一方面，同一物品可以成为生产资本，也可属于直接的消费基金。例如房屋，如作为工厂的厂房，它是生产场所，是生产资本中的固定资本部分；如作为家居的住宅，它就根本不是资本，而只是充当生活消费的资料。由此可见，某一物品是否作为资本，不是由它的物质属性，而是由它的社会属性所决定的。这就充分说明：斯密“把固定资本和流动资本的性质看作是物品固有的性质”是完全错误的。

必须注意，某一物品是流动资本还是固定资本，“要看它在劳动过程中执行什么职能”，但不能因此认为，划分固定资本和流动资本的标准是物品的职能。马克思指出：“而固定资本和非固定资本的规定，也是建立在这些要素在劳动过程中，从而在价值形成过程中所起的一定作用的基础上的。”这里所说的“一定作用的基础上”，就不是把作用作为划分标准的本身。在第 220—231 页马克思就指出：“生产资本的各种要素在劳动过程中的不同作用，只是固定资本和非固定资本的区别的出发点，而不是这种区别本身”。所谓“区别的出发点”，所谓“作用的基础”，说的都是一个意思，因为划分固定资本和流动资本的标准，只能根据它们的价值以不同的方式转移来确定。

第二，进一步批判斯密在流动资本的构成上把流动资本和流通资本混为一谈的错误。斯密认为，流动资本是由四个部分构成的：一是货币；二是屠宰业主、租地农场主……所拥有的食品储备，他们希望通过出售这种食品而得到利润；三是完全没有加工或多少加工过的服装、家具和建筑物的材料；四是已经制成但还在商人或工厂主手中的产品。斯密所说的这四个构成部分，属于商品资本和货币资本，都是流通领域里的流通资本，而不是生产领域里的生产资本中的流动资本部分。一是货币。我们知道，货币虽然也是资本的一种形式，资本家用货币资本购买生产资料和劳动力来进行生产，但货币本身既不能当作生产工具、也不能当作原料来使用，更不能代替劳动力来生产。它只是在流通过程中发挥流通资本的职能，它是流通资本，不是生产资本，更不是生产资本中的流动资本部分。所以马克思说："货币从来不是生产资本即在生产过程中执行职能的资本的形式，它始终只是资本在流通过程中采取的形式之一。"二是食品储备，四是已经制成的产品，这都是已经离开生产过程，进入流通领域的东西，是作为商品从而作为商品资本执行职能。这些产品，一经到达商人手中，就不再是生产资本的形式，既不可能是固定资本，也不可能是流动资本。但是，这些产品离开市场以后能不能成为生产资本，或者是固定资本，或者是流动资本呢？这当然是可能的。例如棉纱，在市场上交换时，是商品资本，纺织厂的资本家买到棉纱以后，使它进入生产过程，作为织布的原料，它就成为生产资本中的流动资本部分。又如机器，在市场上出现时，它是商品资本，一旦工厂主买了机器以后，把它安装在厂房里进行生产，机器就作为生产工具，进入生产过程，它就成为生产资本中的固定资本部分。当然，进入市场的产品，也有些是生活资料，被消费者购买以后，就进入消费领域，它们不能充当劳动资料，不会成为生产资本。但是，不管是棉纱、机器，还是生活消费品，只要处在流通领域，它们就都是商品资本，是流通资本，而不是流动资本，尽管它们还"是固定资本和流动资本的价值承担者"。至于它们究竟承担多少固定资本的价值、多少流动资本的价值，是由该商品的具体的价值转移和价值补偿的情况来决定。至于第三部分未加工或已加工的原材料，斯密并没有说清楚，究竟这些原材料是在工厂主手中还是在商人手中？只有在工厂主手中并被投入生产过程时，它才成为流动资本；如果在商人手中，那就是商品资本，而不是流动资本。总之，斯密所列举的流动资本构成的四个部分，是商品资本或货币资本，都是属于流通领域里的流通资本。所以马克思指出，在这里，斯密"又把流动资本同商品资本和货币资本，也就是同两种根本不属于生产过程的资本形式等同起来。这两种形式的资本并不是和固定资本相对立的流动资本，而是和生产资本相对立的流通资本"。

第三，批判斯密把工人的才能作为固定资本的错误。斯密认为，固定资本的构成也分为四个部分：一是企业中使用的机器和工具，二是经营企业所必要的建筑物，三是在农业上所使用的土地改良费，四是"社会上一切人民学到的有用才能”[1]。在这里，斯密把工人学习所得的技能当作固定资本的一种因素，是完全错误的。这是因为：这种“有用才能”或技能，存在于工人身上，和劳动力分不开，如果说，具有这种技能的劳动力仍然作为商品，当工人把它出卖时，那只是商品，不是商品资本，如果这种劳动力是商品资本，那劳动力的所有者——工人，就成为商品资本家了，那工人劳动所得的就不是工资而是利润了，这当然是极其荒谬的。如果说，资本家购买了劳动力以后，支配着劳动力，进行生产，那么，已经并入生产过程成为生产要素的劳动力也只是作为生产资本中的可变资本部分，或者说是包括在流动资本中的可变资本部分，根本也不是固定资本。可见斯密把人的才能当成固定资本的一个因素是完全错误的。但是，斯密为什么不把劳动力放在流动资本的构成之中呢？“这是由两种原因造成的。”其一，斯密一直把流动资本看成就是商品资本，既然工人出卖的只是商品劳动力，工人又不是资本家，所以只能把劳动力纳入商品中，而不能纳入商品资本中，因而也就不能把劳动力纳入流动资本的构成中。其二，受了重农学派的影响。重农学派把付给工人的生活资料作为生产资本的组成部分，而斯密则把工人的生活资料规定为流动资本。[2] 在斯密那里，生活资料既属于流动资本，工人的劳动力就自然地不必再纳入流动资本的构成之中了。

第四，批判斯密对全部社会财富划分的错误。斯密把全部社会财富分为三个部分：(1) 直接消费基金；(2) 固定资本；(3) 流动资本。这也就是把全部社会财富分为消费基金和资本两大类。按照这种分法，一部分财富执行消费基金的职能，一部分财富执行资本的职能。而在资本中，又分为固定资本和流动资本。斯密在这里的错误是，把资本看成为只有固定资本和流动资本的区别，没有其他。事实上，固定资本和流动资本的区别，仅仅是生产资本构成上的区别，只是就生产资本而言。在生产资本之外，还有货币资本和商品资本，它们既不属于固定资本，也不属于流动资本，而是与生产资本相对立的流通资本。在资本主义社会

---

① ［英］亚当·斯密：《国民财富的性质和原因的研究》上卷，郭大力、王亚南译，商务印书馆 1972 年版，第 257 页。

② 这是《资本论》第 2 卷，人民出版社 2004 年版，第 236—239 页所研究的问题，这里从略。

里，一切产品都要当作商品，因而，不管是消费基金的部分，还是固定资本的部分、流动资本的部分，首先都要当作商品或商品资本进入市场，然后才能转入生产或消费。而按照斯密的上述划分，似乎商品资本和货币资本都不属于资本的范围之内了。为什么斯密会产生上述错误呢？这是因为：他把流动资本和流通资本混为一谈，把商品资本混同于流动资本。

第五，批判斯密认为“任何固定资本都来源于流动资本”的错误。斯密认为：食品、材料和成品，在或长或短的时间内，照例要从流动资本转为固定资本，或者转为供直接消费的储备；一切有用的机器和劳动工具都来源于流动资本；它们由以制成的材料和制造它们的工人所需的给养是由流动资本提供的。因此，他得出结论说：“任何固定资本都来源于流动资本，并且需要不断靠流动资本来补充。”事实上，在资本主义社会里，食品、材料、成品、机器和劳动工具、工人所需的给养等等，都是作为商品投入市场，所以，不管是生产资本中的固定资本部分或流动资本部分，都需要在市场上购买，这种情况只是说明：不管是固定资本还是流动资本，不管是生产资料还是消费资料，首先都是作为商品资本出现的，它们都来源于商品资本，“但由此决不能得出结论说，任何固定资本最初都来源于流动资本”。斯密之所以作出这样的错误结论，原因在于把流动资本和商品资本混为一谈，把流动资本混同于流通资本。这个错误和上一问题的错误是联系在一起的。因为斯密只把资本分为固定资本和流动资本，把流动资本混同于商品资本，这就把固定资本和流动资本最初都来源于商品资本的现象，说成是固定资本来源于流动资本。当然还有一种现象，即有些生产资料，从物质上说，是来源于它们自身，如机器厂生产的机床，不作为商品出卖，留在本厂自己使用；当然，从它的最初的原材料来说，如铁矿、铸铁等等，也还是要在商品市场上取得的。不过，如果据此就说从流动资本得出固定资本，也是不对的。因为制造机器所需的劳动资料和原材料，既是固定资本，又是流动资本，如果仅就形式逻辑的推论，只能说，固定资本既来源于流动资本，又来源于固定资本，这是毫无意义的，即使如此，也还不能由此证明固定资本都来源于流动资本。

第六，批判斯密所谓“不能移动的物品本身一概都是固定资本”的错误。这种观点，是和前述第一点把固定资本的性质看成是物品固有的属性一致的。他认为，所谓固定资本，就是说，它们的物质属性是固定的，不能移动的。实际情况证明，不能把其物质形式能否移动，作为确定它是否固定资本的根据。例如织布机，是可以移动的，如果把它放在市场上出卖，它是商品资本；如果把它放在工厂里织布，它是固定资本，这就是说，不能因为它能够移动就不承认它是固定资本。又如，厂房、铁路、桥梁等等，是不能移动的，如把它用于生产过程，它是固定资本；如把它出卖，使它的所有权证书易手，它就是商品资本。这就是说，不能因为它们不能移动就只承认它们是固定资本而不能成为商品资本。又如房屋，也是不能移动的，如作为厂房，它是固定资本；如作为住宅，它只是消费资料，就根本不是资本。再如船舶、机车，它们是不断移动着，运转着，它们仍然执行着固定资本的职能。如前所述，是否固定资本和流动资本，绝不是来源于它的物质属性，而是来源于它的社会职能，因此决不能得出结论说，不能移动的物品本身一概都是固定资本。

第七，批判斯密把工人的生活资料作为流动资本的错误。斯密认为，“制造它们〈机器等等〉的工人所需的给养是由流动资本提供的”。这里所说的“工人所需的给养”，就是工人的生活资料。斯密把这种生活资料说成是流动资本。其一，这是他把流动资本混同于商品资本的结果。因为工人所需的生活资料，都是作为商品资本由市场提供的；既然斯密把流动资本与商品资本混为一谈，因而就把来源于商品资本的生活资料，规定为就是流动资本。其二，斯密在分析这个问题时，受到了重农学派的影响。重农学派一方面正确地把预付在工资上的资本部分说成是“年预付”，另一方面又错误地不是把劳动力本身，而是把工人的生活资料作为生产资本的组成部分。因为从重农学派看来，工人所消费的生活资料的价值，同原料、工具等价值一样，只是转移到产品中，再现到产品中；至于剩余价值，他们认为，不是由劳动创造的，而是由自然在农业部门的特殊活动所产生，是“自然的恩赐”，因此，只有农业劳动才是生产劳动。斯密是主张劳动价值论的，这是他“真正科学的部分”；但是在这里，他却接受了重农学派把工人的生活资料作为生产资本组成部分的错误观点，从而得出了工人的生活资料是流动资本的错误结论。为什么说把工人的生活资料规定为流动资本是错误的呢？因为“如果像斯密那样，不是把投在劳动力上的价值，而是把投在工人的生活资料上的价值，规定为生产资本的流动组成部分，那就不可能理解可变资本和不变资本的区别，因而也就不可能理解资本主义生产过程本身”。这就是说，把工人的生活资料规定为流动资本，只讲流动资本，不讲可变资本，当然也就不懂得不变资本和可变资本的区分，不懂得可变资本是产生剩余价值的唯一源泉，也就不能发现资本家剥削工人的秘密，不可能理解资本主义生产的实质，因而可变资本这一定义的实质，就被掩埋在流动资本的定义之下了，“这种掩埋由于不是把劳动力，而是把工人的生活资料列为生产资本的要素而最终完成”。虽然斯密也曾认为，利润是雇佣工人的无偿劳动创造出来的价值，但他这种“更深刻的和正确的阐述并没有取胜，他的这个谬误占了上风”，所以作出上述的错误论断。斯密以后的资产阶级经济学者，比斯密走得更远，他们不仅把投在劳动力上面那部分资本看成是具有决定意义的流动资本，而且把流动资本的本质的定义看成是投在工人的生活资料上的资本。这个错误观点就引起了一个荒谬的学说，即劳动基金的学说。按照这个学说，由必要的生活资料构成的劳动基金，是一个已经确定的量，这个量，与劳动者的人数相比，构成劳动者消费量的个人限制；另一方面，似乎在购买劳动力时，资产阶级把这个消费量全都支付给工人。对于这种荒谬的所谓劳动基金学说，马克思在《资本论》第一卷第二十二章第五节已进行过彻底的批判。

■ 通过第十章的学习，我们清楚地看到，马克思是怎样用科学的态度批判地继承资产阶级经济学家的经济思想的。他充分肯定了重农学派的巨大功绩，指出他们在固定资本和流动资本问题上的正确见解；而亚当·斯密虽然把重农学派的范畴进一步普遍化，但他所作的说明不仅没有能保持重农学派已经达到的水平，反而大大地后退了。马克思用深入细致的理论分析，丰富生动的实际论证，批判了斯密的错误及其产生原因，并指出这种错误对以后的资产阶级学者所带来的影响。马克思不仅系统地研究了固定资本和流动资本的理论发展史，还给我们如何正确地评价历史人物，正确分析历史人物的经济思想，提供了鲜明的典型范例。

通过第十章的学习，还使我们进一步深刻体会到，马克思首先提出的不变资本和可变资本的区分所具有的极其重大的理论意义和实际意义。资产阶级经济学家把可变资本的概念掩埋在流动资本的概念之下，用工人的生活资料来代替劳动力价值和可变资本，他们造成这样的理论框框，使人们不可能发现剥削剩余价值的秘密。马克思正确地发现和区分了不变资本和可变资本，正确地划分和说明了固定资本和流动资本，从而创造了科学的系统而完整的剩余价值学说，这是在政治经济学史上的一次重大的革命。在这一章中，我们通过对斯密有关错误理论的分析批判，又会进一步加深对马克思经济学说的理解。

第十一章

关于固定资本和流动资本的理论。李嘉图

本章着重批判李嘉图关于固定资本和流动资本的理论。

李嘉图不仅不加批判地从斯密那里继承了把资本划分为固定资本和流动资本的观点，而且发展了斯密的错误，提出了一些新的更错误的观点，这就加剧了人们在思想上的混乱。

在固定资本和流动资本的理论上，李嘉图比斯密提供了哪些新的更错误的东西呢？

第一，他把物的耐久程度作为划分固定资本和流动资本的标准；

第二，他把固定资本和流动资本结合的比例，同不变资本和可变资本所组成的资本有机构成混同起来；

第三，他把流动资本同可变资本混为一谈。

李嘉图在划分固定资本和流动资本问题上出现了双重错误的规定

本来，固定资本和流动资本的区别，只限于生产资本，只限于生产领域。斯密错误地把流动资本混同于流通资本，把流动资本看成是流通领域的东西。李嘉图承袭了斯密的这种错误，他在谈到固定资本和流动资本时，不是从价值增殖过程出发，而是从流通过程出发，因此，他除了具有斯密旧有的混乱外，还出现了双重错误的规定：

第一，"把固定资本耐久程度的差别同不变资本和可变资本所形成的资本构成的差别等量齐观"。这就是说，把固定资本和流动资本的结合比例的差别，同不变资本和可变资本所组成的资本有机构成的差别，混为一谈了。实际上，固定资本的耐久程度不同，决定着固定资本和流动资本有着不同的结合比例。固定资本越是耐久，它的使用期越长，在资本

周转一次的时间内需要的流动资本就越多。固定资本的耐久程度不同，还决定着等量的预付资本有不同的周转时间。越是耐久的资本，周转一次的时间就越长。如果我们从生产过程出发来考察，在价值增殖过程时，资本耐久程度的差别只涉及生产资料的价值转移的方式问题（是一次转移、还是部分地逐渐地转移）；如果从流通过程来考察，资本耐久程度的差别只涉及资本周转时间的长短不同问题；这都没有涉及资本主义生产的实质，即剩余价值产生的问题。相反，不变资本同可变资本所组成的资本有机构成的差别，就决定着剩余价值生产上的差别。因为剩余价值是由可变资本带来的，有机构成越低，可变资本所占的比例就越大，因而创造的剩余价值就越多。这是极其重要的本质的差别。上述二者是不能混同的。这是问题的一方面。另一方面，如果我们不从生产过程出发来考察剩余价值的生产，而是仅从流通过程出发来考察不同生产部门如何根据所投入的资本进行剩余价值的分配，那么，由资本耐久程度不同而产生的资本周转时间的不同，和资本有机构成的不同，这二者对于平均利润率的形成和价值到生产价格的转化，都发生同等作用。这是因为，资本周转的时间愈短，其中可变资本周转的次数就愈多，因而带来的剩余价值量就愈多，就能有较高的利润率，反之则相反。在其他条件不变的情况下，资本有机构成愈低，可变资本所占的比例愈大，因而使用的劳动力就愈多，带来的剩余价值量也就愈多，也能有较高的利润率，反之则相反。由于等量资本投在不同生产部门有不同的利润率，这就要产生价值转化为生产价格和平均利润率的问题。这就是说，固定资本耐久程度的差别和有机构成的差别，它们对平均利润率的形成和价值到生产价格的转化，都发生同等的作用。这种同等的作用，只是流通过程的现象，终归不是资本主义生产的本质问题。李嘉图不是从生产过程去考察，而是从流通过程来考察，就把上述二者在流通中发生的同等作用，同它们在生产过程中的本质差别混为一谈。所以马克思说："如果我们不去洞察资本主义生产过程的内部机构，而是从已有的现象出发来考察，那么，这两种差别事实上就合而为一了。"李嘉图把这两种差别混同起来，这就说明：他只抓住了流通领域中的平均利润这一现象，并没有把握生产过程中剩余价值生产的实质，没有能通过现象去揭露事物的本质，这就起着掩盖资本主义矛盾的作用。

必须注意：我们决不能把李嘉图所说的固定资本同流动资本的比例，当成就是马克思所说的资本有机构成。这是因为：资本有机构成是由不变资本和可变资本所组成的价值构成，以及与由生产资料和劳动力所组成的技术构成互相有机地结合着的，李嘉图不懂得不变资本与可变资本的区分，怎么能懂得资本的有机构成呢？那么，李嘉图为什么不懂得不变资本和可变资本的区分呢？这是因为：他没有从生产关系方面去研究资本，而是把资本仅看成为物质形态，把固定资本看成就是生产资料，把流动资本看成就是维持工人生活的消费资料。消费资料是一种物质形态，它和生产资料一样，其价值是不会变化的，当然，资本也就没有什么可变与不变的区分了。李嘉图是一个资产阶级经济学家，他的理论不能不为其阶级性所局限，划分不变资本与可变资本，这就会进一步揭露资本主义的剥削关系，作为代表资产阶级经济利益的李嘉图，当然不可能逾越其固有的阶级局限。

第二，在李嘉图的固定资本和流动资本定义中，作为原材料的那部分资本价值不见了。李嘉图把投在工具、机器和建筑物上的资本，称为固定资本，把投在劳动上的资本，即维持劳动的资本，称为流动资本，这样，原材料部分就不见了，它既不包含在固定资本中，也不包含在流动资本中。为什么李嘉图在资本分类中，不提原材料那部分的资本呢？这是因为：作为原材料的资本部分，在资本分类中所处的地位是很特殊的。如果从资本在生产过程中所发生的作用看，原材料部分的价值要转移到产品中去，它同生产工具一样，都不会创造价值，所以属于不变资本。如果从资本周转方面来看，固定资本部分的价值是部分地逐渐地转移的，原材料部分的价值是全部转移的，所以它又和工资结合在一起，成为流动资本。李嘉图不懂得不变资本和可变资本的区分，因而在这里就碰到了难题：如果把原材料放在固定资本方面，但它在流通方式上，和投在劳动力上的那部分资本完全相同；如果把原材料放在流动资本方面，它又不像劳动那样能够创造价值，而是和生产工具一样，只能转移价值，这就是说，从剩余价值的生产来看，它又和固定资本部分相同。“李嘉图凭丰富的逻辑本能，不会不感觉到这一点”，在无法归入固定资本，又无法归入流动资本的情况下，就采取回避的办法，干脆不谈它，“所以，这部分资本就在他那里消失得无影无踪了”。当然，这种做法是错误的，是不能解决问题的。

把流动资本同可变资本混为一谈

李嘉图的另一个错误是，把流动资本同可变资本混为一谈。本来，在流动资本中，既包括投在工资上的资本，也包括投在原材料上的资本。既然李嘉图把原材料部分撇开不谈，余留下来作为流动资本的，只是投在工资上的那个可变资本部分了。因此，李嘉图把这种可变资本称作流动资本，用流动资本的概念来抹杀可变资本的特征。

李嘉图是怎样用流动资本的概念来抹杀可变资本的特征呢？在《资本论》第一卷中就已谈到，可变资本的特征是，一个既定的资本价值额(即用于支付工资的资本部分）同一个会创造价值的力（即劳动力）相交换，资本家购买了劳动力后，就要使用它，劳动力的使用是劳动，劳动会创造出新的价值来，它不仅会创造出能够补偿劳动力本身价值的部分，还能创造出超过劳动力价值的价值部分，即剩余价值。由于“投在工资上的那部分资本的这个具有特征的属性，使这部分资本作为可变资本而和不变资本完全不同”。但是，如果把这部分投在工资上的资本只当作流动资本，只从流通过程来考察，可变资本能够带来剩余价值的这个属性就会消失。这是因为：第一，投在工资上的资本部分和投在原材料上的资本部分结合在一起，作为流动资本而和固定资本相对立，在这里所考察的，只是它的价值如何转移、如何补偿的问题，“剩余价值，也就是那个使所投价值额转化为资本的条件，就完全被忽视了”。第二，投在工资上的那部分可变资本的价值，和生产工具、原材料等价值不同，它不是转移到产品中，不是保存和再现到产品中，而是通过劳动创造出新的价值，用以补偿已消耗的部分，所以这部分价值实际上是再生产的。把可变资本作为流动资本来看待，不仅创造剩余价值的作用看不见了，就连创造新价值以补偿劳动力价值的作用也看不见了。现在所看到的唯一区别只是在于：价值的转移，从而价值的补偿，固定资本是一部分一部分地逐渐进行，流动资本是一次进行而已。“这样一来，可变资本和不变资本之间的决定性的区别就被抹杀了，剩余价值形成和资本主义生产的全部秘密，即一定的价值和体现这些价值的物品借以转化为资本的条件也被抹杀了。资本的一切组成部分，就只有流通方式的区别”。这就是资产阶级政治经济学本能地把不变资本和可变资本混同于固定资本和流动资本的根本原因。因为在这里，“对于理解资本主义生产的现实运动，从而理解资本主义剥削的现实运动来说，基础一下子就被破坏了”。

李嘉图的这个错误，是不加批判地从斯密那里接受过来的，但李嘉图和斯密相比，会更加感到难办。为什么呢？“因为李嘉图和斯密相比，更彻底地、更明确地阐述了价值和剩余价值，实际上是肯定了内在的亚·斯密，而否定了外在的亚·斯密。”这里所说的“内在部分”，是指斯密的科学成分；这里所说的“外在部分”，是指斯密的庸俗成分。在价值和剩余价值方面，斯密的科学成分是：他认定，商品价值是由劳动创造出来的，“劳动是衡量一切商品交换价值的真实尺度”[①]。至于利润，则是工人劳动创造的价值在补偿工资后的余额。斯密的庸俗成分是：劳动创造价值，只适用于简单商品经济，到了资本主义社会，商品的价值则由工资、利润、地租三种收入所决定；至于利润、地租，只是对资本、土地所起“服务”作用的报酬。李嘉图继承了斯密劳动创造商品价值的正确观点，坚持这一原理同样适用于资本主义社会，反对斯密所说的在资本主义条件下，价值是由工资、利润、地租三种收入所决定的谬误；李嘉图发展了斯密关于利润是工人劳动创造的科学见解，论证了工资和利润是按照相反方向变化的，利润越高，工资就越低，反之，利润越低，工资就越高，从而得出工资和利润相互对立的见解，这实质上已揭露了工人和资本家在经济利益上的对抗性质，因而，李嘉图比斯密更加接近于剩余价值的认识。但李嘉图的局限是，他从来没有研究过剩余价值的起源问题，他不懂得不变资本和可变资本，不懂得资本家剥削剩余价值的秘密。以上说明，在价值和剩余价值的问题上，李嘉图比斯密是大大前进了。如果说，斯密本身由于价值的二元论导致矛盾无法解决，因而在资本学说上遇到的矛盾也无法解决，还是可以理解的；但李嘉图是坚

---

① ［英］亚当·斯密：《国民财富的性质和原因的研究》上卷，郭大力、王亚南译，商务印书馆1972年版，第26页。

持劳动创造价值的一元论的，坚持利润是由工人劳动创造的，那么，在把可变资本和流动资本混为一谈以后，有许多问题就更难办了。前面所说的体现为原材料部分的资本究竟应该放在哪里，就是使他难办以至无法解决的一个具体事例。

把可变资本和流动资本相混同的错误，在重农学派那里是不存在的。他们所说的“年预付”和“原预付”，指的是农业资本的不同组成部分有不同的再生产期间。至于他们认为只有农业中的资本才形成剩余价值的观点，那是与“年预付”和“原预付”的区分完全无关的问题。

可变资本的本质是：资本家用一个既定的价值量同创造价值的劳动力相交换，至于资本家是用货币来付给工人，还是用生活资料的实物形式来付给工人，都与问题的本质无关。这是因为：剩余价值的创造，既不是产生于工资的货币形式，也不是产生于生活资料的实物形式，而“是产生于价值同创造价值的力的交换，是产生于一个不变量到一个可变量的转化”。用流动资本来代替可变资本，就抹杀了可变资本的本质。

不能以物的耐用程度作为划分资本的标准

用物的耐用程度作为划分固定资本与流动资本的标准，是李嘉图的又一错误。李嘉图说，“有的资本损耗得快，必须经常再生产，有的资本消费得慢，根据这种情况，就有流动资本和固定资本之分”。在这里，李嘉图比斯密后退了一步。斯密根据提供利润的方法不同，认为流动资本在交换、流通中能提供利润，固定资本是在流动资本的协助下才能取得利润。而李嘉图则把固定资本的标准说成是耐用程度，这就仅仅把资本看成是物的自然属性，并没有把资本和提供利润的方法联系起来。在李嘉图那里，“固定资本＝劳动资料”，生产工具就是资本，因而掌握石器工具的原始人，也就成为资本家了；他既把资本看成只是物质的自然属性，上述看法也就不奇怪了。

马克思批判了这种以物的耐用程度作为划分资本的标准的错误。

首先，在第 246 页，马克思分析了物的耐用程度和固定资本的关系。

作为固定资本的劳动资料，它的固定程度的大小，是由它的耐用程度决定的。耐用程度是一种物理属性。在其他条件不变的情况下，耐用程度的不同，决定劳动资料在劳动过程中发挥作用的时间的长短。铁质的机械较耐用，可以使用百余年。木质的机具较不耐用，只可以使用十余年。劳动资料的耐用程度越大，它使用的时间即发挥作用的时间就越长，它作为固定资本在生产过程中执行职能的时间也就越长。所以，劳动资料“作为固定资本执行职能的时间长还是短，要根据它的耐用程度而定”。这就是说，劳动资料的耐用程度，决定着它作为固定资本而执行职能的时间。但是，决不能因此把劳动资料的耐用程度作为划分固定资本和流动资本的标准。同样一种金属，其耐用程度是相同的，如果作为机器，它是生产工具，是固定资本；如果作为原料，它就是流动资本。铁制的工具是比较耐用的，是固定资本；木质的机具，是不甚耐用的，同样也是固定资本。用铁作原料，是流动资本；用棉花作原料，同样也是流动资本。所以，马克思说：“同一种金属在一个场合归入固定资本项目内，在另一个场合归入流动资本项目内，并不是由于物质的物理性质，并不是由于金属损坏的快慢程度不同。不如说，这种区别是由金属在生产过程中所起的不同作用产生的”。它在作为劳动对象时是流动资本，作为劳动资料时是固定资本。

虽然物的耐用程度不是划分固定资本和流动资本的标准，但劳动资料所起的作用，要求它由比较耐用的材料制成。“因此，材料的耐用性是它执行劳动资料职能的一个条件，从而也是使它成为固定资本的那一流通方式的物质基础。”这就是说，劳动资料的耐用程度不同，它损坏的时间就不同，因而使它作为固定资本发挥作用的时间也不同，如果它发挥作用的时间长，它的价值就部分地逐渐地在较长时间内转移到产品中去；如果它发挥作用的时间短，它的价值就会在较短的时间内转移到新产品中去；这就是劳动资料的耐用程度成为固定资本的流通方式的物质基础的意思。由此可见，把物的耐用程度作为划分资本的标准是错误的，但物的耐用程度和固定资本的性质还是非常密切地联系在一起的。

其次，从第 247 页第 1 段到 250 页第 1 段，马克思进一步分析了：投在劳动力上的资本，不能因其补偿的快慢，而确定它是否为流动资本。

李嘉图把投在劳动力上的那部分资本（实即可变资本），当作流动资本加以考察，因而，就像上面所论述的，劳动资料的物质现实性是固定资本的物质基础一样，自然也会从投在劳动力上的那部分资本的物质现实性，得出流动资本的性质。

怎样从投在劳动力上的那部分资本的物质现实性，得出流动资本的性质呢？我们知道，投在劳动力上的那部分资本的现实物质，就是劳动力的使用，就是创造价值的劳动本身，资本家使它和生产资料结合起来，进行生产，才能创造价值和剩余价值。但是，资本家并不出卖这种力，这种力和劳动资料一样，始终只是他的生产资本的组成部分。在生产过程中，从劳动过程的观点看，生产资料是作为物的因素，劳动力是作为人的因素而互相对立；从价值增殖过程的观点看，前者是作为不变资本，后者是作为可变资本而互相对产。由于劳动力的使用——劳动，会创造出价值和剩余价值，所以从劳动力方面看，它是不断运动着的；如从它的创造出来的产品方面看，劳动已对象化在产品中，成为价值，是静止着的。在生产过程之后，资本就不再表现为一方是生产资料、一方是劳动力，而是表现为在生产过程中创造出来的产品，即商品资本。为了使再生产能够继续进行，资本家必须把商品产品卖出去，用由此得到的货币继续购买生产资料和劳动力，不断地把劳动力并入生产资本，再不断地生产出商品，不断地再卖出去。正是由于投在劳动力上的资本这样的不断流通，它就同投在原材料上的资本不断流通一样，取得了流动资本的性质。

本来，投在原材料上的资本部分和投在劳动力上的资本部分，是有本质的不同的，前者只是转移价值，后者则是创造价值和剩余价值。但是，现在既然把二者都从不断流通的过程来考察，投在劳动力上面的资本和投在原材料上面的资本就完全一样，好像都是把全部价值转移到产品中去，不像固定资本的价值是部分地逐渐地转移到产品中去，因此必须全部由产品的出售来补偿。这样，就会出现一个假象：投在劳动力部分上的资本，其物质就不是由发挥作用的劳动力构成，而是由工人用工资所购买的生活资料所构成。这样，生产资料的价值转移到产品中去，生活资料的价值也转移到产品中去，劳动力的使用——劳动创造价值和剩余价值，就看不出来了，因而，作为固定资本构成的劳动资料，就由于比较耐用而表现为损坏得较慢，补偿得也较慢；作为流动资本构成的生活资料，就由于流动得较快，补偿得也较快；所以耐用程度就成为划分固定资本和流动资本的标准了。

实际上，李嘉图视为流动资本的这种生活资料，它们在耐用程度、损坏快慢、补偿期长短等方面，并没有清楚的界限的。作为工人居住的房屋，是生活资料，耐用程度较久，因而补偿期较长；作为工人所穿的衣服比他所消费的食物当然更为耐久，如与房屋相比，补偿期则较短，如与食物相比，补偿期则较长。这说明，用耐用程度作为标准是说不通的。李嘉图自己也看到这一点，所以他在固定资本和流动资本定义下又加了一个注，他指出："这种区分不是本质的区分，其中不能划出明确的界线。"事实上，这种划分只是一种多余的划分，仅仅是主观上的区别。

如果按照李嘉图所说的，投在劳动资料上的固定资本和投在劳动力上的流动资本的区别，仅仅在于它们的价值转移方式不同，流通期间不同，因而再生产期间不同，损坏快慢不同，那么不变资本和可变资本的区别，就自然都被抹杀了，资本主义生产的实质，也就都被掩盖起来了。

再次，从第 250 页第 2 段到 253 页第 1 段，马克思进一步指出，李嘉图的上述错误标准与他的价值理论和利润理论是完全矛盾的。

李嘉图是坚持劳动创造价值的一元论的，他认为利润是由工人的无偿劳动创造出来的，这是他的价值理论和利润理论中的正确成分。但在这里，他又把生活资料作为流动资本，仅从价值的转移和补偿方面来研究，这就抹杀了劳动创造价值的正确成分，因而在他理论体系中产生了矛盾。产生这种矛盾的错误基础就在于：一是对投在劳动力上面的那部分资本作了错误的阐述，二是把可变资本混同于流动资本。这样，在理论上就出现了下述错误结果：

首先，在这里所看到的，一切只是价值转移，至于对价值的创造则完全不见了。本来，投在劳动力上的资本，如从它在生产中发挥的作用看，是可变资本；如从资本周转方面来看，它和原材料一起，是流动资本。但它作为流动资本，只是一种次要的规定。为什么呢？因为根据投在劳动力上的资本是流动资本这个规定，一方面，投在劳动力上的资本和投在原材料上的资本就具有同等意义，因而可变资本能够创造剩余价值的本质特征看不见了。另一方面，虽然也把投在劳动力上的资本和投在劳动资料上的资本对立起来，但这里只是从两者价值的转移方式的不同来考察其对立，而不是从两者参加价值的生产的不同方式来考察其对立，因而看不出它们在价值增殖过程中的不同作用。在以上场合，问题都在于：它们的价值是怎样转移到产品中去，是部分地逐渐地转移，还是全部地一次地转移？在转移以后，通过产品出售，这些价值又是怎样补偿的呢？是一次补偿，还是逐渐地多次地补偿？所以，“这里唯一的区别就在于这个‘**怎样**’，在于这个价值的转移、从而流通的特殊方式”。

本来，投在劳动力上的资本，根本并不存在价值转移的问题，因为它不是价值的再现，而是价值的再生产。资本家把工资作为劳动力价格付给工人，可以用货币形式，也可以用实物形式（即生活资料，这表现为实物工资）。如用货币形式，显然，货币是不会使它自身这个物质加入生产过程的，因而就不容易产生货币价值转移的幻觉。如果用实物形式，用生活资料支付，“这就使事情具有另一种外观”，即：生产资料的价值，在劳动过程中转移到产品中去；生活资料的价值，通过劳动力的作用同样转移到产品中去，这样，二者都只是单纯的价值转移，都只是把价值再现在产品中，这样，投在劳动力上的资本可以转化成为活的创造力，就被生活资料的价值转移所淹没，价值创造过程就被虚伪的价值转移所淹没。“这样一来，资本主义的生产过程就幸运地变成一个神秘莫测的东西了，产品中包含的剩余价值的起源，也就完全被掩盖起来”，好像生活资料的物质属性，天然地会带来利润，天然地就是资本了。

“其次，资产阶级经济学特有的拜物教也就由此完成了。”所谓拜物教，就是把人和人的社会经济关系，看成是由物的物质本性所产生的。在这里，他们把劳动资料作为固定资本，把生活资料作为“维持劳动”的流动资本，这就抹杀了资本的社会性质，而把资本仅仅看成是天生具有的物质属性了。为什么说把劳动资料作为固定资本是资本拜物教呢？因为劳动资料是每个社会都存在的，而资本只有在资本主义社会才产生。劳动资料成为固定资本，必须具备两个条件：第一，必须在资本主义的生产条件下；第二，必须以特殊的方式把它们的价值转移到产品中去。否则，劳动资料就不是固定资本。这两个条件都是社会经济条件，不是由劳动资料的物质属性所产生的，所以说，劳动资料只能在一定的社会经济条件下才成为固定资本。李嘉图的“固定资本＝劳动资料”的定义，是对资本实质的特有的颠倒，也是资本拜物教的完成。为什么说把生活资料作为“维持劳动”的流动资本，也是资本拜物教呢？投在劳动力上的资本，是以工资的形式出现的，工人拿了工资，又是用于购买生活资料，以便用于生活消费，使劳动力再生产出来。由于生活资料是劳动力再生产的必要的物质条件，因而从斯密到李嘉图，都把用于购买生活资料的工资说成是“维持劳动”，从而具有“流动”资本的性质。其实，生活资料的资本性质，并不是由于维持劳动者的生存而产生的。我们知道，生活资料是劳动力再生产的必要条件，而劳动力又是在使用中发挥着创造价值和剩余价值的作用，这不仅使投在劳动力上的资本价值再生产出来，用以补偿可变资本，而且还创造出剩余价值，使资本真正成为带来剩余价值的价值，可见，“生活资料的资本性质，恰恰使生活资料具有这样一种属性：通过别人的劳动来维持资本”。从斯密到李嘉图，都把生活资料看成是维持劳动的资本，把生活资料成为流动资本看成是天生具有的物质属性，这也就是把流动资本的社会性质，看成是由生活资料的物质属性所产生，这样，特有的拜物教也就由此完成了。

在第253页第2—3段，马克思还进一步批判了：李嘉图如何由耐用程度这个标准引申出来的，把资本流回时间的长短同固定资本和流动资本的区别等同起来的错误。马克思指出：“使一种生产资料成为固定资本的，并不只是流回的快慢，而且是价值转移到产品中去的一定的方式”。

在固定资本和流动资本问题上，斯密的混乱对以后资产阶级政治经济学的影响

在固定资本和流动资本问题上，斯密所造成的混乱，不仅直接影响着李嘉图，而且对以后的资产阶级政治经济学引起了如下的结果：

第一，把固定资本和流动资本的区别同生产资本和商品资本（流通资本）的区别混同起来。因而错误地认为：同一台机器，在投入生产过程时是固定资本，在作为商品投入市场时是流动资本。其实，机器作为商品投入市场时，已不是生产资本，而是商品资本，当然不能成为生产资本中的流动资本部分。

第二，把投在工资上的或要投在工资上的资本，和一切流动资本等同起来。这实质上就是把可变资本混同于流动资本。实际上，流动资本除去投在工资上的资本部分外，还有投在原材料上的资本部分。

第三，把可变资本和不变资本的区别，同流动资本和固定资本的区别混同起来，最后完全归结为流动资本和固定资本的区别。这样，就不可能理解不变资本和可变资本的真正区别。

第四，以后的一些英国经济学者，他们从银行伙计的偏见出发，“把固定资本和流动资本的区别变成‘随时可以提取的存款’和‘预先通知才可以提取的存款’的区别”，这说明，他们的错误比李嘉图更为荒谬。

这些就是资产阶级政治经济学从斯密—李嘉图继承下来的关于固定资本和流动资本的理论。这些理论说明，除去使用斯密和李嘉图的陈词滥调以外，他们并没有在古典学派的基础上提供什么新的东西。

■ 在固定资本和流动资本的问题上，资产阶级古典学派，从重农学派到斯密、李嘉图，都有共同的错误，这就是：第一，他们都脱离资本主义生产关系来考察资本，把资本看成是物质的自然属性，不了解不变资本和可变资本的区别，并固执着固定资本和流动资本的区别。第二，在固定资本与流动资本的区别上，他们也都是有严重错误的：重农学派的“原预付”和“年预付”，仅仅限制在农业生产部门，而不能运用于工业等其他部门；斯密则把流动资本混同于流通资本；李嘉图则把可变资本是流动资本这一次要规定看成是本质的规定。第三，在流动资本问题上，他们都把工人以工资购买的生活资料，作为流动资本的物质形态，而不以在生产过程中发生作用的劳动力作为流动资本部分的物质形态，结果，就把生活资料和生产资料都看成一样，只有价值转移和价值补偿上的区别，看不见投在工资上的定额价值转化成劳动力的使用，即创造价值和剩余价值的活的劳动过程，从而抹杀了资本主义生产的实质。古典学派的这些共同错误，是由他们共同具有的资产阶级的立场所决定的。只有以马克思主义为代表的无产阶级政治经济学，才能正确地分析生产资本的构成，把不变资本和可变资本同固定资本和流动资本区别开来，建立真正科学的关于固定资本和流动资本的学说。

第十二章
劳动期间

在第八至第十一章中，研究了影响资本周转速度的一方面的因素，即生产资本的不同组成部分——固定资本和流动资本问题。在第十二、十三、十四章中，就要研究影响资本周转速度的另一方面的因素，即生产时间和流通时间问题。在本书第五章，虽然也曾研究过生产时间和流通时间，但主要是从价值和剩余价值形成的角度出发来进行研究的。在这里，则主要是从生产时间和流通时间的长短如何影响资本周转的速度的角度出发来进行研究的。这与第八至第十一章从固定资本和流动资本如何影响资本周转的速度出发来研究也是不同的。

马克思研究这三章时，有一个显明的特点，这就是：不仅抽象地说明一般的基本原理，而且运用这些原理分析它们对资本主义企业的影响。在其中，从周转时间的不同组成部分出发，着重分析了流动资本的周转问题。

劳动期间的长短是由产品的特殊性质决定的

生产时间是由劳动期间和非劳动期间构成的。本章着重研究劳动期间，下章则着重研究非劳动期间的问题。什么是劳动期间呢？马克思说："我们讲劳动期间，指的是一定生产部门为提供一件成品所必需的互相连接的工作日的数目。"他又说："这种由许多依次进行、互相连接的工作日构成的工作日，我称为**劳动期间**。"①例如：生产一台拖拉机，需要 5 个工人花费 20 个工作日，每个工作日以 8 小时计算，一个工人的 20 个工作日为 160 小时，5 个工人合计花去 100

① 《资本论》第 2 卷，人民出版社 2004 年版，第 257 页。

个工作日共800小时。工人们在生产过程中，各自生产拖拉机的某一部件，但他们的共同目标是生产一台拖拉机，因此，这些工作日都是一个连续的量，是互相联系的生产行为。在生产过程中，每一个工作日只是制造局部产品——部件，到劳动期间结束时，才提供一件完成的成品——拖拉机。由此可见，为了生产一件成品所必需的互相联系的工作日的数量，就是生产该成品的劳动期间。这里所说的成品，是指某一营业部门生产的产品，其中，有的是最后的完成品，有的是其他营业部门的原料或配件、零件之类。

由于产品不同，生产它的劳动期间也就有长有短。那么，劳动期间的长短是由什么因素决定的呢？例如，生产棉纱，每周都可提供一定量的成品；生产拖拉机，要劳动三个月才能提供成品。尽管纺纱厂和拖拉机制造厂"每天的劳动过程的持续时间在这里都是一样的"，就是说，假定他们每天都是劳动8小时，"但生产行为的持续时间"，即生产一件成品的时间，却不一样，在纺纱厂只要一周，而在拖拉机制造厂则要三个月。由此可见，生产某一产品的劳动期间或长或短，是由所生产的产品的特殊性质决定的。产品不同，生产它所花费的劳动期间也不同。

上述差别，不仅存在于生产不同产品的部门之间，而且也存在于同一个生产部门的内部。例如，在拖拉机制造厂内，生产一台45匹马力的拖拉机，需要500个工作日合4000小时，如果生产12匹马力的手扶拖拉机，只要100个工作日合800小时，虽然同是拖拉机，但由于它们的类型不同，产品的特殊性质不同，劳动期间也就有长有短。

劳动期间的长短对资本周转速度和资本预付量的影响

由于劳动期间的差别，"在资本支出一样多的时候，必定引起周转速度的差别，从而引起既定资本的预付时间的差别"。如上例，在其他条件相同的情况下，纺纱厂经过一周生产出棉纱，假定它是按订货生产的[1]，他们经过一周就完成了资本的一次周转，因而可以把周转一次取回的资本在下周继续投入生产。拖拉机制造厂必

① 作为资本周转时间一部分的流通时间，包括产品的售卖时间，是在第十四章才研究的。在这里，假定流通时间等于零，也就是说，假定它是按订货生产的，产品生产出来后，马上就卖掉。

须在三个月的时间内不断把新的资本投在工资和原料上，只有经过三个月的时间，才生产出拖拉机这个成品来，假定拖拉机也是按订货生产的，因此，要经过三个月，才能完成资本的一次周转，然后再把取回的资本继续投入生产。由此可见：由于劳动期间不同，必然引起周转速度的不同，前者是一周，后者是三个月；从而也要引起资本的预付时间的差别，前者，一周预付一次，后者，三个月预付一次；后者所使用的流动资本，必须是前者的十二倍。

由于劳动期间的差别，在社会生产过程中，如果出现特殊情况，如经济危机，生产中断，社会秩序的突然紊乱而造成的停工停产等，对劳动期间长短不同的产品，就会产生不同的影响。如上例，棉纱在一周内生产出来，马上卖出，已生产并已卖出的这部分棉纱，就不会受到上述特殊情况的影响。拖拉机还在生产过程中，虽然它的某些部件已经生产出来，一旦遭到上述特殊情况的影响，“不仅劳动会中断，而且互相联系的生产行为也会中断”。如果不继续生产，那么已经消费掉的生产资料和劳动就白白浪费了。如果中断一个时期后再继续生产，在这个间歇时期内，已生产出来的某些部件也会损坏。这就是说，生产某一产品的劳动期间较短，它受社会上一旦出现的特殊情况的影响就较小；相反，生产某一产品所需劳动期间较长，它受社会上特殊情况的影响就较大。

但是，劳动期间的长短对资本的周转速度和预付量的影响，从固定资本方面看和从流动资本方面看，是不同的。

从固定资本方面看，固定资本的周转时间是由固定资本本身的寿命决定的。例如，一台机器可以使用 30 年，不管这台机器所生产的产品需要多少劳动期间，这台机器的价值，总是在 30 年的时间内部分地逐渐地转移到产品中去，因此，它周转一次的时间总是 30 年。这就是说，不管固定资本的折旧率具体比例如何，它仍然会留在生产过程中继续发生作用，它仍然要经过一定的时间（例如 30 年）才能收回它的全部价值，才会用来再购买机器，才会引起新的固定资本的支出。由此可见，在上述情况下，生产某一产品的劳动期间或长或短，不会影响到固定资本的周转时间，也不会影响到固定资本的预付量。

从流动资本方面看就不是这样。流动资本是由用于劳动力部分的资本和用于原材料部分的资本构成的。在劳动过程中，不仅耗费了劳动力，要不断地支付工人的工资，而且也耗费了原材料，还要不断地支付原材料的费用。如果所生产的产品的劳动期间较长，当这种产品还未作为成品，还不能作为商品出卖时，补偿劳动力的价值和原材料转移来的价值，也只是存在于未完成的产品中，仍然束缚于生产资本的形式上，不能进入流通。因此，劳动期间较长的产品，必须不断追加流动资本，并从而减慢资本周转的速度。由此可见，第一，劳动期间较长，资本周转的速度就较慢。如上例，纺纱的劳动期间是一周，它的流动资本一周就周转一次；拖拉机的劳动期间是三个月，投在拖拉机生产上的流动资本就要三个月才周转一次；这样，用于棉纱生产的流动资本周转的速度（一周）是用于拖拉机生产的流动资本周转的速度（三个月）的十二倍。流动资本周转速度的快慢，直接关系资本平均周转速度的快慢。所以说，劳动期间较长，资本周转的速度就较慢；反之，劳动期间较短，资本周转的速度就较快。第二，劳动期间越长，需要预付的资本量就越大。如前例，假定纺纱厂和拖拉机制造厂的资本的比例是相同的，划分为不变资本和可变资本的比例，固定资本和流动资本的比例也是相同的。第一周，它们支出的资本是一样的，到了第二周，拖拉机厂要继续支出预付资本，以购买原材料劳动力，而纺纱厂由于产品已经制成、售出，它的流动资本已经转化为商品资本并实现为货币，就可把这些货币资本继续投入再生产，不要追加支出预付资本了。这样，拖拉机的预付资本要连续追加三个月才能取回，纺纱厂只要一周就可流回，因此，前者支出的预付资本就是后者的十二倍，他们支出的预付资本量完全不同，这是和他们的资本周转速度不同密切联系着的。所以，劳动期间越长，需要预付的资本量就越大；反之，劳动期间较短，需要预付的资本量就较小。因此，马克思说：“不仅资本一定部分的更新时间或预付时间长短不一，视劳动过程的长短不等，必须预付的资本量也大小不等”。

在资本主义初期，那些需要很长的劳动期间，需要大量投资的企业，例如建筑铁路、开凿运河等大规模经营的企业，个别资本家是无力经营的，这类企业大都由国家或公共团体出资兴办，并多半采取强制劳动的方式。只是到了资本主义相当发达的阶段，一方面大量资本集中在少数大资本家手中，另一方面又出现了股份公司，出现了联合的资本家，加上信用制度相当发展，又为资本家提供了方便的手段，“使他可以不用自己的资本而用别人的资本来预付、来冒险的时候”，举办这些劳动期间长而规模又大的企业，才完全成为资本主义生产的事情。如从资本主义工业发展的情况看，在资本主义初期，重工业由于其产品的劳动期间长，资本周转慢，需要的投资多，因而发展就很缓慢；而轻工业，由于其产品的劳动期间较短，资本周转较快，需要的投资较小，因而它的发展就较快。这是各资本主义国家经济发展的史实所证明了的。

缩短劳动期间的方法

劳动期间的长短，虽然是由产品本身的特殊性质决定的，但并不是一成不变的。实践证明，劳动期间是可缩短的。那么，用什么方法才能缩短劳动期间呢？

采用协作、分工、使用机器以提高劳动生产率，就能在互相联系的生产行为中缩短劳动期间。但是，“劳动期间的缩短通常和在这一较短时间内预付的资本的增加联系在一起”。为什么呢？例如建筑一幢三层楼的住房，如果使用手工工具依靠个体劳动，也许要一两年的时间；如果使用推土机、吊车、水泥搅拌机等机械工具，也许一两个月就能建成。这就说明：使用先进的机器和技术，不仅会节约大量的社会劳动，提高劳动生产率，也会引起劳动期间的缩短；但是，为了使用机器，就必须购买它，这样，就要增加用来购买机器的固定资本。如果不是由于使用机器与新的技术设备，而是采用简单协作或分工协作的办法，在同一时间的许多地点，动用大批工人，同时施工，也会使劳动期间缩短。如建筑铁路就是这样。这时，必须有更多的生产资料和劳动力在资本家的指挥下结合起来，资本家不仅因此要增加工具、设备等固定资本的支出，也要增加原材料、工资等流动资本的支出。所以，随着劳动期间的缩短，预付资本的量就要相应地增加。

有些生产部门，劳动期间是由一定的自然条件决定的。如在农业中，从播种到收获的时间，如在畜牧业中，从小猪饲养成为可以屠宰的大猪的时间，依靠分工协作等方法是难以缩短其劳动期间的。那么，是不是就没有办法缩短它们的劳动期间呢？不是的，它们的劳动期间是可以缩短的，其方法主要是依靠科学技术的发展。例如，加强对种子的科学研究，选出适合当地气候的早熟高产的优良品种，就会缩短农业中从播种到收获的时间；加强对畜牧业的科学研究，选择骨架大、长肉快的优良畜种，合理地搭配饲料，采用科学的饲养方法，也会缩短猪、羊等肉食动物生长的劳动期间。由此可见，随着科学技术的现代化，不少产品的劳动期间是会相应地缩短的。

"缩短劳动期间的方法，在不同的产业部门中其应用程度是极不相同的，并且不会抵消不同劳动期间长度上的差别。"这就是说，缩短劳动期间的方法，只能使该产品的劳动期间缩短，但不能使所有产品的劳动期间都缩短得完全一样。因为劳动期间的长短是由产品的性质决定的，每个产品都具有特殊性质，这就不可能使它们的劳动期间都完全一样。不管采用什么方法缩短劳动时间，生产一台拖拉机和生产一斤棉纱，其劳动期间还是不一样的。

■ 本章着重研究劳动期间的长短对资本周转的影响，如果撇开其资本主义性质，马克思关于劳动期间的一般原理，对社会主义经济也是适用的。(1) 在不同的生产部门中，产品的劳动期间的长短不是由该社会的经济形式决定，而是由该产品的特殊性质决定。这种情况，在进行生产的人类社会中都是存在的。(2) 生产劳动期间较长的产品，需要花费较多的人力和物力，需要有较多的投资，在资本主义初期，个别资本家往往是无能为力的；随着资本的积聚和集中、大资本家的出现，为发展这些产品的生产提供了可能条件。到了社会主义社会，实行生产资料公有制，国家和集体掌握着大量的人力、物力和财力，就有可能更充分地发展劳动期间较长的产品的生产。(3) 劳动期间随科学技术的发展而缩短，特别是先进的生产工具的应用，生产的机械化和自动化，有着重要意义。这是在任何社会里都适用的缩短劳动期间的主要方法。因此，发展科学技术，采用先进的机械和工艺，是中国特色社会主义建设中的一个极其重要的问题。

第十三章
生产时间

资本的周转时间包括生产时间和流通时间。生产时间又包括劳动时间和非劳动时间。“劳动时间始终是生产时间，即资本束缚在生产领域的时间。”在有些产品的生产中，除劳动期间之外，还有非劳动期间，在本书第五章中已经指出，非劳动时间包括：自然作用的时间，原材料的储备时间，停工时间。在上一章中，对生产时间中的劳动期间的长短如何影响资本周转的问题进行了研究；在本章中，就要研究生产时间中的非劳动期间的长短对资本周转的影响。由于停工时间是极其简单的，有些原理已在第五章分析过，所以本章着重研究自然作用的时间和原材料的储备时间。这两个问题虽然在第五章中也曾研究过，但那是从价值增殖的角度出发的；本章则着重研究它们对资本周转的影响。这种影响直接关系到资本周转速度的快慢，也关系到预付资本量的大小，最后还会由此引起利润率的差异。

自然作用的时间对资本周转的影响

自然作用的时间，不是指“劳动力本身的自然界限所制约的那种劳动过程的中断”的时间；劳动者需要睡眠和休息，这是正常的生理现象，某一产品的生产时间，不会因劳动者的生理界限而延长。这里所说的自然作用的时间，是指“与劳动过程长短无关，而受产品的性质和产品制造本身的性质制约的那种中断。在这个中断期间，劳动对象受时间长短不一的自然过程的支配，要经历物理的、化学的、生理的变化；在这个期间，劳动过程全部停止或者局部停止”。例如酿酒，除劳动时间外，还要有一个发酵的时间，在发酵时间内，劳动对象要发生化学的变化，才能把酒酿出来。又如农业生产，从播种到收获，除去田间作业需要花费劳动时间外，种子也要有一个发芽、生长直到开花、结实的自然作用的时间。这种自然作用的时间，有的是由产品的性质，即生产该产品的自然条件所决定的，如农业、林业等；有的是由制造产品的方式所决定的，如农产品的加工、化学产品的生产等。这种自然作用的时间，是在劳动时间以外、生产时间之内的，它与劳动过程的长短没有关系，因此，在自然作用时间内是不需要花费劳动的。

自然作用的时间并不是任何生产部门都有的。如果某一生产部门的生产需要自然作用的时间，那么，这部分时间和劳动时间一样，就会使资本周转时间延长，使预付的资本量增多。为什么呢？这是因为：劳动期间只是生产期间的一部分，生产期间比劳动期间长，产品从开始制造到成品完成，是包括整个生产期间的，如果只是完成了劳动期间，没有完成自然作用的期间，生产期间还没有全部完成，这时候的产品就还只是在形成过程中，还不能作为商品出售。“产品只有到生产期间结束以后，才能完成、成熟，因而才能从生产资本的形式转化为商品资本的形式”。因此，资本周转的时间不是由劳动期间构成的那一段生产时间来决定的，而是由整个生产时间，即劳动期间和非劳动期间（在这里，主要指自然作用的时间）而决定的。如果自然作用的时间较长，资本周转的时间也会较长，需要预付的资本量就较多；反之，如果自然作用的时间较短，或者没有，那么，资本周转的时间也会较短，需要预付的资本量也就较少。

自然作用的时间不是绝对不能改变的，它是随着科学技术的发展及其在生产上的应用而逐渐缩短的。例如“制革业，旧的方法将鞣酸浸入皮内，需要 6 个月到 18 个月的时间，新的方法使用气泵，只需要一个半月到两个月”，而现在，使用最新的方法，只需几天就可以了。又如钢制零件的淬火，过去一般需要数十分钟至数小时，现在改用高周波电流淬火，只要二三秒钟就行了。当然，这种情况在农业中和在加工工业中是有所不同的。农业由于自然界条件的限制，要缩短自然作用的时间比较困难；而在加工工业中，随着物理学和化学的发展，物理和化学的方法在加工工业中的普遍应用，就比较容易缩短自然作用的时间，从而缩短生产时间，使资本周转速度加快。所以马克思说，“资本周转期间就往往可以通过生产时间的人为的缩短而或多或少地缩短”。但是这样做，又需要相应地增加固定资本的投资，使预付的资本量增加。

“生产时间和劳动时间的差别，在农业上特别显著。”农业生产不像工业那样可以预先准确地确定和控制，而是随着气候条件的变化而变化的。温带的土地每年长一两次谷物；越到北方，气候越是寒冷，无霜期越短，农业劳动和资本的支出就越是紧缩在较短时期内，农民一年只有一半或一小半时间在田里劳动。这样，劳动期间与生产期间的差距越大，农民不进行田间劳动的时间就越多。他们为了解决生活出路，就利用这部分时间进行副业生产。所以，“在这里可以看到，生产期间和劳动期间的不一致（后者仅仅是前者的一部分）怎样成为农业和农村副业相结合的自然基础”。这就说明，农民经营家庭副业是由农业生产的特点决定的。这种农村家庭副业，是随着客观经济条件的发展而不断变化的。在初期，有些个体农民世代相传地从事织工、皮匠、鞋匠等小手工业生产，他们农忙时种地，农闲时做工，实现着农业和手工业的结合。随着商品交换的发展，商人直接供应他们原料，定期取得成品，农村副业成为商业资本的家庭工业了，农民从事副业的劳动成为商业资本的剥削对象了。随着资本主义向前发展，不仅在工业中使用大机器，在农业中也广泛地实行资本主义经营，自给自足的小农成为资本主义农场里的农业工人，从此，家庭副业和农业工人的结合就越来越带有偶然的性质。在我国社会主义制度下，不仅农林牧副渔等多种经营得到全面发展，而且使农村的集体副业与乡镇工业相结合，使农民个人的家庭副业成为集体经济的重要补充，这就更加能够充分利用劳动力、自然资源、生产资料和资金，加速农业经济的发展，这是社会主义农业优越性的具体表现之一。

从第 269 页第 2 段到 272 页第 5 段，马克思分别以工业、农业、林业、畜牧业为例来说明：自然作用的时间，对于资本周转以及预付资本量有着怎样的影响。

在工业中，大部分的真正的工业部门，生产是均衡的，劳动时间年年相同，在市场不变的情况下，资本的回流或更新，也是均衡地分配在一年的各个时期中的。但是，在有些工业中，特别是加工工业中最为显著，它们的劳动时间只是生产时间的一部分，自然作用的时间对于生产还起着重大的作用，对流动资本和固定资本有着不同的影响。从对流动资本的影响来说，在自然作用时间还起着重大作用的企业里，流动资本的支出，在一年内的各个不同时期是极不均衡的，有时候多，有时候少，至于流动资本的回流，往往是在规定时间内一次完成。这种企业，如与上述那种有连续劳动时间、资本均衡流通的企业相比，虽然它们的生产规模相同，但"必须为更长的时间一次预付更大量的资本"。这就是说，它的周转时间较长，预付的流动资本量也较大。如以甘蔗作为榨糖的主要原料的糖厂，当甘蔗上市时，就要付出大量的流动资本，用以收购甘蔗，雇用工人，并且要在一定的时间内把甘蔗榨完，否则时间久了，新鲜的甘蔗就会霉烂并影响出糖率，这样，在甘蔗开榨的季节里，就要有大量预付的流动资本支出。反之，到了甘蔗榨完后，该厂就要停工修理，流动资本的支出就会大大减少。这种流动资本的支出和回流的不均衡，使它在投放时必须有较多的量。从对固定资本的影响来说，由于劳动时间和生产时间有差别，固定资本使用的时间也会发生差别，如机器，它只是在劳动时间内才开动，在非劳动时间内是闲置着的，但是，固定资本"转移到产品中去的价值，不是按固定资本执行职能的时间，而是按固定资本丧失价值的时间计算的"。这就是说，固定资本，如机器，不管其使用与否，在一定时间内都会丧失其价值，因此，都要把它的价值转移到产品中去。如果生产时间比劳动时间长，在其中的非劳动时间内，既没有生产成品，但又要转移固定资本的价值，怎么办？结果只有把固定资本的价值增摊到由劳动时间生产的成品中去，"因此，产品一般说来就会变贵"。这就是说，要把在非劳动时间内固定资本转移的价值，分摊到劳动时间内生产的产品中去，该产品中所包含的转移来的固定资本的价值量就要增加，这种情况，是由生产时间中的非劳动时间带来的结果。

"在农业中，劳动期间较长，同时劳动时间和生产时间又有巨大的差别。"它的生产时间长，其中自然作用的时间也长，因而资本周转的时间也较长。要改变这种状况，就要改革农业生产技术，改变农产品的种植构成。例如，实行多种作物的生产，或采用间作制，由于有的作物生长期较长，有的较短，因而有的在收获，有的在种植，有的在生长，这样，一方面就能使工资和劳动资料的支出在一年内比较均衡地分配，另一方面又能加快资本的周转。“但所有这些方法都要求增加预付在生产上的即投在工资、肥料、种子等等上的流动资本。”这就是说，由于农业中自然作用时间长这一特点，要均衡生产与缩短周期，就要增加流动资本。

在林业中，生产时间长，其中的自然作用时间也很长。木材的生产时间有时甚至比人的寿命长，它往往是靠自然力独立发生作用，在自然更新的情况下，很少依靠人力和资本力。由于林业的“漫长的生产时间(只包括比较短的劳动时间)，从而其漫长的周转期间，使造林不适合私人经营，因而也不适合资本主义经营”。在资本主义社会中，几乎看不到资本家经营林业生产的现象，他们只是对已有的森林乱砍滥伐，进行破坏而已。这就是说，由于林业中的生产时间和自然作用时间都很长，很少有资本家进行林业投资。

必须注意，恩格斯在这里特地增加一个重要的说明。他指出，“在公社生产的情况下，不需要这种资本；问题只是在于公社从耕地和牧场能抽出多少土地用于林业生产”。这是对社会主义建设的一个重要的提示。他说明：在生产资料公有制的社会主义社会里，不需要为购买造林用地而投下资本，因为社会主义社会消灭了生产资料的私有制，实现了土地国有化，不必要再把资金浪费在对土地的购买上。这是社会主义生产关系优越性的表现。中国特色社会主义社会实行公有制为主体，各种所有制经济共同发展的基本经济制度，可以根据各地的自然条件进行全面规划，从而规定农林牧副渔等多种经营各自占用的土地面积，使各部门能够互相协调地发展。

在畜牧业中，从小畜到长成，它的生产时间和自然作用时间都较长，因而资本周转也较慢。由于在饲养时是分批进行的，一部分刚刚生产出来，一部分在生长过程中，另一部分则作为产品出售，因而，有一部分流动资本一年周转1次，有一部分流动资本则较长期地固定在生产过程中。虽然它不是役畜，不是固定资本，但这部分流动资本要好多年才能周转1次，从而也会延长总资本的周转时间。这就是说，在畜牧业中，由于生产时间和自然作用时间都较长的特点，它的资本周转时间比较长，其中有一部分流动资本的周转时间也比较长。

总之，不管是工业、农业、林业，还是畜牧业，只要是在具有生产时间较长和自然作用时间也较长的特点的情况下，资本的周转就较慢，预付的资本量也较多。

生产资料的储备时间对资本周转的影响

在非劳动时间中，除去自然作用的时间外，还有生产资料的储备时间。生产资料的储备时间是指一部分原材料已进入生产领域，但尚未加入生产过程的时间。为了保证再生产的正常进行，这种储备是完全必要的，这种必要性，在第 155 页已经论述过。至于这些储备品的数量究竟要多少，则取决于：一是在流动资本更新时的困难的大小，二是供应市场的相对距离，三是交通运输工具的发展程度，等等。这就是说，那些不易买到的，或者必须在远处购买而运输又不方便的原材料，就要多储备一些；反之，就可少储备一些。这些以生产储备品形式存在的资本数量和储备时间的长短，直接影响到资本预付时间的长短，影响到一次预付的资本量的大小。这是因为，从一方面看，以生产储备品形式存在的储备时间较长，生产时间就较长，因而资本周转的时间也较长；反之，如果这部分储备品的储备时间较短，生产时间就较短，因而资本周转的时间也较短。这是就储备时间长短对资本周转的影响而言的。从另一方面看，储备品的数量受流通时间和流通领域内的情况的制约。如果市场上该货供应很多，购买容易，在很短的流通时间内能取得补偿，这种物品储存量就可以较少，用于这种储存的流动资本也就较少，资本周转就会较快；反之，如果该物品市场供应不足，为了保证继续生产的需要，就必须进行大量储备，因而用于这方面的流动资本就较多，资本周转就会较慢。这是就储备品的数量、就用于储备品上面的流动资本的数量对资本周转的影响而言的。这就是生产资料储备时间对资本周转的影响。

生产时间和劳动时间差别的几种不同情况

生产时间和劳动时间的差别，可以有种种不同的情况。

第一，流动资本在进入真正的劳动过程以前，已经处在生产时间内。如制造家具，在备料的时候，木料要有一个干燥的时间。

第二，流动资本在通过真正的劳动过程以后，仍然处在生产时间内。如谷种，播种入土以后，要有一个生根、发芽、生长、开花、结实的时间。

第三，在生产时间内，间或有劳动时间插进来。如农业，从播种到收割，在较长的自然作用时间内，时常有中耕、除草、施肥、治虫等劳动时间插进来。

第四，能流通的产品的很小一部分进入常年流通，而大部分仍然处在现实的生产过程中。如畜牧业，一部分牲畜已经肥壮，作为商品出售，而大部分牧畜仍存栏生长。

至于流动资本，它在生产领域中时间的长短，以及它一次投入的量的大小，部分是由生产过程的种类决定的，也就是由投资于某一部分、某一行业的特殊性质决定的；部分是由市场远近决定的，也就是由根据市场情况，需要多少储备品并需要储备多少时间所决定的。至于具体情况如何，前面都已研究过了。

批判资产阶级经济学者把生产时间和劳动时间说成是一致的错误观点

资产阶级庸俗经济学者，如麦克库洛赫、詹姆斯·穆勒等人，企图把生产时间和劳动时间说成是一致的，从而得出荒谬的结论。

詹姆斯·穆勒是李嘉图学派庸俗化的代表人物之一，他发现了李嘉图理论体系的一个矛盾，即劳动时间决定价值量的规律和等量资本得到等量利润之间的矛盾。穆勒把这个矛盾比作陈葡萄酒，耗费在陈葡萄酒上的劳动时间和耗费在新葡萄酒上的劳动时间都是一样的，但陈葡萄酒却比新葡萄酒贵。由于穆勒和李嘉图一样，不懂得价值转化为生产价格的原理，不懂得这并不是由于它们的价值不同，而是由于它们的生产价格不同所产生的，因而不能正确地解决上述矛盾。但穆勒为了解决这个矛盾，却提出一个奇妙的看法，这就是：把劳动过程以后仍在继续生产的那一部分生产时间（即非劳动时间）也看成是劳动时间，即当作会吸收劳动和剩余价值的生产时间。他认为，不仅在劳动时间内的活劳动会创造价值，而且在非劳动时间内，积累的劳动，即资本也会创造价值，所以，在制造陈葡萄酒的劳动过程结束以后，资本仍在发挥创造价值的作用，因而在陈葡萄酒贮藏的时间里，价值仍在增长。这就是詹姆斯·穆勒把生产时间和劳动时间说成是一致的，从而得出的资本创造价值的荒谬的理论。麦克库洛赫进一步发展了穆勒的上述错误，他认为，不仅积累的劳动会创造价值，而且动物和自然力也会劳动，也能创造价值，因而自然作用时间也就成为劳动时间了，劳动时间和生产时间也就没有区别了。所以马克思说："麦克库洛赫、詹姆斯·穆勒等人企图把和劳动时间不一致的生产时间说成和劳动时间是一致的，结果导致多么荒谬的理论。而这种企图本身又来源于对价值理论的错误应用。"这里所说的对价值理论的错误应用，就是指：积累的劳动（即资本）能够创造价值，自然力也是劳动，也能创造价值的荒谬观点。

■ 学习马克思关于生产时间的原理，对于认识农业生产的特点，大力发展农业，搞好社会主义建设，有重大的理论意义。

生产时间较长，自然作用的时间也较长，是农业生产中的一个特点，这个特点和有些工业部门又有其不同之处。例如在加工工业中，可以采取物理的化学的办法，大量缩短自然作用的时间；还可根据生产流程，有计划地有次序地分批把劳动对象安排在各个不同阶段，使一部分劳动对象处在自然作用时间的同时，另一部分劳动对象处在劳动时间，因而能够均衡地协调地进行生产。但农业在极大程度上是受自然条件影响的，要缩短自然作用的时间是有很多困难的，如果违背自然条件，主观主义地在只能种植两季的地方改为种三季，无异于拔苗助长；如果把温带生长的水稻直接拿到寒带去并在冬天种植，甚至连芽都发不出来，更谈不上开花结实了。但是，这并不是说，面对生产时间长，自然作用时间也较长这一农业生产上的特点，人们就无能为力了。事实上，随着科学技术的发展和对农业生产经验的总结，人们还是可以有所作为的，绝不是无能为力的。例如薄膜育秧，既可以防止因气温降低而引起的烂秧，又可以缩短秧苗生产的时间，这既缩短了自然作用的时间，也缩短了生产时间。当然，这种缩短还是有限度的。

从生产时间较长，自然作用的时间也较长这一特点出发，在农业生产中如何利用劳动力，增加农民收入，提高农民的生活水平，就绝不能单打一，只种粮食，不搞其他。马克思指出，生产期间和劳动期间的不一致，是农业和农村副业相结合的自然基础。这种结合，就是从农业生产的上述特点出发的。在私有制条件下，这种结合往往成为剥削者的魔爪得以进行活动的空隙；在社会主义制度下，集体副业与乡镇工业相结合，个人副业成为集体经济的重要补充，这就使结合建立在更新、更高的基础上。那种把社员家庭副业说成是资本主义尾巴的谬论，就是破坏了这种结合，违背了农业生产的这个特点的。至于林业，由于生产时间长，自然作用时间也长，使得资本家不去经营林业生产；在社会主义制度下，由于全面规划，合理安排，使植树造林与合理砍伐相结合，使一部分的林业劳动与农业劳动相结合，大大促进了林业生产的发展。由此可见，我党所制定的农林牧副渔业全面发展的方针，是根据马克思主义的基本原理，根据农业生产的特点制定出来的，是符合经济发展规律的，因而是正确的。

从农业生产的时间长，自然作用的时间也较长这一特点出发，对于如何提高农业中的固定资产的利用率，就是一个值得研究的问题。机器的折旧率，不是根据其使用期，而是根据它本身存在的时间来计算的，一台拖拉机，仅能在耕种中发生作用，一台收割机，也只能在收割时使用它，在自然作用时间内，机器会闲置，不仅会发生损耗，还会增加维修费用的支出，因此，如何提高农业机械的利用率，如利用拖拉机运输、发电，搞一些副业加工等等，充分发挥固定资产的作用，也是根据农业生产的上述特点，需要进行研究的问题。

第十四章

流 通 时 间

在第十二、十三章中，研究了生产时间（包括劳动时间和非劳动时间）对资本周转的影响；在本章，就要研究流通时间对资本周转的影响。在第五章中，虽然也研究过流通时间，但那是从价值增殖的角度出发的；在本章，就要从资本周转角度出发来研究。“资本的周转时间等于它的生产时间和它的流通时间之和。”在生产时间相同的情况下，流通时间的长短不一，就会造成周转时间的长短不一，直接决定着资本周转的速度和预付资本的量。正如马克思在研究生产时间对资本周转的影响时，暂时把流通时间舍象掉一样，在这里，研究流通时间对资本周转速度的影响时，也暂时把生产时间舍象掉。虽然生产时间和流通时间都是资本周转时间的决定因素，但这样做，会使读者更容易理解些。

流通时间是由出售时间和购买时间组成的。下面就对这两部分进行分析。

出 售 时 间

出售时间，是由“资本处在商品资本状态的时间构成的”，是由商品资本转化为货币资本（$W'—G'$）的时间。相对地说，这个时间最有决定意义。为什么呢？因为商品如果卖不出去，既不能实现价值，也不能实现剩余价值，商品无法转化为货币，再生产不能继续进行，资本家就不能实现榨取剩余价值的目的；再者，“流通时间，从而整个周转期间，是按照这个时间[①]的相对的长短而延长或缩短的”。如果出售时间较短，资本周转就较快，因而利润率就较高。这与资本家不仅追求剩余价

① 指出售时间。

值，而且要追求更高的剩余价值的目的是密切相关的。所以，出售时间对于资本家来说是最有决定意义的。

不同的生产部门的产品，它的出售时间是不一样的。同一生产部门的产品，在不同的企业之间，它的出售时间也是不一样的。为什么呢？出售时间大致包含两个方面，一是商品运往市场的时间，一是商品在市场上等候出售的时间。由于每个企业都有其特殊情况，它们的出售时间就不可能完全一致。现在我们就来看看，决定出售时间长短的因素是什么？它们对资本周转有怎样的影响？

从商品在市场上等候出售的时间来看，市场情况的变动，对商品能否售出以及出售时间的长短有着很大的影响。对这个问题，马克思没有专门进行分析，因为在以前或以后，都已经或将要进行研究。比如说，市场上的供求关系问题，购买力大小的问题，资本家之间的竞争问题，市场容量的大小问题，等等，都会直接影响着商品的售出。在这里，不仅表现这一商品出售较快，那一商品出售较慢；而且表现为，不同资本家的同一商品，有的售出较快，有的售出较慢。

首先，从商品运往市场的时间来看，"商品的销售市场和生产地点的距离，是使出售时间，从而使整个周转时间产生差别的一个经常性的原因"。在商品运往市场的全部时间内，资本完全束缚在商品资本的形态上。如果商品生产地离市场较远，这段时间就较长，因而出售的时间也较长，资本周转也较慢。反之，如果商品生产地离市场较近，这段时间就较短，因而出售的时间也较短，资本周转也较快。这段时间不仅取决于运输时间，还取决于是否按订货生产。如果商品是按订货生产的，那么，资本停留在商品资本形态上的出售时间，就到交货时为止；如果商品不是按订货生产，而是为市场生产的，那么，在商品运到市场的时间上，还要加上商品在市场上等候出售的时间。

其次，交通运输条件的好坏，对出售时间的长短也有重大作用。从一方面看，交通运输工具越发展，商品运往市场的时间就越缩短，因而出售的时间就越短，资本周转也越快，所以马克思说，"交通运输工具的改良，会绝对缩短商品的移动期间"。在资本主义制度下，交通运输业发生了彻底的变革。1807 年开始建造轮船。1825 年开始铺设铁路，19 世纪末叶出现了汽车，20世纪初期又出现了飞机，并广泛地建立了各种现代化的运输系统。这都对缩短商品出售时间，发展资本主义的生产和流通，起着巨大作用。当然，由于交通运输工具的发展，绝对地说，运输时间是缩短了，但相对地说，远近的差别还是存在的。例如，从北京到广州，改汽车运输为火车运输，运输时间是绝对地缩短了，但北京到广州，比北京到天津，相对地说，广州还是较远的，这就是说，远近的“相对的差别仍然存在，虽然往往是缩小了”。当然也会有另外一种情况：交通运输工具改进以后，不仅绝对地缩短了运输时间，在相对差别上也发生变化，即“这种相对差别会以一种与自然距离不一致的方式发生变化”。例如，较远的地方，运输的时间反而短；较近的地方，运输时间反而长。这就往往引起旧的生产中心的衰落和新的生产中心的兴起。但是，不管怎样变化，只要交通运输工具发展了，不仅在空间运动的速度加快了，而且空间距离在时间上也缩短了，不仅交通工具的数量增多了，而且运输的线路增加了，班次也增加了，这样，商品不仅能很快地运到市场上，而且资本的回流也加快了，结果，“总流通时间就缩短了，因而周转也缩短了”。交通运输业的发展，既产生了大生产中心、人口中心和大的输出港口；同时，随着生产和人才市场的集中、人口的集中，又使大量资本也集中在少数人手里，促进了资本主义的发展。从另一方面看，随着资本主义生产的进步，交通运输工具的发展又引起了开拓越来越远的市场，即开拓世界市场的可能性。本来，在交通运输不发达的情况下，是不可能将商品运销到远方市场的；运输工具的发展为运销商品提供了可能条件，因而运往远方的商品会大大增长，这就要以较大的一部分资本处于商品资本阶段，并存在于向远方市场运输的过程中，这样，既使投在交通运输工具上的社会资本增加了，又使处在待出售的商品形态上的流通资本也增加了，这就是说，由于远方市场的开辟，使投资增加，出售时间延长，资本周转的速度也就必然较慢了。

再次，供货契约对出售时间也有一定的影响。简单地说，供货契约就是供销合同，它规定着出售商品的品种、数量、质量、价格和供应时间，是在买者和卖者之间进行的，这是与市场（即流通领域）有关的业务行为。按照供销合同的规定，一方交出货物，随即取得货款；一方取得货物，同时要交出货币。因此，由于供销合同的事先规定，这就减去了商品在市场上等候出售的时间，甚至商品还可以不进入市场，直接从工厂主那里运到购买者手中，这样，就使出售时间缩短，由此也引起周转时间的缩短。“由此引起的周转时间的差别，是由流通领域引起的，不过这种差别又反过来直接影响生产领域”。为什么呢？因为供销合同规定的货物是有一定的数量的，假定这些数量的订货是要一次交清的，像煤炭、棉纱这类商品，每天都有成品生产出来，当生产出来的成品还没有达到订货的数量之前，它们就暂时堆放仓库中，只有等到这种商品的数量达到订货的数量时，才按供销合同交给购买者，因此，当产品还未达到订货数量而储藏在仓库中时，这部分商品资本就积压在生产领域，不能立即进行流通，这就是由供销合同反过来对生产领域的直接影响。

随着资本主义的发展，供销合同的范围和规模一同扩大，用于这方面的出售时间也日益减少。

购 买 时 间

购买时间，即“资本由货币形式再转化为生产资本要素的时间”，即 $G—W<\begin{matrix}A\\Pm\end{matrix}$ 所经历的时间。在这期间，全部预付资本的一定部分，必须不断地处于货币资本的状态。这是因为：一方面，资本家要把手中已经掌握的货币资本用来不断地购买生产资料和劳动力等生产资本要素；另一方面，他又不断地出售商品，不断地使商品资本转化为货币资本。这种不断地处于货币资本形式上的资本，是预付资本的一定价值部分，“不是属于生产领域，而是属于流通领域的形式”。

有哪些因素决定着购买时间的长短呢？

一是市场距离。它是指生产者的所在地和原材料等生产资料的供应地之间的距离，直接决定着购买时间的长短。如果距离较长，在购买时需要有较多的运输时间，购买时间就越长，资本周转也较慢；反之，则相反。在这里，交通运输条件，同在出售时间中所起的作用一样，它也直接决定着运输时间的长短，从而直接决定着购买时间的长短。

二是生产储备。如果市场较近，运输方便，从市场上获得原材料有可靠的保证，就不需要有较多的生产储备品，因此用于购买储备品的货币资本就较少，资本周转的速度就较快。反之，需要的生产储备品较多，用于购买生产储备品的货币资本也较多，资本周转的速度就较慢。由于生产储备品的大量增加，“在生产规模不变的情况下，必须一次预付的资本量就会增加，资本必须预付的时间也会延长”。

三是原材料生产的季节性。有些原材料的生产是有季节性的，例如，榨糖用的甘蔗，只有在甘蔗生长成熟时才会上市。原料上市的季节性，决定着它们的主要购买日期，因此，在这个时间里，就要大量购买，预付的流动资本也要大量增加。在这里，不仅生产储备的时间延长了，而且购买时间也延长了，因为资本必须有较大部分在这方面进行预付。

必须注意，在购买时间中，资本是不断处于货币资本状态上的。但我们考察的，不是商品资本如何转化为货币资本，那是出售时间所研究的问题。我们所要考察的最主要的问题是，预付资本有多大一部分必须不断处于货币的状态，从而它对资本周转有何影响，这个问题，在下一章中将进行研究。

■ 从第十二章到第十四章，研究生产时间和流通时间对资本周转速度的影响，在这里，马克思进行了理论结合实际的、有说服力的辩证分析。例如，在研究交通运输工具的发展时，既分析了它如何缩短市场距离，减少运输时间，提高周转速度的一面，又分析了它如何开拓远方市场，增加流通资本，延长了流通时间，延缓了周转速度的另一面。又如，既分析了由于供货契约的发展，减去了商品在市场上等候出售的时间，从而缩短了出售时间，加速了资本周转的一面，又分析了由于每天成品量只是订货量的一部分，必须存放起来，因此使仓库里的储存品增加，使这些商品资本不能立即转化为货币，从而延缓了资本周转的另一面。这样全面地辩证地分析它们对资本周转的影响，是唯物辩证法的具体运用，是我们必须注意学习的方法论。

在这三章的分析中，还进一步证明了，随着资本主义的发展，随着科学技术的进步，生产时间和流通时间都出现缩短的趋势。资本家为了榨取更多的剩余价值，就要千方百计地缩短生产时间和流通时间，加速资本的周转。先进技术的采用和先进科学的发展，对生产时间和流通时间的缩短起着决定性作用，在资本主义条件下是如此，在非资本主义条件下也是如此。因此，我们在社会主义建设中，要不断地提高劳动生产率，就要尽可能地缩短生产时间和流通时间，节约流通费用，做好产供销各个环节的协调工作，加速资金周转，这就要求既要加强对科学技术的研究，又要注意把先进的科学技术应用到生产中去，使科学技术真正发挥第一生产力的作用。

马克思对生产时间和流通时间的研究，其着眼点在于：研究资本周转的速度，以及它们怎样影响着利润率的高低，这就是说，是从资本主义的经济条件出发的。但生产期间包括劳动时间和非劳动时间，在任何社会的生产过程都是存在的，包括出售时间和购买时间的流通时间，在有商品经济的社会里也都是存在的；我们如果撇开它们的资本主义实质，上述一般的基本原理对于社会主义的生产和流通，也都是适用的。为了建设中国特色社会主义，发展社会主义的工业、农业、商业和交通运输事业，就要认真学习马克思的上述原理，并从实际出发进行研究和运用。

第十五章

周转时间对预付资本量的影响

“在这一章和后面的第十六章，我们要考察周转时间对资本价值增殖的影响。”这里所说的“资本价值增殖”，主要是对剩余价值的实现而言。资本周转时间的长短，和作为周转时间构成的变化，对资本价值增殖会产生怎样的影响呢？一是对预付资本量的影响，另一是对年剩余价值率的影响。本章着重论述前者，下一章则论述后者。本章在考察对预付资本量的影响时又特别谈到，产业资本的一部分必须不断处于货币形式上。关于这一点，恩格斯曾经指出：“本文的要点在于论证：一方面，产业资本的一个可观的部分必须不断处于货币形式；另一方面，一个更加可观的部分必须暂时取得货币形式。”① 这里所说的要点，也是马克思在第十四章末曾指出的问题，即“我们在下一章会看到：另一些情况——不管它们发生在生产过程还是流通过程——怎样使预付资本的一定部分必须以货币形式存在”②。

本章共五节，前四节主要说明：在其他条件不变的情况下，资本周转时间的构成的变化对预付资本量的影响；第五节主要说明：在其他条件不变的情况下，价格变动对预付资本量的影响。

周转时间的构成对预付资本量的影响

前面说过，资本的周转时间是由生产时间和流通时间构成的，资本周转的时间愈长，周转速度就愈慢，为了维持生产的连续性，需要投入预付资本的量就愈大；反之，资本周转的时间较短，周转速度就较

① 《资本论》第2卷，人民出版社2004年版，第316页。
② 《资本论》第2卷，人民出版社2004年版，第284页。

快，需要投入的预付资本量就较小。那么，为什么周转时间长会使预付资本的量增加呢？

假定有一个商品资本，是 9 周劳动期间的产品，为了考察方便起见，假定生产时间和劳动期间相一致，假定这个产品的价值只等于流动资本的价值（至于由固定资本平均损耗追加到产品中去的那部分价值和在生产过程中追加到产品中去的剩余价值，暂且不谈），又假定 9 周共预付流动资本价值 900 元，每周预付 100 元（如原材料、工资等等），再假定这个资本的流通时间是 3 周，资本周转的全部时间（生产时间 9 周加流通时间 3 周）是 12 周。那么，9 周的生产时间完了以后，预付的生产资本转化为商品资本，它还要有 3 周留在流通时间，而新的生产时间要到第 13 周才开始，因此，在这流通时间的 3 周内，就要停止生产。也就是说，在四分之一的时间内，生产会中断。这种生产中断，对资本家是不利的，因为在停止生产的时间里，生产资料会失去劳动吸收器的作用，不能为资本家带来剩余价值。因此，资本家为了避免生产中断，使生产能够连续进行，只有两种办法：

一种办法是：缩小生产规模。把 900 元的资本价值分在 12 周内使用，即每周预付资本 75 元，这样，在 9 周的第一个劳动期间中，预付出生产资本 675 元，并使之转化为商品资本，进入流通过程；其余的 225 元用于第一个周转的最后 3 周的流通时间内，继续进行第二个劳动期间的生产；等到 3 周的流通时间结束，225 元刚刚预付掉以后，由第一个劳动期间转化成为商品资本的 675 元又以货币形态流回，这时正好用它继续投入第二个劳动期间。这样，生产就可以继续进行，不致中断了。但是，这种方法不是一般地都能实行的，因为任何企业的投资都有一个标准的最低限额，如果达不到这个最低限额，就不可能在竞争中支持下去。(这个标准最低限额本身，不是固定的，是随资本主义生产的发展而不断增长的。除这个标准的最低限额外，还有不断扩大的标准的最高限额，在这个标准最低限额和标准最高限额之间，有许多中间阶段，从而形成不同的投资程度的中位，使投资可以扩大或缩小。在生产遇到障碍时，可以缩短生产时间，限制流动资本的支出，使投资缩小；在生产繁荣时，可以通过延长劳动时间，提高劳动强度等方法，扩大流动资本的支出，从而使投资扩大。这种投资的扩大或缩小，只是在标准最低限额和最高限额之间进行。但这不是在这里所要研究的问题。）

另一种办法是：追加流动资本，即增加预付的资本量。如上例，除去生产时间预付资本900元外，再追加300元资本，即把预付资本从900元增加到1200元，当在9周中完成第一个劳动期间、转化成商品资本的900元停留在3周的流通时间中时，就以新追加的300元资本投入生产。这样，从第10周起，就开始了第二个劳动期间；等到第12周末追加的300元资本用完后，原先的900元已从商品资本转化为货币资本，就可以用它继续投入第二个劳动期间，使生产连续地进行下去。

在资本主义社会里，缩小生产规模的办法一般地说对资本家是不利的；特别是随着资本主义的发展，各生产部门的投资标准都在不断提高。因此，资本家为了使生产能够继续进行，大都是采取追加投资、增加预付资本量的办法。这就使得资本周转的时间越长，资本家为要实现一定量的剩余价值，需预付的资本量就越大。

这样，为了使生产能够继续进行，必须根据生产时间和流通时间的长短，把预付资本分为两个部分：一部分是，原来投入劳动期间内进行生产而预付的资本，称为第一资本，即资本Ⅰ，如上例中的900元；另一部分是，为在流通时间内继续生产而追加的资本，称为第二资本，即资本Ⅱ，如上例中的300元。这样，在12周的资本周转时间内，前9周，资本Ⅰ在生产过程发生作用，这时，资本Ⅱ虽然暂时处于闲置状态，但必须作为准备金而存在着；后3周，资本Ⅰ作为商品资本，进入流通过程；资本Ⅱ就进入生产过程，使生产继续进行下去。

马克思举了三个例子来论证上述情况。第一例（第287页第2段到289页第1段），假定劳动期间9周，流通时间3周，预付资本是资本Ⅰ900元加资本Ⅱ300元，合计1200元。第二例（第289页第2段到第3段），假定劳动期间5周，流通时间5周，预付资本是资本Ⅰ500元加资本Ⅱ500元，合计1000元。第三例（第290页第1段到第2段），假定劳动期间6周，流通时间3周，预付资本是资本Ⅰ600元加资本Ⅱ300元，合计900元。通过上述三例，说明了下述四个问题：

第一，在劳动期间和流通时间形成周转期间相等的两半（如第二例）时，资本Ⅰ和资本Ⅱ的运动是分别进行的；如果周转期间的这两部分又不相同（如第一、第三例），资本Ⅰ和资本Ⅱ的运动，就互相交叉地进行着。

第二，追加资本Ⅱ和原预付资本Ⅰ同样地加入资本周转，因此前者同后者一样，也是由它的周转次数来决定它的数量，因此，追加资本Ⅱ的数量，不是由它在一年内流通时间的总量决定的，而是由流通时间和周转期间之比决定的，也就是说，是由一个周转期间内的流通时间所支的资本量决定的（如第二例，追加资本Ⅱ是500元，不是2500元）。

第三，追加资本Ⅱ的目的是为了保证生产不受流通时间的影响而能继续进行，因此，如果生产时间延长，或者是，生产时间比劳动时间长，只能使周转期间延长，但却不会引起追加资本Ⅱ在量上的增加。

第四，资本Ⅰ要分为两部分：一部分投在不变的流动资本上，如以原材料形式存在的生产储备，或以货币形式存在供人利用；一部分投在可变的流动资本上，如以货币形式存在的以便作为工资支付劳动报酬的部分。资本Ⅱ同样也要分割为两个部分：一部分是已经转化为不变的流动资本，处于原材料的储备形态，其中还“会不断地有相当大的部分长期处于货币资本的状态”；另一部分是要预付在工资上的那部分，“要在整个劳动期间内处于货币资本的形式，直到它由于转化为劳动力而参加执行生产资本的职能的时候为止”。因此，为了保证生产的继续进行，追加了资本Ⅱ，这就使得：预付资本的量增加了（如第一例，由900元增为1200元），总资本必须预付的时间增加了，这种增加的资本部分，特别是会作为货币资本的形式而存在，“因而处于货币资本的状态并且具有可能的货币资本的形式的那一部分预付资本”增加了。这也就是说，由于在流通时间内追加了资本Ⅱ，预付资本的量就会加大，货币资本的需要就会增加，资本家就要把更多的货币资本掌握在手中。

“总的说来，资本这样分为原有生产资本和追加资本，其结果就是：各个劳动期间有不间断的连续性，预付资本的一个等量部分作为生产资本不断地执行职能。”

周转时间构成的不同情况怎样决定着资本的一部分必须采取货币的形式

从第295页到316页的3节中，马克思研究了周转时间构成的不同情况，即劳动期间等于、大于、小于流通期间的三种不同情况，怎样决定着资本的一部分必须采取货币资本形式。同时还说明，在上述不同情况下，总资本的周转次数和总资本的周转额的计算方法。

Ⅰ. 劳动期间和流通期间相等

在这里，假定劳动期间和流通期间完全相等，即假定周转期间是9周，劳动期间和流通期间各为4周半（$4\frac{1}{2}$周），那么，资本Ⅰ和资本Ⅱ的运动，就只是互相交替，而不会互相交叉。这就是说，资本Ⅰ处在劳动期间时，资本Ⅱ就处在流通期间；如果相反，资本Ⅱ处在劳动期间时，资本Ⅰ就处在流通期间。假定一年为51周，每周投资为100元，在51周内，资本周转的实际情况是：从第一周开始投下的资本Ⅰ（450元），一年周转$5\frac{2}{3}$次，$5\frac{2}{3}\times 450$元（预付资本）＝2550元（资本周转额）。从4周半开始投下的资本Ⅱ（450元），在这一年内，只周转了$5\frac{1}{6}$次，$5\frac{1}{6}\times$450元（预付资本）＝2325元（资本周转额）。所以，这一年实际的资本周转总额是：

周转次数×预付资本＝资本周转额

资本Ⅰ的周转额是　$5\frac{2}{3}\times 450=2550$元

资本Ⅱ的周转额是　$5\frac{1}{6}\times 450=2325$元

总资本的周转额是　$5\frac{5}{12}\times 900=4875$元

在这一年内，总资本周转 $5\frac{5}{12}$次。那么，总资本的周转次数怎样计算出来的呢？马克思指出："总资本的周转次数等于资本Ⅰ和资本Ⅱ的周转额之和除以资本Ⅰ和资本Ⅱ之和"[①]。或者说，"总资本的周转次数，等于两个周转额之和除以两个预付资本之和。"[②] 如上例，总资本周转次数的公式是：

资本Ⅰ周转额　　资本Ⅱ周转额　　总资本周转额

$$\frac{450\times 5\frac{2}{3}+450\times 5\frac{1}{6}}{\text{资本Ⅰ}450+\text{资本Ⅱ}450}=\frac{4875}{\text{总资本}900}=5\frac{5}{12}\text{次（总资本周转次数）}$$

如果社会资本只是由资本Ⅰ和资本Ⅱ构成，上述对某企业的资本的周转次数的计算方法，对社会资本的周转次数的计算也完全适用。但是归根结底，"社会总资本的周转次数，等于不同生产领域内的周转资本额除以这些生产领域内的预付资本额"。这就是：

$$\text{社会资本的周转次数}=\frac{\text{不同生产领域内的周转资本总额}}{\text{生产领域内的预付资本额}}$$

Ⅱ. 劳动期间大于流通期间

假定周转时间为 9 周，其中，劳动期间为 6 周，流通期间为 3 周，在这里，"资本Ⅰ和资本Ⅱ的劳动期间和周转期间会互相交叉，而不是互相交替。同时这里还发生资本游离。这种情况是以上考察的场合所没有的"。

那么，资本Ⅰ和资本Ⅱ的运动怎样互相交叉呢？因为流通期间只有 3 周，它只是劳动时间的一半，这就决定，资本Ⅱ没有自己独立的劳动期间和生产期间，而是依附于资本Ⅰ的。当资本Ⅰ完成劳动期是转入流通

① 《资本论》第 2 卷，人民出版社 2004 年版，第 299 页。
② 《资本论》第 2 卷，人民出版社 2004 年版，第 300 页。

期间时，资本Ⅱ的300元就加入劳动期间，这就使得资本Ⅰ每次劳动期间的开始，同时又是每次周转的开始；但资本Ⅱ不能单独完成一个劳动期间，它必须随资本Ⅰ之后，插入劳动期间，并不断地经过流通期间，才能完成一次周转。至于在周转过程中资本Ⅰ和资本Ⅱ互相交叉的详细情况，马克思在这一节中举了三个例子（第一例：第300页第3段到303页第3段；第二例：第303页第4段到304页第2段；第三例：第304页第3段到305页第1段）来加以说明，最后他指出，“在假定劳动期间大于流通期间的场合，无论如何，在每个劳动期间结束时，总会有一个货币资本游离出来，它的量和那个为流通期间而预付的资本Ⅱ的量相同”。在书中所举的三个例子中，游离出来的货币资本，第一例是300元，第二例是400元，第三例是200元。

Ⅲ. 劳动期间小于流通期间

在劳动期间小于流通期间时，有两种情况，一种是流通期间是劳动期间的简单倍数，另一种则不是简单倍数，马克思分别举了两例来论证。

当流通期间是劳动期间的简单倍数时，例如：在9周的周转期间中，劳动期间为3周，流通期间为6周，这样的结果是，不是有两个资本，而是有三个资本在互相交替，而不是互相交叉，这样，同劳动期间等于流通期间的情况一样，资本Ⅰ、资本Ⅱ、资本Ⅲ，都是“有规则的、完全的交替排除着任何资本游离”。

当流通期间不是劳动期间的简单倍数时，例如：在9周的周转期间中，劳动期间为4周，流通期间为5周，资本的Ⅰ、Ⅱ、Ⅲ就会发生资本交错的现象，在资本Ⅰ和资本Ⅱ的劳动期间结束时，都有一个与资本Ⅲ相等的量100元游离出来。“因此，只要流通期间不是劳动期间的简单倍数，劳动期间结束时就总会有资本游离出来；并且这个游离资本正好和那个把流通期间超过劳动期间（或其倍数）的那段期间填补起来的资本部分相等。”

Ⅳ. 结　　论

根据对上述三种情况的研究，可以得出如下结论：

第一，为了使生产能够继续进行，资本必须分为两部分，一部分处在劳动期间，一部分处在流通期间。在劳动期间和流通期间相等的情况下（如第一节），或者在流通期间比劳动期间长，但同时又是劳动期间的简单的倍数的情况下（如第 305 页到 307 页第 2 段的例子），“依次预付的资本没有一个部分游离出来”。

第二，如果是在流通期间大于劳动期间，但不是劳动期间的简单倍数的情况下（如第 307 页第 3 段到 309 页第 1 段的例子），或者在劳动期间大于流通期间的情况下（如第二节的三个例子），“全部流动资本从第二个周转起，在每个劳动期间结束时，就有一部分不断地、周期地游离出来”。这种游离出来的资本，在劳动期间大于流通期间的时候，和流通期间预付的那部分资本相等；在劳动期间小于流通期间的时候，“则和那个把流通期间超过劳动期间（或其倍数）的那段期间填补起来的资本部分相等”。

第三，从社会生产的情况看，上述第一点，劳动期间等于流通期间，或流通期间只是劳动期间的简单倍数，只是例外的情况；而上述第二点，资本的游离，则是经常存在的必然现象。“因此，一年周转多次的社会流动资本有相当大的部分，在年周转周期中，周期地处于游离资本的形式。”随着资本主义生产的发展，这种游离资本的量，还和劳动过程的范围或生产的规模一起增大。

第四，上述游离资本的“相当一部分必须不断具有货币资本的形式”。那么，这种具有货币资本形式的游离资本最高限度和最低限度是什么呢？它的最高限度，可以包括全部游离资本；它的最低限度，要等于投在工资上的可变资本部分。例如：在 9 周的周转时间内，劳动期间为 6 周，流通期间为 3 周，每周投资 100 元，在第二个劳动期间结束时，有

300元游离出来，假定这300元，$\frac{1}{3}$投在工资上（100元），$\frac{2}{3}$投在原材料上（200元）。因此，在这300元的游离资本中，至少要有100元具有游离资本的货币形式，以便用于支付工资；至于投在原材料上的200元，也可能以原材料的实物储存着，也可能处于货币形式上以便随时用来购买原材料。“可见，以货币资本形式游离出来的资本，至少要等于投在工资上的可变资本部分；它的最高限度可以包括全部游离资本。事实上，它是不断地在这个最低限度和最高限度之间来回变动。”

从第313页第3段到314页第3段，进一步研究流通时间的变动对预付资本量的影响问题。如果流通时间缩短了，例如，流通时间由3周缩短为2周，就会减少为1周流通时间而预付的资本（例如100元），这种资本一旦由商品转化为货币，就会停留在货币资本状态，从而就会以货币资本形式与其他的预付资本分离出来，作为货币资本进入货币市场。这就是说，由于流通时间缩短，预付资本就会减少，就会出现货币资本过剩的现象。相反，如果流通时间延长，就会引起预付资本的增加，这种增加额只能从货币市场取出，从而给货币市场造成压力，增加了对货币资本的需求。

从第315页第1段到316页，括弧内的文字是恩格斯对本章所加的注。在注中，恩格斯指出了本章研究的重点，并对上述情况作了进一步的说明。

Ⅴ. 价格变动的影响

在其他条件不变的情况下，价格变动对预付资本量的影响

上述四节所说的，是在其他条件不变的情况下，资本周转时间的构成的变化对预付资本量的影响。现在就要说明，在其他条件不变的情况下，价格变动对预付资本量的影响。

价格变动主要表现在两方面，一是流动资本要素（包括原材料和工资）价格的下跌或上涨；一是企业提供市场的商品价格的下跌或上涨。

这两方面的价格变动会出现下列四种情况：

一是原材料和工资的价格下降。例如，价格下降了一半，则每周需要的预付资本不是 100 元，而是 50 元，一个 9 周的周转期间，就不需要预付资本 900 元，而只需要 450 元。这样，生产规模不变，年产量也不变，只是产品的价值减少了一半，结果是：原来作为预付资本的 450 元，现在从原来的生产过程中游离出来。这样游离出来的货币，应该作为资本继续发生作用，它或者作为货币资本投入市场；或者另行经营一个同等规模的企业；或者仍和生产过程中的 450 元相结合，作为预付资本(900 元)，经营一个规模扩大一倍的企业。这就是说，在流动资本要素价格下降的情况下，预付资本的量减少了。

二是原材料和工资的价格上涨。例如，价格上涨了一半，每周需要的预付资本不是 100 元，而是 150 元，在一个 9 周的周转期间，不是需要预付资本 900 元，而是需要 1350 元，如果该企业要按原有规模继续经营下去，就要追加投资 450 元。这就是说，在流动资本要素价格上涨的情况下，预付资本的量增加了。

三是流动资本要素的价格不变，但企业提供市场的商品价格下跌了。例如，商品资本 600 元，由于价格下跌之故，只售得 500 元，因此，预付资本价值的$\frac{1}{6}$即 100 元未能从流通过程流回，而是在流通过程中丧失了。为了使生产按原有规模继续进行，仍需用 600 元购买生产要素，这样，就要支付出 100 元的追加的货币资本。这就是说，在企业提供市场的商品价格下跌的情况下，就要增加预付资本的量。

四是流动资本要素的价格不变，但企业提供市场的商品价格上涨了。例如，商品资本 600 元，由于价格上涨之故，可售得 700 元，这多售得的 100 元，是商品价格的$\frac{1}{7}$，不是从生产过程产生，也不是在生产过程中预付，“而是从流通过程流出的”。为了使生产按原有规模继续进行，只需用 600 元购买生产要素，这样，就有 100 元在货币资本形式上游离出来。这就是说，在企业提供市场的商品价格上涨的情况下，就有一部分货币资本游离出来。

根据以上的分析，下述三种情况都会影响预付资本的量。

第一种情况：生产规模不变，生产要素和产品的价格不变，流通期间从而周转期间发生变动。假定周转期间是 9 周，劳动期间是 6 周，流通期间是 3 周，如果流通期间缩短了，由 3 周缩短为 2 周，周转期间就缩短为 8 周，原来作为预付流动资本的 900 元，现在只要 800 元，生产过程就能以同一规模进行，这样，就有 100 元资本分离出来，成为货币市场的一个新的组成部分，从而形成新的货币资本。这 100 元之所以能够分离出来，是因为流通时间缩短了一周。这种流通时间的缩短，可能是由于商品出售时间的缩短，即从商品资本到货币资本转化过程的时间缩短造成的；也可能是由于购买生产资本要素的时间缩短，即从货币资本到购买生产资料要素（生产资料和劳动力）的时间缩短造成的（如改进运输方法，就可缩短购买时间）；还可能是由于原材料本身生产的劳动期间缩短，可以在较短时间内更新，从而引起生产储备的减少所造成的。相反，如果流通时间延长了，从而周转期间也延长了，例如，流通时间由 3 周延长至 4 周，就要增加 100 元的预付资本。总之，流通时间缩短，就会引起预付资本量的减少；流通时间延长，就会引起预付资本量的增加。

第二种情况：原材料的价格发生变动，其他条件不变。例如，在 900 元的总资本中，以 720 元投在原材料上，以 180 元投在工资上，如果原材料价格下降一半，投在原材料上的资本Ⅰ和资本Ⅱ，只要 360 元就够了，因此，就有 360 元分离出来。这种分离出来的资本部分，“就会由于它要周期地再转化成的生产要素的价格下跌而变成多余的”。如果价格下降不是偶然的情况，那么这部分资本就要转入货币市场，另找出路。相反，如果原材料价格上涨，要保持原有的生产规模，就要有相应的追加资本。

第三种情况：产品本身的市场价格发生变动。如果产品价格下跌，就会丧失一部分资本，买者一方就会得利，但卖者一方就要追加投资。如果产品价格上涨，资本家就会从流通中占有一个不是他所预付的资本部分，如果生产仍按原有规模进行，这部分资本就会成为可分离的货币资本。如果价格上涨是暂时的，卖者之所得，正是买者之所失，卖者一方就会出现游离资本。

总之，上述三种情况是马克思对本章要点的重复概括。第一种情况概括了前四节的问题，第二、三种情况概括了第五节的问题。学习时可以参看。

■ 现在，我们再来回顾恩格斯的话："本文的要点在于论证：一方面，产业资本的一个可观的部分必须不断处于货币形式；另一方面，一个更加可观的部分必须暂时取得货币形式。"那么，为什么资本的一部分必须采用货币的形式呢？这是因为：第一，在流通期间，一方面必须把商品资本转化为货币资本，另一方面，又必须用货币资本购买生产要素，在这个阶段上，"这个资本的相当一部分必须不断具有货币资本的形式"①。第二，用于支付工资的资本部分必须"保持货币形式"②。因为资本家购买劳动力以后，不能把它像原材料那样放在仓库里。他必须把劳动力投入生产过程并在一定时间支付报酬。第三，用于原材料的流动资本的不变部分，可以作为储备品而储藏在仓库里，也可以作为货币资本形式暂时储存在资本家手中，这种货币资本形式的储存量与储备品的储存量的比例，也就是究竟需要多少储备品，这是由市场的远近、运输时间的长短、购买的难易、生产的条件和性质等多方面因素决定的，但为了用于购买原材料而暂时取得货币形式的资本，必然有一部分存在着。第四，由于流通时间的缩短而引起周转时间的缩短，从而游离出一部分资本，"因此它就形成新的货币资本"③。第五，由于市场商品的价格上涨，"从流通过程流出的"④ 一部分资本，就要游离出来，它也会采取货币资本形式。这些情况说明了资本的一部分必须不断采取货币形式，而更大的一部分必须暂时采取货币形式的原因。至于以货币形式存在的这部分资本，与信用、货币市场等等的关系，那是在《资本论》第三卷中所研究的问题。

---

① 《资本论》第2卷，人民出版社2004年版，第312页。
② 《资本论》第2卷，人民出版社2004年版，第312页。
③ 《资本论》第2卷，人民出版社2004年版，第320页。
④ 《资本论》第2卷，人民出版社2004年版，第318页。

第十六章

可变资本的周转

在上一章考察了资本周转时间的长短对预付资本量的影响以后，在本章中，就要考察可变资本周转的速度对年剩余价值率的影响。大家知道，资本家的预付资本是由不变资本和可变资本构成的，不变资本是剥削剩余价值的必要条件，只有可变资本才是创造剩余价值的唯一源泉。如果剩余价值率已定，可变资本周转的速度越快，资本家每年剥削到的剩余价值就越多。因此，研究可变资本周转的目的，主要是看它对价值增殖所产生的影响。

本章共三节：第一节，通过对年剩余价值的分析，研究可变资本周转对剩余价值的关系，这是本章最重要的内容；第二节，研究个别企业的可变资本的周转；第三节，从社会的角度考察可变资本的周转。实际上，这三节都是在考察：流动资本中的可变资本部分，怎样在特殊的周转中创造补偿的价值和剩余价值。

Ⅰ. 年剩余价值率

年剩余价值率

为了研究方便起见，假定全部资本都由流动资本构成（暂时把固定资本撇开），假定流动资本又全部由可变资本构成（暂时把流动资本中的不变资本部分撇开），在这样的前提下，有 A、B 两个企业，（1）它们每周用于支付工资的可变资本都是 100 元；（2）它们的剩余价值率都是 100%，每周都剥削到 100 元的剩余价值。但是，它们的周转速度不同，A 企业的周转期间是 5 周，每年暂以 50 周计算，每年周转 10 次；B 企业的周转时间是 50 周，每年周转 1 次。由于 A 企业 5 周周转一次，每周要支出可变资本 100 元，5 周共支出可变资本 500 元，这是 A 企业预付的可变资本；由于 B 企业 50 周周转一次，每周支出可变资本 100 元，50 周共支出可变资本 5000 元，这是 B 企业预付的可变资本。这就是说，A、B 两个企业，由于周转的情况不同（A 是 5 周、B 是 50 周），因而预付的可变资本也不同（A 是 500 元，B 是 5000 元），但它们剥削到的剩余价值量则相同（都是每周剥削 100 元的剩余价值，全年 50 周，剥削 5000 元的剩余价值）。

“我们把一年内生产的剩余价值总额和预付可变资本的价值额之比，称为年剩余价值率。”例如，A 企业的年剩余价值率，就是以预付可变资本 500 元，和当年剥削到的剩余价值总量 5000 元相比，$\frac{5000}{500}=1000\%$，即年剩余价值率为 1000%；B 企业的年剩余价值率，就是以预付可变资本 5000 元，和当年剥削到的剩余价值总量 5000 元相比，$\frac{5000}{5000}=100\%$，即年剩余价值率为 100%；A 和 B 这两个企业，之所以有不同的年剩余价值率，是由于它们资本周转的速度不同，因而预付的可变资本不同造成的。

必须注意，年剩余价值率和剩余价值率是不同的。剩余价值率是实际发生作用的可变资本同它所带来的剩余价值的比例，$m'=\frac{m}{v}$，它表示资本家对工人的剥削程度；年剩余价值率是年剩余价值总量和预付可变资本的比例，它表示预付可变资本的增殖程度。如以上例而言，A 企业就比 B 企业增殖程度大九倍。

年剩余价值率如何计算呢？“我们进一步分析这个比率就会知道，年剩余价值率，等于预付可变资本在一个周转期间内生产的剩余价值率乘以可变资本的周转次数”。例如，某个企业，使用的可变资本是 500 元，在一个周转期间生产的剩余价值也是 500 元，这时，剩余价值率就是 100%。如果一年周转一次，年剩余价值率恰好等于剩余价值率。如果一年内周转 10 次，就要以一个周转期间的剩余价值率（100%）乘以一年周转的次数（10 次），这就是：$\frac{5000m}{500v}=100\%\times10=1000\%$。这表示：可变资本的周转速度越快，年剩余价值率就越高。年剩余价值的高低，和可变资本周转的速度是成正比的。

一个周转期间的剩余价值量如何计算呢？马克思指出，这个量等于这期间内预付的可变资本的价值乘以剩余价值率。如上例，一个周转期间预付的可变资本 500 元，取得剩余价值 500 元，剩余价值率是 100%，因此，计算这个周转期间内的剩余价值量，就要以 500 元可变资本，乘以 100%的剩余价值率，这就是：$500\times\frac{100}{100}=500\times1=500$ 元。如果可变资本是 800 元，剩余价值率不变，剩余价值量就是：$800\times\frac{100}{100}=800$ 元。

上述 A、B 两个企业的情况说明：在其他条件相同的情况下，由于可变资本周转的速度不同，年剩余价值率就不同。资产阶级经济学者从这个现象出发，就错误地认为，在流通中也可产生剩余价值，“似乎剩余价值率不仅取决于可变资本所推动的劳动力的量和剥削程度，而且还取决于某些从流通过程中产生的无法说明的影响”。连坚持劳动价值论的李嘉图，也不能说明上述现象。他无法解释：耗费同量劳动的两种商品，只是由于它们的周转时间不同，为什么有不同的生产价格和不同的利润率？李嘉图学派的代表詹姆斯·穆勒就错误地认为，在流通中，积累的劳动也会创造价值。本来，穆勒是想在劳动价值论的基础上来说明上述现象，但结果却是使李嘉图的劳动价值论进一步庸俗化，使李嘉图学派陷入完全的混乱。

把可变资本区分为预付的可变资本和实际使用的可变资本，剩余价值率也才能分解为年剩余价值率和实际剩余价值率

剩余价值率是实际使用的可变资本和剩余价值的比率，年剩余价值率是预付的可变资本和年剩余价值量的比率，因此，要把剩余价值率分解为年剩余价值率和实际的剩余价值率，必须把可变资本区分为预付的可变资本和实际使用的可变资本。

所谓实际使用的可变资本，是指直接参加

劳动过程、起着直接生产剩余价值作用的那部分可变资本。以 A、B 两个企业为例，如以每周计算，它们每周都要付出 100 元的可变资本，这 100 元，就是直接参加劳动过程并生产剩余价值的资本。马克思在第 331 页第 3 段中指出：“在剩余价值率相等和工作日的长度相等时，只要同一时间内推动的劳动力的量（同等价格的一个劳动力乘以劳动力的人数）相等，所使用的可变资本量也相等。”例如：A、B 企业的一个工作日都是 10 小时，一周有 6 个工作日，即 60 小时，如果都有 10 个工人，每周即有 600 个小时，假定这 600 小时中创造出相当 200 元的新价值，其中补偿可变资本的价值 100 元，剩余价值 100 元，这样，A 企业每周可取得剩余价值 100 元，它要支付的可变资本也是 100 元，因为剩余价值率是 100%；B 企业也会同样取得 100 元的剩余价值并支出 100 元的可变资本。相反，如果 B 企业使用的不是 10 个工人而是 20 个工人，即推动的劳动力的量增加了一倍，实际使用的可变资本量也要增加一倍，即由 100 元增加到 200 元。

所谓预付的可变资本，是指在一个周期内需要的可变资本。例如，B 企业一年（即 50 周）周转一次，要投入可变资本 5000 元，这 5000 元是它的预付资本。在第一周内，投入 100 元作为实际使用的可变资本，另外的 4900 元则仅仅被预付，没有被使用，只是预付资本，不是实际使用的资本。它之所以要预付，只是为了在以后期间内被使用，以保证生产过程的正常进行。这部分预付资本，没有直接进入生产过程，没有在劳动过程中实际执行职能，“因此，对价值和剩余价值的形成也没有影响”。马克思说：“预付可变资本，只是在它被实际使用时，在它被实际使用的时间内，才作为可变资本执行职能；而在它没有被使用，仅仅被预付，充当储备的时间内，不作为可变资本执行职能。”

但是，由于周转期间的差别，就会使预付的可变资本和实际使用的可变资本发生差别。例如，A 企业 5 周周转一次，它的预付可变资本是 500 元，但每周都要有 100 元可变资本发生作用，全年 50 周，就要有 5000 元可变资本被实际使用；B 企业一年（50 周）周转一次，它的预付可变资本是 5000 元，实际使用的可变资本也是 5000 元。它们使用的可变资本相等，但预付的可变资本不一样。但是，剩余价值是由实际使用的可变资本生产的，不是由全部预付的可变资本生产的，在剩余价值率相等时，实际使用的等量可变资本，会生产等量的剩余价值。因此，A、B两个企业实际使用的可变资本既然都是5000元，剩余价值率也相等，都是100%，那么它们生产的剩余价值量也就相等，都是5000元。尽管它们预付的可变资本不同，A企业为500元，B企业为5000元，也不会使生产出的剩余价值量有所不同。但是，在这里，由于预付的可变资本和实际使用的可变资本的不同，却产生了实际剩余价值率和年剩余价值率的差异。因为实际剩余价值率是以实际使用的可变资本和它生产出的剩余价值量相比，而年剩余价值率是以预付的可变资本和年剩余价值量相比，前者说明的是，使用了多少可变资本，剥削到多少剩余价值，剥削的程度如何的问题；后者说明的是，该企业在一年内，付出了多少可变资本，取得了多少剩余价值，即整个预付可变资本增殖的程度问题。所以马克思说，"实际的剩余价值率，不外表示一定期间所使用的可变资本和同一期间所生产的剩余价值的比率；或者说，表示这个期间使用的可变资本所推动的无酬劳动的量。这个实际的剩余价值率，与已经预付但还没有使用的那部分可变资本完全无关"①。由此可见，只有把可变资本区分为预付的和实际使用的两个不同范畴，才会产生年剩余价值率和实际剩余价值率这两个不同范畴。如果没有前者的区分，也就不会有后者的差别。

由于资本周转的次数不同引起的年剩余价值率和实际剩余价值率的差别

那么，由于资本周转的次数不同，怎样引起年剩余价值率和实际剩余价值率的差别呢？

首先，从第334页第2段到336页第3段，马克思指出，由于资本周转的次数不同，引起年剩余价值率和实际剩余价值率不同的情况。

仍以前述A、B两个企业为例，它们的实际剩余价值率都是100%，但A的年剩余价值率是$\frac{5000m}{500v}=1000\%$，而B的年剩余价值率是$\frac{5000m}{5000v}=100\%$。这就看出：B的年剩余价值率和实际剩余价值率是一致的，都

① 《资本论》第2卷，人民出版社2004年版，第337页。

是100%；但A的年剩余价值率和实际剩余价值率是不一致的，前者为1000%，后者为100%。由此得出如下两个结论：

一是从预付的可变资本看，它们是不一样的，A的预付可变资本是500元，B的预付可变资本是5000元。这种预付资本的不一样，是由不同的周转时间所决定的，A是5周周转一次，B是一年（50周）周转一次。“因此，周转改变了为一年的生产过程而预付的资本和能够不断在一定生产期间例如一周内使用的资本之间的比例。”在A企业，以一个周转期间（即5周）的预付可变资本500元与年剩余价值量5000元相比，在B企业，以一个周转期间（一年，即50周）所预付的可变资本5000元与年剩余价值量5000元相比，后者预付的可变资本为前者的10倍，所以年剩余价值率也不同，恰恰相反，前者则为后者的10倍。由此可见，资本周转愈快，预付的可变资本就愈少，年剩余价值率就愈高；反之，资本周转较慢，预付的可变资本就较多，年剩余价值率就较低。

二是从实际使用的可变资本看，A企业每年实际使用的可变资本是5000元，B企业也是5000元，它们都是一样的；“在剩余价值率已定时，每年生产的剩余价值量，决定于一年内所使用的资本，而不是决定于一年内预付的资本”。A和B的预付可变资本虽然相差9倍，但实际使用的可变资本相等，因而全年带来的剩余价值量也相等，即由5000v带来5000m。所以说，虽然A、B企业的年剩余价值率不同，但它们的实际剩余价值率则是相同的。

由此就可引出另一个结论：在一年内，只要是预付的可变资本和实际使用的可变资本的周转次数相同，因而，（1）一年内预付的可变资本相等，（2）剩余价值率相等，（3）年生产的剩余价值量相等，（4）年剩余价值率也必然相等，（5）结果是：年剩余价值率与实际剩余价值率也相等。这是“根据生产剩余价值的规律和决定剩余价值率的规律所得出的唯一的结论”。

其次，从第336页第4段到339页第4段，马克思指出了：周转次数的计算，年剩余价值公式的两种表述，以及因周转不同引起年剩余价值率与实际剩余价值率的诸种不同情况。

一年内周转的资本和预付资本的比率，表示一年内预付资本的周转次数。例如，A 企业$\frac{一年内周转的资本5000元}{预付资本500元}$，即一年内周转 10 次；B 企业$\frac{一年内周转的资本5000元}{预付资本5000元}$，即一年内周转一次。这里所说的一年内周转的可变资本，实际上就是指实际使用的可变资本。只有在资本一年周转一次的情况下，使用资本与预付资本相等，年剩余价值率也才等于实际剩余价值率。

在第 338 页第 2 段，马克思对年剩余价值率公式作了一种表述，这就是："年剩余价值率等于$\frac{一年内生产的剩余价值量}{预付可变资本}$。"但是，一年内生产的剩余价值量，等于实际剩余价值率乘以剩余价值生产上所使用的可变资本，而年剩余价值生产上所作用的资本，等于预付资本乘以它的周转次数，因此，上述公式就转化为另一种表述：

$$年剩余价值率=\frac{实际剩余价值率\times预付可变资本\times周转次数}{预付可变资本}$$

例如，A 企业：

$$年剩余价值率=\frac{m'100\%\times v500\times n10}{v500}=1000\%$$

$$B企业：年剩余价值率=\frac{m'100\%\times v5000\times n1}{v5000}=100\%$$

马克思把年剩余价值率公式概括为：$M'=\frac{m'vn}{v}$，从而 $M'=m'n$。(在这里，M'为年剩余价值率，m'为实际剩余价值率，n 为周转次数。)

$M'=m'n$，即年剩余价值率，等于实际剩余价值率乘可变资本在一年内周转的次数。[①] 这个公式造成了一个假象，好像剩余价值不是来源于对劳动力的剥削，而是以资本的流通速度为转移，这就掩盖了劳动和资本之间的真实关系。

根据上述公式，即可推论出下述情况：

在一年内资本周转一次时，即 $n=1$，年剩余价值率就等于实际剩余

---

① 这个问题在《资本论》第 2 卷，人民出版社 2004 年版，第 328—329 页、第 338 页、第 340 页，均有说明，说法虽有些不同，但都是一个意思。

价值率（$M'=m'$）。

在一年内资本周转一次以上时，即 n 大于 1，年剩余价值率就大于实际剩余价值率（$M'>m'$）。

在一年内，资本没有完成一次周转，也就是资本周转一次超过一年时，即 n 小于 1，年剩余价值率就小于实际剩余价值率（$M'<m'$）。第 339 页第 3 段的例子就是说明这个情况的。

最后，在第 339 页第 5 段，马克思说明了年剩余价值率这个概念，是由客观的“资本的现实运动本身所引起的”，绝不是由人们主观地随意地决定的。

为什么呢？就 A 企业来说，年终流回了预付的可变资本 500 元，同时还取得了剩余价值 5000 元；就 B 企业来说，年终流回了 v5000 元，并取得 m5000 元。A 的 500 元可变资本因周转 10 次就可当作 5000v 来使用，因而获得与 B 相等的 5000 元剩余价值；但对 B 来说，这 5000 元的剩余价值，是靠 5000 元的预付可变资本才得到的。这是由资本周转不同所引起，而资本周转是资本客观存在的运动，不是由人们主观地决定的，所以说，年剩余价值率是客观存在的经济范畴，虽然它不能反映资本家对工人的剥削程度，但却反映了预付的可变资本的增殖程度，从一个方面说明了资本主义经济生活中的重要问题。

从资本主义社会的角度来看资本的预付的性质

前面说过，A、B 两个企业的年剩余价值率不同，是由预付资本不同引起的，而预付资本不同，又是由于资本周转期间不同引起的。所谓资本周转，总是指预付资本的周转。因此，在研究年剩余价值率的同时，就要从资本主义社会的角度出发，研究这种资本的预付的性质。

作为资本，资本家不是把它花掉，而是把它预付的。预付的目的，是为了使它经过周转以后再回到资本家手里并带来剩余价值。从资本的一次周转开始到结束，是周转的周期。在这个周转周期里，资本执行剥削剩余价值的职能。这是资本家把资本拿来预付的直接目的，也是资本主义社会里资本的预付的性质。

资本通过预付后进行周转，周转一次，即预付一次，就剥削剩余价值一次，因此，资本周转的次数越多也就是预付的次数越多，剥削剩余价值的次数就越多，剥削到的剩余价值量就越大。

如以前述A企业为例，它的预付有如下几点：（1）它一年周转10次，也就是预付了10次，从开始付出到流回，都是这个可变资本500元，从来不会多于500元；（2）这预付的500元，并不是预付了10个500元的资本，而是同一个500元资本在相继进行的期间内（如一年）预付了10次；（3）这500元资本，由于它周转了10次，也就是它预付更新了10次，已经起了相当于它的10倍的作用，即相当于5000元的作用；（4）如果500元资本周转一次，在剩余价值率100%的情况下，即可剥削到500元的剩余价值，它一年内周转10次，就可剥削到5000元的剩余价值。年剩余价值率不是以实际使用的可变资本来计算，而是以预付的可变资本来计算，因而资本周转越快，预付的可变资本越少，剥削到的剩余价值量越多，年剩余价值率也越高。这种资本周转对年剩余价值率的直接作用，是和资本的预付的性质密切联系着的。

Ⅱ. 单个可变资本的周转

不同企业中的单个可变资本的周转，既有共同点又有区别点。

共　同　点

不管是A企业还是B企业，或是其他企业，它们的单个可变资本的周转有如下共同点：

第一，A或B的资本家，在第一个5周中，以500元的预付可变资本购买劳动力，作为工资付给工人，这500元货币，在资本家手中是预付资本，但作为工资转入工人手中时就只是货币而不是资本了。工人拿这500元工资去购买生活资料，供个人生活消费，这些生活资料也不是资本。因此，由500元预付可变资本所表现的“这样一个价值额的商品量消失了”。也就是说，这500元价值的商品量已进入消费过程，不再进行流通了。

第二，资本家付出货币资本500元后，买到了同一价值或价格的劳动力，从而货币资本转化为生产资本要素。资本家把这些劳动力投入到生产过程中，结果是，劳动力消耗了，但通过它的使用即劳动，又创造出新的价值来，例如，创造出1000元的新价值，其中500元相当于劳动力的价值，500元是剩余价值。

第三，资本家把生产出的商品卖出去，由商品资本转化为货币资本，以新创造的价值中的500元补偿预付的可变资本，500元的剩余价值用于积累或消费。由此可见，这500元可变资本不是旧资本，而是新生产的资本，它不像固定资本那样把价值转移到产品中去，而是用新生产的资本价值补偿预付时已经消耗掉的部分。

如以A企业为例。第一，它每5周支付的工资500元，在第一个5周中，用相等的生活资料消费了，又以相等的价值量生产出来，所以它在一年中周转10次时，所支付的不是同样的500元，而是不断消耗、不断补偿着的。因此，实际上是5000元，到年终，这5000元都被消费了，不再存在了。第二，每个周转期间并入生产过程的相等于500元的劳动力，也是不断消耗掉，并在下一个周转期间得到补充。所以，全年所体现的5000元的劳动力，也已经消耗掉，不再存在了。第三，第二个周转期间预付的500元可变资本和第一个周转期间预付的500元可变资本，不是同一个500元资本，因为后者已经消费掉了，它是由新创造的价值来补偿的。由此可见，500元预付可变资本，在一年中周转10次，"不是一个够5周使用的可变资本可以在50周内使用"，实际的情况是，500元只够在5周使用，在第一个5周结束后，又有一个新生产的资本500元补偿进来，以便供第二个5周使用。

总之，从周转的角度看，在一个周转期间结束时流回到资本家手中的预付的可变资本，"不是旧的资本，而是一个新生产的资本"，它的价值，相当于预付可变资本作为工资已经消耗掉的那部分商品量，这种价值，不是旧价值的转移或再现，而是新价值的创造和补偿。可变资本周转的这个特点，在所有的资本主义企业里都是同样适用的。

区 别 点

现在，再来看它们的区别点。仍以A、B两个企业为例。第一，它们在第一个5周中都投入了500元的预付可变资本，购买到相等的劳动力，通过生产过程，都创造出用于补偿它的500元新价值和500元的剩余价值。由于A企业是5周周转一次，B企业是一年周转一次，因此，在第一个5周结束时，A周转了一次，它可以把生产出来的商品卖掉，由商品资本转化为货币资本，并用500元来补偿已耗费的预付可变资本，作为生产资本的要素重新执行职能；但B则不同，由于它要50周的时间才能实现资本周转，在第一个5周结束时，虽然由于劳动力的使用创造出补偿预付可变资本500元的新价值，但不到年终，这500元新价值是不能实现的，所以这500元只是到年终以后才能用来补偿已消耗的可变资本，才能重新作为生产资本或可变资本来执行职能。第二，在第6周开始时，A企业只要把用来补偿可变资本消耗掉的那500元新价值，重新作为预付可变资本投入生产，就能在原有的生产规模上继续进行生产，不需要再追加资本；但对B企业来说，由于补偿第一个5周预付可变资本消耗掉的新价值500元虽已创造出来，但还没有实现，它还不能立即用于补偿已消耗掉的预付可变资本（虽然这个补偿价值是存在的，但要到一年后才能发生作用），为了生产的继续进行，B企业就要为第二个5周继续投入追加的资本500元，到第50周的周转期间完成为止，要连续投入5000元预付可变资本，只有到年终周转完毕时才能收回。第三，根据上述情况，我们就会看到：A和B两企业，在50周的时间内，“耗费了同样多的可变资本，支付了同样多的劳动力的报酬，消耗了同样多的劳动力”。但是，B要预付5000元的可变资本，而A只要依次用5周内生产的补偿价值的不断更新的货币形式来支付，即只要预付500元的可变资本，这样，它们预付的可变资本量就有所不同。第四，结果是：它们的年剩余价值率不同。A企业的年剩余价值率是1000%，B企业的年剩余价值率是100%。为什么呢？因为“在劳动剥削程度相等，实际剩余价值率相等时，A和B的年剩余价值率必然和它们一年内为推动同量劳动力而必须预付的可变货币资本的量成反比”。这就是说，预付的可变资本越小，年剩余价值率就越高；反之，预付可变资本越大，年剩余价值率就越低。A企业的预付可变资本是500元，B企业则是5000元，由于这种预付可变资本的量的差别，结果引起年剩余价值率的差别。但是归根到底，“区别来自周转时间的差别”。由于周转期间不同，因而“补偿一定期间所使用的可变资本的价值能重新作为资本，从而作为新的资本来执行职能的期间”就不同，这就使A、B两企业支出的预付可变资本量也不同。

由于资本周转期间不同，新创造的价值中用于补偿预付可变资本部分转化为货币、并作为新的预付资本发生作用的时间迟早不同，直接影响到预付可变资本量的大小，“因而，会决定年剩余价值率”；但它与剩余价值生产本身没有关系，因为剩余价值是由实际使用的可变资本带来的，“剩余价值的生产，取决于所使用的可变资本的量和劳动剥削程度”，这也就是说，它对实际剩余价值率没有影响。

Ⅲ. 从社会的角度考察的可变资本的周转

现在，再从社会的角度来考察可变资本的周转。

仍以上述A、B两个企业为例，它们在一年内推动同等数量的劳动力，这些劳动力进行同量时间的劳动，得到同样的工资，并用这些工资从社会上取走相应数量的生活资料。上述情况，A和B都是相同的。但是，由于它们的资本周转期间不同（A是5周周转一次，B是50周周转一次），它们对社会的影响却不同。

它们对社会有哪些影响呢？

第一，A企业的工人，从第6周开始（即第二个周转期间），为了购买生活资料，把由工资形式取得的货币投入流通。这时的货币，不像在第一个周转期间那样，仅仅是劳动力价值的形式，而是工人自己在第一个周转期间新创造出来的价值的货币形式，“工人在第二个周转期间的劳动的报酬就是用这个价值产品来支付的”。这就是说，A企业工人在第二个5周的工资，是用第一个5周中工人自己创造的新价值的一部分来支付的。B企业的工人就不是这样。在第6周时，B企业还没有完成一个周转，还不能提供完成的产品，这时候，B企业工人用于购买生活资料的货币，仍然是劳动力价值的货币形式，“不是用这个劳动本身的已经转化为货币的价值产品来支付”。这就是说，B企业工人在第6周开始的工资，仍然要由资本家支出预付可变资本，而不是用工人自己创造的价值产品来支付。如果要用工人自己创造的价值产品来支付，必须等到资本周转期间完成以后，即到第二年才能发生。

从社会的角度来考察上述区别，有什么结果呢？A、B两个企业的生产规模不同，工人人数相同，仅仅由于周转时间长短不同，就需要投入不同数量的预付可变资本，从而有不同的年剩余价值率，因此，资本家总想投资于资本周转较快、年剩余价值率较高的部门，结果就会引起资本的转移。

第二，A和B企业的工人，在这一年内，都要用货币形式的工资在市场上购买生活消费品。但是A和B的工人却不同：A企业的工人，一方面从市场上取得了消费资料，另一方面，他们又周期地向市场上提供了商品——生活资料或生产资料。B企业的工人，从市场上取得了为维持劳动力所需的生活资料，虽然也提供了货币，但没有提供商品。因此，B企业“在一年内没有把任何产品投入市场，来补偿从市场上取走的生产资本的各种物质要素”。

从社会的角度来考察这种区别，有什么结果呢？这说明：社会生产在各个不同部门之间都需要按比例地进行。在社会主义和共产主义的社会里，由于生产资料公有制，社会可以预先计算好，能把多少劳动、生产资料和生活资料用于那些暂时还不能提供产品的生产部门，并使整个社会生产按比例地发展。但是在资本主义社会里，生产资料私有制使得社会生产是在盲目的无政府状态中进行的，因此上述的区别会造成比例经常失调，从而增加了经济危机的可能性。

从第348页到350页，马克思生动地描绘了资本主义经济的比例失调情况。如上例：由于B企业在一年内没有提供产品，但还要不断地支出货币资本、以工资的形式付给工人，这就需要投入更多的预付可变资本，这就使货币市场受到压力；由于B企业在一年内没有向市场提供任何商品，还要从市场上取走生产资本的各种要素，因而造成有支付能力的需求增加，使生产资料和生活资料价格上涨；由于价格上涨，投机盛行，资本会发生大规模的转移，一些投机者发财致富，对市场上的消费需求提供了刺激，引起了外国商品和奢侈品输入的增加，发生了输入过剩和投机的现象；由于价格的提高和生产的增长，把一部分过剩人口或在业的工人吸引到新的产业部门中去。这样，就使得整个社会经济出现全力扩张、虚假繁荣现象，这种“资本主义生产全力扩张的时期，通常就是生产过剩的时期”①，必然引起经济危机的到来。

第三，由于周转期间的长短不同，会产生这种区别：在一年周转多次的企业里，其产品可以直接供给本企业生产的需要，如煤炭企业的产品煤炭，可以直接作为本企业的燃料。相反，如果是一年周转一次或多年周转一次的企业，在本年内不能提供产品，当然更谈不上把产品供给本企业的生产需要了。认识这一区别，对于研究供产销关系，搞好物资管理和综合平衡工作，有一定的实际意义。

■ 在这一章中，马克思提出了年剩余价值率这个范畴，这是相当重要的。年剩余价值率和实际剩余价值率、利润率都不同，实际剩余价值率是以实际使用的可变资本和由它生产的剩余价值量的比率②，年剩余价值率是预付的可变资本与年剩余价值的比率，利润率是剩余价值与预付资本的比率。实际剩余价值率表示资本的剥削程度，使用多少可变资本，剥削多少剩余价值，反映着资本主义生产的实质。年剩余价值率，把预付的可变资本和实际使用的可变资本的差别模糊起来了，为歪曲资本和劳动的关系大开方便大门，但它终归还是揭示了剩余价值是由可变资本带来的这个事实真相，所以它还能起着表示预付可变资本的增殖程度的作用。至于利润率，把剩余价值和全部预付资本相比，又进一步模糊了可变资本和不变资本的界限，看不出剩余价值只是由可变资本带来的这个实际内容了，因而利润率所表示的，只是资本主义经济的表面现

① 《资本论》第 2 卷，人民出版社 2004 年版，第 350 页脚注。

② 马克思表述为，“实际剩余价值率 $m'=\frac{m}{v}$，等于剩余价值量除以生产这个剩余价值量的可变资本”。见《资本论》第 2 卷，人民出版社 2004 年版，第 341 页。

象，它掩盖着资本主义的剥削实质。可见，它们三者，都从不同方面反映了资本主义经济的实际运动，都是客观存在的经济范畴，不是人们主观确定的仅仅用于计算的方法而已。经济范畴是生产关系的理论概括，反映着生产关系某些方面的内容。马克思深入研究资本主义经济，揭示这些经济规律，分析它们的联系和区别，掌握整个资本主义经济运动的规律性，从而创造出科学的经济思想体系，使它们成为马克思主义经济学说中的一个重要的有机组成部分。

第十七章

剩余价值的流通

在第十五章研究了资本周转时间的长短对预付资本量的影响问题，在第十六章研究了可变资本周转的速度对年剩余价值率的影响问题，在本章中就要研究资本周转的速度对剩余价值流通的影响，以及剩余价值借以实现的货币从哪里来的问题。资本周转期间是由生产期间和流通期间构成的，生产期间创造出剩余价值，流通期间实现剩余价值。所谓剩余价值的流通，首先是指剩余价值的实现，即体现着剩余价值部分的商品资本转化为货币资本；其次才是这种体现为货币形式的剩余价值，如何转化为生产资本、进行剩余价值资本化或转化为资本家个人的消费资料。在具有同量的预付资本和相同的剩余价值率的不同企业里，资本周转快的企业，剩余价值的实现就较快，用于积累的资本化的剩余价值也较多。可见，资本周转的速度对剩余价值的实现和积累有着直接的影响。

本章共有三个部分：第一部分，即导语部分，着重说明资本周转的速度对剩余价值流通的影响；第二部分，即第一节的“简单再生产”，主要说明，在简单再生产的条件下，“剩余价值借以货币化的货币从何而来”[①] 等问题；第三部分，即第二节的“积累和扩大再生产”，主要说明，在扩大再生产的条件下，为了实现追加的生产资本的商品量所需要的货币从何而来，以及为了用货币形式把剩余价值作为货币准备金进行积累所需的货币从何而来等问题。

---

① 《资本论》第2卷，人民出版社2004年版，第365页。

资本周转速度对剩余价值流通的影响

仍以上章A、B两个企业为例，它们的预付资本相同，剩余价值率相同，取得的剩余价值量也相同，只是因为周转时间不同（A企业为5周，B企业为50周），它们的剩余价值的实现也就不相同。A企业在第一个5周周转完成后，取得剩余价值500元，从第6周起，就有剩余价值500元可以使用，到第11周时，就有剩余价值1000元……B企业则不是这样，虽然它在一年的50周内都生产了与A企业相同的剩余价值，但还未作为商品销售出去，剩余价值还未实现，所以它在50周内拿不到剩余价值的一丝一毫。

已经实现了的剩余价值怎样进行流通呢？

第一，在简单再生产条件下，剩余价值全部被资本家用于个人的生活消费。如A企业的资本家，除第一个5周的周转期间仍需支付自己的生活费用以外，他个人的全年生活费用都不要用自己的钱来支付，而是用已经生产并实现了的剩余价值来进行支付。B企业的资本家则不同，由于他的资本要50周才能周转一次，因而在50周的时间内，剩余价值尚未实现，他自己的生活费用都要用自己的钱来支付。虽然他已预期到可以靠一年后实现的剩余价值来偿付，但“这方面的基金必须预付”。

第二，用于固定资本的维修费用，是应该作为预付资本出现的，但由于对它的支付是要在固定资本使用以后，因而在A、B不同企业中就出现了差别。对A企业资本家来说，由于每个5周的资本周转完成后都会带来剩余价值，他就可以拿这部分剩余价值的收入直接转化为资本，作为维修费用来支出，因而，他在生产开始时就不需要预付用于维修费用上面的资本，这就是说，这部分资本，“就在营业中，通过一部分剩余价值的资本化，由企业本身产生出来”。B企业资本家则不然，他在一年内必须支付的固定资本的维修费用，在生产开始时就要作为预付资本而准备好，因此这笔费用，“必须是原预付资本的一部分”。在这里，“对B来说，它实际上是原预付资本或者所支配的资本的一部分。而对A来说，它却是作为资本使用的剩余价值的一部分。这后一种情况告诉我们，不仅积累的资本，而且连一部分原预付资本，也可以仅仅是资本化的剩余价值”。在资本主义社会里，A 从银行取得贷款，作为经营企业的原预付资本，但这种贷款，却是 B、C……资本家用剩余价值资本化的结果。这种情况，即用资本化的剩余价值作为原预付资本的一部分，是经常出现，不足为奇的。

第三，在扩大再生产条件下，“生产规模的扩大可以小部分地进行”，例如，用一部分剩余价值来改良某些生产设备，这种改良可以提高所使用劳动的生产力，或者同时提高劳动强度，加强对劳动的剥削。或者用延长劳动时间的办法，只追加部分流动资本，而不需增加固定资本，即可扩大企业的生产规模。或者利用资本化的剩余价值在市场上进行原料投机等等。这些小部分地扩大生产规模的办法，A 企业都可实行，因为 A 企业每个周转结束后都实现了剩余价值，因而可以陆续地使用这部分剩余价值，来进行这种小型的扩大再生产；而 B 企业则不可能实行。

第四，在既不能延长工作日，又不能进行个别改良，也不能扩大企业的生产规模时（因为企业的扩大必须按比例进行，在扩大受到投资数量或客观自然条件等限制时），实现了的剩余价值只能作为货币积累，即暂时作为潜在的货币资本积攒起来，只有积累到一定数量，才能作为追加的资本而执行职能。但是，随着资本主义的发展，信用制度也发展起来。这种对 A 来说还不能使用的只是潜在的货币资本，在存入银行被 B、C 借去后，就会在他们手里作为资本起作用，直接用于扩大再生产或经营新企业。这种追加的潜在的货币资本，是采取货币贮藏的形式，它或者是和金银出产国直接交换而得来的金和银；它或者是从国内流通中取出的已经在别的资本家手中贮藏着的货币；它或者只是价值符号，如具有法律权力的证书等等，“在所有这些场合，不管这种追加货币资本以什么样的形式存在，只要它是未来的资本，它就是资本家对社会未来追加的年生产所持有的追加的和备用的法律证书”。

以上是剩余价值流通的一般情况。但它在简单再生产和扩大再生产的情况下是不同的。下面我们就来研究这两种不同情况下的剩余价值的流通问题。

Ⅰ. 简 单 再 生 产

在简单再生产的情况下，剩余价值的流通表现为：w—g—w。在其中：w—g，是体现着剩余价值的商品实现为货币的过程，g—w，是资本家用货币购买个人生活消费品的过程。现在要研究的问题是：为实现这种剩余价值产品（w）的货币（g）从何而来？

从第 359 页到 374 页第 1 段，都是研究这个问题。

流通中增加的货币量要由金银生产来补偿

在《资本论》第一卷第三章中已经研究过的简单商品条件下的货币流通量的规律，对资本主义也是完全适用的。一个社会里的货币总量，等于流通中所需要的货币量加作为贮藏而存在的货币量，当然，这二者的比例是不断变化的。不管它们的比例如何，流通中的货币量和贮藏中的货币量总会因磨损而消耗掉一部分，这部分的货币，每年都要重新依靠生产出来的金银来补偿（为使问题简单起见，在这里，假定金银是唯一的货币形式）。不仅如此，随着流通中的商品量的增加，如果不能被货币周转速度的加快和货币支付手段的扩大所抵消，为购买这部分的商品，就要增加一定的货币量，这些货币，也要靠每年生产的金银来提供。

为什么金银的生产能够用来补偿这部分货币，这是由金银生产本身的特点所决定的。

生产金银的资本家，一方面，不断地从市场上购买劳动力和生产资料，另一方面，通过生产，直接把金银生产出来。如果是别的生产部门的资本家，他的产品只是实物形式，要把实物形式转化为货币形式，必须把商品卖出去，由商品资本转化为货币资本。但对生产金银的资本家来说，货币形式“就是产品的实物形式，不像在其他生产部门中那样是产品的转化形式”。他没有另外的产品可以投入市场，他的产品——金银，就是直接可以使用的货币，因此，他“没有从市场取出货币，而是不断地用追加的货币供给市场”[①]。所以生产金银的资本家，不管是他们所取得的剩余价值部分，还是补偿可变资本和不变资本部分，都是以金银产品作为货币直接进行补偿的。由此就可看出，金银生产的资本循环的总公式 G—W…P…G′，与一般的资本循环的总公式不同。后者是通过生产，提供新的产品，然后作为商品卖出去，从而取得货币，即由…P…W′—G′；金银的生产，只是由…P…G′，因为它生产出来的产品就是货币，由 P…G′，减去了其中的 W′—G′的实现过程。所以，一般的商品生产在流通中有两个阶段，一个是由商品资本转化为货币资本的阶段，然后才是由货币资本再转化为生产资本要素的阶段；而金银的生产部门的流通，只有后一个阶段，而没有前一个阶段。从第 361 页第 6 段到 364 页第 1 段，马克思详细分析了金银生产中资本循环公式中的 G′，是怎样直接进行补偿、体现着上述的特点的。他指出，这个 G′的货币总额，是由流动资本、固定资本、剩余价值构成的。从流动资本看，其中的不变资本部分的货币形式，并不是所生产的商品资本的转化形式，而是从生产过程本身投入流通，“这个投入流通的货币，不是通过这个资本的循环再从流通中取出的，而是靠不断地新生产的金量增加的”；其中的可变资本部分，也不是产品的转化形式，而是新产品金本身的一部分，“金的生产者直接用他的工人自己生产的金的一部分付给他的工人”。从固定资本看，它虽然和一切固定资本一样，是在若干年内一部分一部分地流回，但和其他部门的固定资本不同，它不是通过产品的出售、通过产品变成货币流回的，“它是作为产品金的直接部分流回的”，它再形成货币资本，不是为了补偿原来投入固定资本上的那一部分货币额，“它是一个追加的货币量”。从剩余价值看，它同样是新产品金的一部分，在简单再生产条件下，资本家把它全部用于个人消费，把它“直接以货币形式投入流通”[②]。由此可见，当金银生产部门直接以金银产品作为货币供给市场时，就为流通提供了追加的货币量，用以补偿一年中货币因磨损的消耗和满足因商品量增加的交换需要。

---

① 《资本论》第 2 卷，人民出版社 2004 年版，第 364 页。

② 《资本论》第 2 卷，人民出版社 2004 年版，第 361 页。

为实现剩余价值产品的货币从何而来

这里有一个问题，为什么资本家从流通中取出的货币会比他投入的货币更多呢？例如：A企业资本家，5周投入预付的流动资本500元，取得剩余价值100元，为什么投入500元的货币，却取得600元的货币，这个体现着剩余价值100元的货币是从哪里来的呢？

在这里所要说明的，并不是这个剩余价值如何产生的问题，这个问题在第一卷中已经研究过；这里所要说明的是，假定剩余价值已经生产出来，并已经体现在一定量的剩余产品中，那么，为实现这部分剩余产品的剩余价值所需的“货币从何而来”？

资产阶级学者的回答

对于这个问题，资产阶级经济学者有种种不同的答案。

有人说：如果资本家A把商品卖出去，取得货币，同时，买者B就把货币付出来，以购买A的商品；同样，如果B把商品卖给C，取得货币，买者C就要付出货币，以取得商品，以此类推，一边是卖，一边是买，100元的剩余价值不是就这样实现了吗？实际上，这种说法是解决不了问题的，因为这种说明方法是以买者已经掌握了100元货币为前提的，我们所要说明的，并不是这种买卖过程，而是买者手上的这100元是从哪里来的。

有人说：资本家B用货币购买A的商品，以供个人消费，在这里，B的货币使A的商品资本货币化，同样，又使B的剩余价值货币化。但是，问题还是没有解决，因为这只说明了，这100元是从资本家的个人消费基金中付出来的，还不能说明他付出来的这100元货币是从哪里来的。这种答复，是以100元的来源已经解决为前提的，我们要研究的正是这个没有解决的前提，“这就是，B从哪里得到用来偿付他的收入的货币？他自己怎样使他的产品中的那部分剩余价值货币化”。

有人说：资本家预付的那部分可变资本，是不断地流回到他自己手中的，其中一部分保留在他自己手里，到一定时间作为工资再支付，因此，在支出和流回的一段时间内，在工资上付出的货币，除了其他用途之外，还可以用来使剩余价值货币化。其实，这也是不能解决问题的，因为支出和流回的时间越长，资本家越要准备大量的货币以便于到时作为工资来支付；工人要用工资收入的货币购买商品，资本家也要把作为收入的剩余价值用来购买生活资料，他们都需要从流通中取出货币。因此，上述存在的货币，只会减少流通中的这个必要的货币量，不会消除这种货币量。

有人说：资本家购买固定资本（如机器）时，是要支出大量货币的，但固定资本的价值，又是部分地逐渐地流回的，那么，这个相当于固定资本还未实现的价值额的货币，已经投入市场了，这部分货币，不是可以用来实现剩余价值吗？其实，这种在固定资本形式上投入市场的货币，虽然不在A资本家手里，但却会在B、C……处流通，已经由另外的人使用，不仅如此，在购买固定资本的这部分费用中，已经包含了剩余价值部分，那么，这部分剩余价值是用什么货币支付的呢？所以问题正在于：这个货币从何而来？

为实现剩余产品所需的货币量的真正来源

那么，这部分货币量究竟是从哪里产生的呢？

“这个问题本来就是不存在的。”为什么呢？因为流通中所需的货币量，是由待实现的商品价格总额和货币周转的速度决定的，而商品价格总额又是由流通中销售的商品量和商品的价格决定的，因此，待实现的商品总量中，既有体现为不变资本和可变资本的价值部分，也有体现为剩余价值的部分，所以剩余价值部分已包含在这种商品总量中。既然这种商品总量已经由流通中所需要的货币量来实现，那么，流通中的货币量也就包含了为实现这些商品总量中所包含的剩余价值的货币量了。所以，如果要问：实现剩余价值的货币从何而来？也就等于说，流通中所需要的货币量从何而来？

但是，在现实的资本主义经济生活中，确实存在一种假象：由于资本家是把货币投入流通的起点，好像资本家只投入了G，而没有投入g。实际上，这个g，也是资本家自己投入的，不过，他们不是把它作为预付资本投入，而是把它作为个人消费品的购买手段来花费的。也就是说，不是作为资本家的资本投入，而是作为消费者的货币来用掉的。例如，资本家A，在营业开始时，用5000元的资本作为不变资本和可变资本投入流通，假定周转时间为一年，他在一年内也要生活消费，所以，他又以 1000 元购买生活消费品，所以，资本家 A 实际投入流通的，不仅有 5000 元的资本，而且有 1000 元的个人消费基金。在第一个周转结束后，他收回预付资本 5000 元，并取得剩余价值 1000 元，这时，1000 元的消费基金就由 1000 元的剩余价值所代替。所以说，把货币投在流通中，以实现商品中所包含的剩余价值部分的，就是资本家阶级自己。他的这种作为资本的货币和作为消费基金的货币，都是由社会渐次积累起来的。“但是，能够靠自己拥有的资金生活到剩余价值流回的时候，这也正是资本家的一个特点。”

还要进一步问：资本家积累的作为消费基金的上述货币，又是从哪里来的呢？归根结底是由金银生产部门提供的。生产金的资本家，他的产品是以金的形式出现的，他的不变资本、可变资本和剩余价值，都是由金所构成。体现为剩余价值的部分，本来就是金，已是货币，它投入流通，以便从流通中取出产品。虽然，从整个社会看，一部分资本家，他们投入流通中的商品价值，比他预付资本的价值大，因为多了个剩余价值；但是，另一部分生产金的资本家，把生产的金作为货币投入流通，比他从流通中取出的生产资料和劳动力的价值大，因为也多了个剩余价值。生产金的资本家多投入流通的这部分金——货币，是他的剩余价值的体现者，他借此在市场上买到所需要的商品；而这部分货币，即作为追加货币投入流通，从而实现其他资本家所生产的代表剩余价值部分的剩余产品。为实现剩余价值的那一部分货币就是这样从生产金的企业中投入流通的。所以马克思说，“以商品形式生产出来的剩余价值之所以能在流通中找到自己货币化所需要的货币，是因为另一方面剩余价值每年以金的形式生产出来”。

由此可见，资本家投入流通的货币，有的是新生产的金银，有的是原有的贮藏货币，剩余价值的流通就是靠这些货币来实现的。这些货币，归根到底，都是从事金生产的工人的产品，是由工人的劳动所创造、并被资本家所无偿占有了的。

工资变动对货币流通量变动的影响

从第 374 页第 3 段到 377 页第 3 段，马克思又研究了工资变动对货币流通量变动的影响问题。

假定其他条件不变，如工作日的长度、劳动强度、劳动生产率都不变，新创造的价值产品不变，因而商品的价值量也不变，在这种情况下，如果工资发生变化，即提高或减少，只是剩余价值会同时降低或增加，这就是说，“只有**价值产品**在工资和剩余价值之间的**分配发生了变化**”。即工资增加，剩余价值就减少；工资减少，剩余价值就增加。这种比例的变化，“不会对流通货币量发生任何影响”。为什么呢？因为工资普遍提高，作为可变资本进行预付的货币量增加了；但是另一方面，剩余价值部分却因工资提高而降低，工资提高多少，剩余价值就要减少多少，因此实现剩余价值所必需的货币量也要相应减少，在这种情况下，商品价值不会发生变化，流通中所需要的货币量也不会发生变化。虽然对个别资本家来说，商品的成本价格（即由商品生产所消费的生产资料的价格和所用劳动力价格所构成）是提高了（因工资提高，可变资本增加之故），但从社会来说，商品的社会生产价格（即由成本价格加平均利润所构成）依然不变。[①] 如果把不变资本暂时撇开不说，在这里，“改变的只是商品生产价格分为工资和利润的比例”。总之，在商品价值不变的情况下，在工资变动只是影响工资与剩余价值间的分配比例时，不会影响货币的流通量。

但是资产阶级和它的经济学家都散布一种骗人的谬论，说什么工资提高了，会引起工人对商品需求的增加，从而引起商品价格的提高；或者说，工资提高了，资本家就会提高商品价格。因而，工资提高会引起商品价格的提高，使流通中所必需的货币量增加。

是不是工资提高，工人对商品需求的增加，必然引起商品价格的提高，引起流通中的货币量增加呢？从消费品来说，可以暂时分为二大类，一是必要的生活资料，一是奢侈品。如果工资提高，工人增加了必要生活资料的需求，必要生活资料的价格会提高，与此同时，由于剩余价值的减少，资本家对奢侈品的需要会相对地减少，奢侈品的价格会跌落，生产奢侈品的资本就会转移到必要生活资料的部门来，发生资本转移现象，这就使生产必要生活资料的企业增加起来，从而必要生活资料的价

---

① 关于平均利润和生产价格，将在《资本论》第三卷中进行研究，此处暂不解说。

格就会下降。在这种情况下，工资提高引起必要生活资料价格提高，只是偶然现象，并不是经常存在的。如果工资提高，工人不把提高部分用于购买必要生活资料，而用于购买奢侈品，这就不会增加对必要生活资料的需求，必要生活资料的价格不会提高；至于工人对奢侈品购买的增加，又会与同时出现的资本家对奢侈品需求减少相适应，“只会使奢侈品的买者发生变换”，不会引起奢侈品价格的提高，这样，怎么会引起流通中所必需的货币量增加呢？

是不是工资提高，资本家就会提高他们的商品价格呢？价格是商品价值的货币表现，是客观存在的经济范畴，它的变动，往往是不以资本家的主观意志为转移的。如果资本家可以随意地提高价格，那么，不仅在提高工资的情况下，他会这样做，就是在工资没有变动的情况下，他也会这样做，这与工资提高又有什么必然的联系呢？

由此可见，所谓工资增加必然引起价格上涨，引起货币流通量增加，不过是资产阶级和它的经济学家对工人的恐吓与欺骗。他们为这个谬论而提出的根据也是错误的，站不住脚的。他们的根据，有如下三点：

第一，他们胡说什么，工资提高了，必然引起商品价格的提高，这是倒果为因。事实是：正如商品价格总额增加才会引起货币流通量增加一样，商品价格提高才会引起工资的提高。价格提高是因，工资提高是果，不能因果倒置。

第二，他们根据在个别生产部门中，工资提高，商品价格也局部提高的现象，作出工资提高、价格必然提高的全面结论，这是以偏概全。个别部门的工资提高，引起价格的局部提高的现象是存在的，但这种价格的局部提高，不仅仅是由工资提高所造成，还取决于其他的许多复杂情况；再者，这种个别部门的个别现象，不能作为整个社会经济生活中的普遍规律。

第三，他们认为，在工资普遍提高时，在可变资本占优势的部门的商品价格就要上涨，因为它们的成本会增加。这种情况能否作为商品价格必然上涨的根据呢？不能，因为在可变资本占优势部门的商品价格上涨的同时，在不变资本或固定资本占优势部门的商品价格就要下跌。下跌与上涨同时存在着，怎能作出必然上涨的结论呢？

资本周转和货币流通的关系

从第378页第1段到380页第1段，马克思又研究了资本周转和货币流通的关系。

货币资本的循环和一般的货币流通是不同的。货币资本的循环，是以预付货币资本为起点，以货币流回为终点，也就是说，到最后，“货币**流回**到它的起点”。一般的货币流通则相反，货币作为商品的媒介物，不断地从这个人手中流到另一个人手中，从而“不断地**离开**起点”。但是二者又是密切联系着的，这表现为：“周转的加速本身就包含着流通的加速”。因为资本周转的加速，货币资本的循环也必然加速，一般的货币流通也就必然加速。为什么呢？如仍以A、B企业为例，就可变资本说，如果A企业的500元可变货币资本在5周中流通一次，该货币每年流通10次；而B企业5000元可变货币资本每年流通一次，该货币在一年内也只流通一次。就不变资本说，如果A企业不变资本1000元，5周流通一次，资本家把1000元商品卖出去，然后再买回1000元的生产资本要素，那他就实现了2000元的商品额，一年周转10次，就实现了20000元的商品额；如果B企业不变资本也是1000元，一年周转一次，只能实现2000元的商品额。就剩余价值说，A企业每5周可取得剩余价值500元，每个周转期间都有剩余价值流通；B企业只有到一年后才有剩余价值流通，因而在一年内不会因剩余价值流通而需要货币了。由此可见，资本周转越快，货币资本的循环也越快，因而一般的货币流通也越快。但是，反过来说，“货币流通的加快，不一定包含资本周转的加快”。例如，在大量交易的行为中，货币流通加快了，但这种交易对再生产周期没有直接影响，因而就不会影响资本周转的速度。当然还有另一种情况，就是在资本家之间分配剩余价值时，也可以完全不要货币流通。

为实现追加商品所需的货币量，要由金生产部门所提供的追加的金来解决

在第380页第2段到第4段，马克思又指出了，为实现追加商品所需要的货币量，要由金生产部门所提供的追加的金来解决。

货币总量只有在完全适应货币流通和货币贮藏时，资本主义才能充分发展。“资本主义生产是和它的条件同时发展的，其中条件之一就是贵金属有足够的供给。”

到了资本主义生产方式已经建立，市场上已有一定数量的货币时，每年还需要供给一定数量的货币材料，补充流通中所必需的货币量。这是因为：一方面，剩余价值的产品投入流通时，需要一定量的货币来实现，另一方面，金生产者的剩余价值，不需要由产品转化为货币，而是直接把金投入流通；前者把追加的商品量投入流通，后者把追加的金投入流通，从而解决日益发展的交换需要。可见，追加的商品量要由追加的货币量来解决，而追加的货币量又要由金的生产来解决。

Ⅱ. 积累和扩大再生产

前一节说明了在简单再生产条件下剩余价值流通的货币来源问题，这一节将说明，在扩大再生产条件下，剩余价值流通的货币来源问题。

在扩大再生产的场合，对货币流通不会提出新问题。这是因为：剩余价值已经在流通中实现了，已经作为货币资本掌握在资本家手中。如公式：

$$G—W<_{Pm}^{A}\cdots P\cdots W'—G'\begin{cases}G—W<_{Pm}^{A}\\ g<\begin{matrix}g_1—W<_{Pm}^{A}\\ g_2—w\end{matrix}\end{cases}$$

g 是剩余价值体现的货币，g_1 是用于积累的剩余价值部分，g_2 是用于资本家个人消费的剩余价值部分，在这里，g_1 和 g_2 都已掌握在资本家手里，只是它的用法不同而已。

> **在扩大再生产的情况下，流通领域的商品量增加了，为实现这些商品量的追加货币从何而来**

但是也有问题存在，因为把 g_1 用于积累，扩大再生产，生产资本增加了，由于生产资本的增加，生产出来的商品量也增加，从而投到流通领域中的商品量也增加，这就出现一个问题：为实现这些商品量（指以商品形式存在的追加剩余价值）的追加货币从何而来？

要解决这种因流通中商品量的增加而需要追加的货币量，在价格等其他条件不变的情况下：第一，“就必须或者更多地节约流通货币量”，这就是说，或者是加快货币流通的速度，或者是通过支付形式，采用调拨清算等办法来互相抵消，节省货币资本的直接支出；第二，“或者把货币由贮藏形式转化为流通形式”，这就是说，把处于贮藏形式上的货币再投入到流通中，或者把暂时闲置的货币资本投进来，或者把货币资本的准备金投进来，或者把处于停滞状态的铸币准备金①投进来；第三，如果采用这些方法以后还不够，“那就必须进行追加的金的生产”，用一部分追加商品直接向金生产者交换金，也就是说，要有追加的金投入到流通中。因此每年在金生产上必须投入一定数量的生产资料和劳动力，这是一项巨大的非生产费用。随着资本主义信用制度的发展，减少了对流通中货币量的需要，因而投在金生产上的生产资料和劳动力就会减少，就可以把这些生产资料和劳动力投到其他物质生产部门中来，促进社会生产的发展，“社会劳动的生产力就会提高”。

在还没有实际进行扩大再生产的情况下，已实现的剩余价值作为货币准备金积累着，这些货币从何而来

现在要考察的又一问题是：在还没有实际进行扩大再生产的情况下，已实现的剩余价值作为货币准备金积累着，这些货币从何而来？

如果这个过程只是局部现象，即只有部分资本家在进行货币积累，问题就比较简单了。这时候，除去新生产的金的一部分作为货币进行积累以外，这种货币准备金就是从流通中取出的。这就是：一部分资本家卖而不买，把出售商品所得的货币暂时存起来，不用它从市场上购买别的产品；另一部分资本家，把他们除了为生产经营必要的货币资本以外的所有货币都投到市场上去，购买商品，以实现扩大再生产。这样，前一部分资本家所进行的是货币积累，即以货币作为准备金的形式积累着；后一部分资本家所进行的是实际的积累，即在实际上扩大生产规模。由于货币积累和实际积累是交替进行的，因而一部分资本家把货币不断地从流通转入积累，而另一部分资本家又不

① 所谓铸币准备金，是指除去在流通中的铸币以外，还有一部分铸币，或多或少地不断停顿下来，处于暂时闲置状态，“这种准备金的形成、分配、消失和恢复经常更替着，它的存在不断消失，它的消失不断存在”。

断地把积累的货币再投入流通，因此，“现有的货币量仍然足以满足流通的需要”。此外，还可以不用现金，而用债权的形式来进行积累。如资本家把货币准备金借给别人，取得利息，这时，他手中就没有货币，只有债权，准备金就不会以货币的形式存在了。

如果这个过程不是局部现象，而是所有的资本家都进行货币资本积累，上述货币积累与实际积累交替，从而互相抵消的情况就不存在了，这样，“困难就会发生了”。怎么办？付给工人工资部分的货币，只能实现可变资本的价值，不能用于实现不变资本，更不能用于实现剩余价值。如果资本家全体都出售商品，只卖不买，那么买者从何而来？买者的货币又从何而来？如果全体资本家都用他们购买消费品的货币来支付，但是，这种消费品的货币基金是作为流通基金存在的，不是作为潜在的货币资本，即不是作为贮藏手段存在的，它是流通中的货币，一旦转入贮藏，流通就会停滞，流通的货币量就不能满足流通领域的实际需要了。当然，如果用追加的金来作为货币准备金，这个问题就顺利解决了。实际上，除了追加的金以外，这种准备金还以非现金积累的形式，就是：(1) 银行存款。资本家把货币准备金存入银行，从而取得“货币索取权”，但他们手上已不占有现实的货币了。银行经营存款和贷款业务，并使二者之间平衡，银行手中直接掌握的也只是很小的一笔货币。(2) 公债券。这只是一国年产品的债权。(3) 股票。这是资本所有权的证书和占有剩余价值的凭证。在这些场合，都不需要现实的货币，所以这部分准备金成为非现金形式的货币积累。至于以现金形式进行货币积累的情况，当然也是存在的，但那是属于贮藏货币的一类。这“或者是流通停滞的结果”，如握有货币的资本家买不到需要的商品，或他们暂时卖而不买；“或者是由资本周转决定的积累的结果”，如固定资本的折旧费，暂时提存起来，等达到一定数量以后，才能实现固定资本的更新；或者“货币资本的形成暂时处在潜在的形式上，目的是要执行生产资本的职能”，如购买生产贮备品的货币准备金。根据以上分析，马克思最后作出结论：除去货币积累和实际积累在资本家之间互相交替的情况外，除去以新生产的金作为追加货币进行积累，在资本家之间进行分配外，“从来不会在所有地方同时发生货币形式的积累”。这不仅因为在流通领域中不能提供这部分的货币量，而且因为在现实经济生活中，绝不会出现大家都只积累货币、不进行生产的怪现象，如果不在生产中创造出剩余价值，那就根本谈不上剩余价值的流通和实现了。

■　在本章中，为什么研究资本周转对剩余价值的影响以后，还要研究为实现剩余价值的货币从何而来的问题呢？首先，资本周转必须经过流通阶段，如果流通阶段停滞，周转就不能顺利进行，而流通阶段实质上是实现问题，即由商品资本实现为货币资本的问题。如从再生产观点看，还有由货币资本再转化为生产资本要素的问题。商品是要用货币来进行交换的，没有货币，就无法进行交换，也就谈不上剩余价值的实现。其次，货币形式的积累应该先于资本积累。因为资本家把体现为剩余价值的产品生产出来以后，除了少量部分直接用作本企业的扩大再生产以外，绝大部分是要通过出卖，由商品资本转化为货币资本，从而把这部分剩余价值资本化的。正如资本必须首先表现为一定数量的货币一样，资本化的剩余价值也必须首先表现为货币形式的积累。最后，在资本主义社会里，剩余价值的流通是一个特殊的运动，它直接关系到资本主义生产的各个方面的问题，解决剩余价值实现的货币来源问题，既要研究流通中所需要的货币量规律的问题，又要研究货币材料的再生产的问题。马克思在本章中，先从个别资本周转的角度研究了为实现剩余价值所需货币的来源问题；然后在第二十章第七节中，再从社会资本的角度研究货币材料的再生产问题；可见，研究这一部分货币的来源，既是为了研究剩余价值的流通和实现，也是为了进一步研究在再生产过程中，各生产部门之间的相互关系以及如何从物质形式上、价值形式上进行补偿等问题。

第三篇
社会总资本的再生产和流通

第十八章
导　　言

《资本论》第二卷研究资本的流通过程，第一、二篇着重研究单个资本的再生产和流通，第三篇就要研究社会总资本的再生产和流通。

第三篇所研究的中心问题是：社会总资本究竟按照什么形式进行再生产？社会总资本的再生产究竟要具备哪些条件？

第三篇共四章：第十八章，着重分析本篇社会总资本的再生产和流通的研究对象；第十九章，批判地评价了资产阶级古典学派再生产理论的错误；第二十、二十一章，科学地叙述了社会资本再生产的基本原理，探讨了全篇的基本问题。

Ⅰ. 研究的对象

社会总资本的运动

既然本篇是要研究社会总资本的再生产和流通，那么首先就要弄清楚，什么是社会总资本，什么是社会总资本的运动。

在资本主义社会里，许许多多资本主义企业都是单个地、独立地进行生产的，从反复不断进行的生产过程看，生产过程就是再生产过程。资本的再生产过程既包括直接的生产过程，也包括流通过程（即由商品资本转化为货币资本、由货币资本转化为生产资本要素的两个阶段）。单个资本的再生产，就是单个资本反复不断地经过生产过程和流通过程进行资本循环，就是单个资本的不停运动。

正如一个资本家只是整个资产阶级的一个分子一样，单个资本也只是社会总资本的一个独立组成部分。社会总资本是由许许多多的单个资本构成的，但这些单个的独立资本并不是互相孤立、彼此隔绝的，而是互相联系，形成一个有机的整体，这种互相联系的单个资本的总和，就是社会资本，或社会总资本。"社会资本的运动，由社会资本的各个独立部分的运动的总和，即各个单个资本的周转的总和构成。"这种总和，绝不是数学上的简单的相加，而是互相交错、互为前提、互为条件的。为什么说单个资本的运动是互相交错的呢？由于资本主义社会存在着社会分工，每个单个资本必须和别的资本发生两方面的联系，一方面，要同提供生产资料的企业发生联系，如纺纱厂要向机器厂购买纺纱机；另一方面，要同购买它的产品的企业发生联系，如纺纱厂要把棉纱卖给织布厂。因此，这一企业和另一企业，另一企业又和其他企业，产生互相交错的复杂的联系。为什么说单个资本之间是互为前提、互为条件的呢？例如，纺纱厂要生产，必须购买机器厂的纺纱机，机器厂是纺纱厂生产的前提条件；但机器厂要能继续再生产，必须把生产的机器卖给纺纱厂，因而纺纱厂又成为机器厂再生产的前提条件。在单个资本主义企业之间，就是这样你以我为前提，我以你为条件，自发地联系着的。所以马克思说："各个单个资本的循环是互相交错的，是互为前提、互为条件的，而且正是在这种交错中形成社会总资本的运动"，"单个资本的形态变化现在则表现为社会资本形态变化系列的一个环节"。

其次，社会总资本运动的总过程，既包括直接的生产过程，又包括流通过程，因而，它既包含生产消费和交换，也包含个人消费和交换，还包含剩余价值的流通。在单个资本的再生产中，我们只考察了生产消费，即如何消耗机器、厂房等固定资本，又如何消耗原材料等流动资本中的不变资本，以及资本家如何购买劳动力，使劳动力商品转化为可变资本，并在生产中使用它，消费它；但是，对于个人消费（包括工人的个人消费和资本家的个人消费），只是假定有这种情况存在，并没有作进一步的说明。从社会资本再生产的角度看，商品的出售，使商品资本转化为货币资本，这时的购买者，不仅有购买生产资本要素的资本家，而且还有购买生活消费品的工人，以及购买生活消费品和奢侈品的资本家，这就既包含着工人阶级的个人消费，也包含着资本家的个人消费，因而就要研究工人和资本家究竟从哪里取得生活消费品和奢侈品，以及资本家一面如何挥霍浪费，一面又如何实现剩余价值资本化，进行剩余价值的流通问题。

最后，既然社会总资本的运动是由各个单个资本的循环综合而成的，也就是说，社会资本的循环，是就社会资本的总体来考察的循环，那么，它“不仅包括资本的流通，而且也包括一般的商品流通”。例如，工人把劳动力卖给资本家，从资本家方面看，是用货币资本转化为生产资本要素，是资本流通；但从工人方面看，是工人把劳动力作为商品来出卖，只是一般的商品流通。又如工人把得到的工资用来购买生活消费品，从工人方面看，是用货币购买商品，以满足个人的生活需要，是一般商品流通；但从资本家方面看，把生产出来的商品卖出去，由商品资本转化为货币资本，又是资本流通了。同样，资本家 A 把剥削到的一部分剩余价值用于购买消费品和奢侈品，从 A 来说，这也只是商品流通，不是资本流通；相反，从出卖奢侈品和消费品的资本家来说，又是使商品资本转化为货币资本的过程，又是资本流通。正是由于在现实经济生活中，资本流通和一般商品流通是互相交错的，所以社会总资本的运动，不仅仅是单个循环的综合，而且还包含一般的商品流通，因此，在研究社会总资本的运动时，不仅要研究单个资本循环如何互相交错，而且还要研究一些不属于资本流通范围的现象。因此马克思说，“社会总资本的循环却包括那种不属于单个资本循环范围内的商品流通，即包括那些不形成资本的商品的流通”。

本篇研究的对象

接着，马克思指出："现在，我们就要考察作为社会总资本的组成部分的各个单个资本流通过程（这个过程的总体就是再生产过程的形式），也就是考察这个社会总资本的流通过程。"这就是说，社会总资本的流通过程是本篇研究的对象。

那么，本篇研究的对象，与《资本论》第一卷所研究的有什么不同呢？我们知道，第一卷是研究资本的直接生产过程的，在那里，既把生产过程作为孤立的过程来研究，又把它作为再生产过程来研究，既研究了剩余价值是怎样生产出来的，又研究了剩余价值是如何转化为资本的(即资本本身的生产)，在那里，对于流通过程，只是假定为前提条件，没有进行分析；但是为了研究剩余价值的生产，又对劳动力这个特殊商品的买卖进行了考察。在本篇，既不是研究剩余价值如何生产出来，也不是研究剩余价值在什么条件下转化为资本，而是研究社会总资本的流通过程，和第一卷所研究的对象显然是不一样的。

第一卷第七篇不也是讲资本主义的再生产吗？与本篇究竟有着怎样的关系呢？作为研究再生产，与本篇所论述的问题，在性质上是相近的，但所研究的直接对象则不同。第一卷第七篇，主要讲资本主义的生产关系的再生产，以及在扩大再生产过程中，资本主义生产关系又如何发展和扩大的问题，也就是资产阶级对工人阶级的剥削关系，怎样在生产发展过程中不断扩大和加强的问题；本篇所研究的，则是社会总资本究竟按照什么形式进行再生产，以及社会总资本的再生产究竟要具备哪些条件的问题。

《资本论》第二卷都是研究资本的流通过程的，那么，本篇研究的对象与第一、二篇又有什么不同呢？简单地说，第一、二篇所考察的，"始终只是单个资本，只是社会资本中一个独立部分的运动"，而本篇所考察的，则是社会总资本的再生产和流通。我们知道，在第一篇中，研究了资本在循环中如何采取货币资本、生产资本、商品资本等形式，以及如何由这一形式转变为另一形式的问题；在第二篇中，研究了资本如何同时采取不同形式，并在运动中相互交替、进行连续不断的周转的问题，从而揭示了：一定量的资本，必须根据周转的条件分割为大小不等的比例部分，并不断在货币资本的形式上预付和更新，以便使一定量的生产资本能够不断地执行职能，这是客观的经济规律。而本篇所要研究的，则是在社会总资本的再生产过程中，在价值形式上如何实现的问题，在物质形式上如何补偿的问题，这是从社会总资本出发的，不是从单个资本出发的，可见，研究的出发点是有所不同的。

Ⅱ. 货币资本的作用

本来，货币资本的作用是本篇后面所要考察的，为什么现在就立即进行研究呢？这是因为：一部分资产阶级经济学者，从古典学派开始，就把社会资本确定为供进一步生产性消费的一部分社会财富，这就是说，在社会资本中，不包括货币资本了；而另一部分资产阶级经济学者，又受重商主义的思想影响，把货币看成是社会财富和资本的最本质的部分。上述两种观点，或者是不重视货币资本的作用，或者是过分夸大了货币资本的作用，都是不切合再生产过程的实际情况的。马克思把货币资本作为社会总资本的一个组成部分来考察，指出了货币资本对再生产有重要的作用，同时也指出了不能过分夸大货币资本的作用，特别是在研究社会资本再生产时，对货币资本的作用要作恰如其分的分析。

货币资本的作用

在考察单个资本的周转时，货币资本在资本主义生产过程中有如下两方面的作用：

第一，任何资本首先都要表现为一定数量的货币。资本的运动总是首先从货币开始的。货币资本是资本运动的起点和出发点，“因此，它表现为发动整个过程的第一推动力”。这就是说，预付的货币资本量的多少，决定着企业的生产规模。

第二，在不同企业里，由于周转时间的长短不同，由于在周转时间内区分为劳动期间和流通期间的比例不同，因而必须以货币形式预付和周转的预付资本与它作为生产资本执行职能的那部分的比例也就不同。但是，不管这种比例如何，执行职能的生产资本的价值，都要受到与之同时存在的预付的货币资本价值的限制，这就是说，在投入资本进行生产时，必须经常保存一部分货币资本，以便补充生产资本要素，不断地进行预付和更新，才能使生产正常进行。如果没有这部分货币资本，资本循环就要停止，再生产就要中断；如果这部分货币资本不足，不能满足再生产过程中的补偿和更新的需要，就会使再生产的规模受到影响。可见，这部分货币资本的存在，对保证再生产的顺利进行有重要作用。

扩大再生产的规模，在一定的界限之内，不完全取决于预付货币资本量

现在先来考察货币资本的第一个作用。在社会总资本运动中，货币仍然起着“新开办的企业的第一推动力和持续的动力”的作用。这是因为：商品生产必须以商品流通为前提，而商品流通又必须以货币流通为前提，资本家只有掌握了货币资本以后，才能买到他所需要的生产要素，才能进行生产，所以货币资本仍然是新企业的第一推动力。在企业开始生产以后，流动资本部分在较短时间必须不断地进入生产过程，并和产品一起转入流通过程，不断地从商品资本转化为货币资本，再从货币资本转化为生产资本要素，所以货币资本的存在，又是企业不断进行再生产的必要条件，成为企业的“持续的动力”。所以说，在社会总资本运动中，货币资本仍然起着重要作用。但是，能不能说，货币资本的大小是决定生产规模的绝对界限呢？不能这样说。如果这样说，就是夸大了货币资本的作用。为什么呢？因为：在将一定数量的货币资本投入某企业以后，不增加货币资本的数量，或者不按扩大生产规模的要求来按比例地增加货币资本的数量，仍然可以扩大再生产的规模。这就是说，扩大生产规模并不完全受货币资本数量的限制。例如，采用下述方法，不增加货币资本或不必按生产规模按比例地增加货币资本，就可以扩大生产规模。

第一，加强对劳动力的剥削。在工资不变、因而用于可变资本的货币量也不变的情况下，如果从外延方面来延长劳动时间，或者从内涵方面来提高劳动强度，就会增加生产，扩大生产规模。即使在工资有所提高、支出的可变资本货币量有所增加的情况下，增加的比例却小于对劳动力剥削的加强的部分，也会使生产的扩大程度超过货币资本量增加的程度。

第二，加强对自然物质的利用。自然物质，如土地、海洋、矿山、森林等等，它们本身不是资本，只是生产中的物质要素。“只要提高同样数量劳动力的紧张程度，不增加预付货币资本，就可以从外延方面或内涵方面，加强对这种自然物质的利用。”例如，在不增加货币资本的情况下，加强对劳动力的利用，进行矿山开采，或者从外延方面，扩大采掘的规模，或者从内涵方面，提高采掘的产量，就会增加生产资本的物质要素，加强对自然物质的利用，从而无须追加货币资本就可扩大生产规模。如果由于追加辅助材料而追加了货币资本，那么，这种货币资本也不是和生产效能的扩大成比例地增加的。

第三，更有效地利用劳动资料或固定资本。例如：使用机器，或者是，增加对它的使用时间，如从每天使用10小时增为16小时、20小时，或者是，增加对它的使用强度，如把机器的马力开足、速度提高，就会在不增加货币资本支出的情况下，加速固定资本的周转，增加产量，从而使生产扩大。

第四，充分利用自然力。自然力是不花费资本家分文的。对自然力的利用和发挥它们效能的程度，是由科学技术的发展程度和劳动经验、劳动技能的实际水平所决定的。如建设水电站，在使用同量货币资本的情况下，采用先进技术设备，有较熟练的劳动力，就能发出较多的电力；相反，如采用落后技术，使用陈旧的操作方法，其发电能力就会相对地降低。这种情况说明，对自然力的利用，不完全受货币资本量的限制，更重要的是受科学技术发展程度和劳动者的技术水平的影响。

第五，改善劳动组织和提高劳动者的熟练程度。例如，根据生产某产品的客观要求，合理组织劳动力，进行科学分工，就会在同一劳动时间内，提高劳动效率，增加产量。又如，提高劳动者的熟练程度，既会提高产品质量，又会减少物质消耗，从而使产量增加。

马克思在这里还批判了美国庸俗经济学家凯里的错误观点。凯里鼓吹资本主义社会阶级利益调和论，竟推算出“土地所有者从来没有得到足够的报酬”。他认为：人们总是先耕种易于开垦的松软而干燥的高地，然后才知道耕种对于农业更有利的地势低下和靠近池沼的土地，也就是说，人们耕种土地的顺序，总是先种劣等地，然后种优等地。在肥沃的土地已被地主占有的情况下，经营土地的农业资本家不能不交付地租。

他认为，地租是对地主和他的祖先过去投在这块土地上的资本和劳动的报酬。土地之所以有现在这样的生产能力，就是由于很早就有资本和劳动在土地上投入的结果。但随着技术的发展，如果原来改良土地需要1000元投资，现在只要500元就够了，因此，原来投资1000元的报酬只能等于现在投资500元的报酬。这就是所谓“土地所有者从来没有得到足够的报酬”的谬论。按照这一谬论，土地这个自然物质所提供的生产效能，不是劳动者劳动的结果，而是地主、资本家投资经营的结果；同样，由于工人的劳动熟练程度所增加的产量，不是工人们劳动技能提高的结果，而是资本发生作用的结果。事实恰恰相反，地主对土地的投资，早就被他所剥削的地租补偿了，而且极大地超过他们的投资部分了。土地所有权早就被社会赎买来了。马克思批判凯里上述错误的目的，在于证明：在客观上存在的这种扩大生产的物质力量，不是来源于资本和地主的土地占有权，而是来源于劳动者的劳动熟练程度，来源于劳动者对自然物质的利用。

第六，提高劳动生产力。如果不是由于增加货币资本量，而是由于其他原因，提高了劳动生产力，虽然没有增加产品的价值，却增加了产品的数量，即增加了使用价值量，这就是说，只是使用价值的扩大再生产，而不是价值的扩大再生产。“但是，劳动生产力的提高同时形成新的资本材料，从而形成资本积累扩大的基础。”这就是说，由于使用价值的扩大再生产，为资本提供了更多的物质资料，从而为追加资本、实现价值的扩大再生产奠定了必要的物质基础。

第七，资本集中产生了大企业。要开办大规模的企业，当然需要较大量的货币资本。在资本主义社会里，由于资本集中，一些资本家联合成立股份公司，开办大企业。这时，由于把原来分散在几个、几十个资本家手里的货币资本集中在一个企业中，单个资本的量增大了。虽然它们的社会总额并没有增加，但是由于资本集中的结果，大量货币资本集中在一个企业里，能够进行大规模的生产，并可采用先进的技术设备，大大提高劳动生产率，这样，和那些分散的许多中小企业相比，产量会有很大的增加。

第八，缩短周转时间。如果在货币资本量不变的情况下，周转期间缩短了，它就能推动更多的生产资本，生产出更多的商品，从而使生产规模扩大。如果周转期间缩短，即使货币资本量减少了，生产的规模仍能保持不变。在这种情况下，影响着生产规模的，不完全是货币资本的量，而是周转期间的长短。

上述情况表明：扩大再生产的规模，在一定的界限之内，不是取决于预付的货币资本量。这就是说，当预付货币资本转化为生产资本要素之后，“包含着生产的潜力，这些潜力的界限，不是由这个预付资本的价值界限规定的”，而是由生产资本要素发挥出来的，“这些潜力能够在一定的活动范围之内，在外延方面或内涵方面按不同程度发挥作用”。在生产要素的价格一定，为购买这些生产要素而预付的货币资本量一定的情况下，这些生产资本要素在生产过程中所发挥的作用的大小，是可以伸缩、可以变化的。这种作用发挥得越大，生产潜力发挥得越充分，产量就越增加，生产规模就越扩大。这说明，当货币资本转化为生产资本的要素以后，生产规模的扩大并不完全受预付货币资本量的限制。

信用制度和联合经营打破了单个资本家所拥有的货币资本量的限制

现在再来考察货币资本的第二个作用。在社会总资本运动中，由于周转期间的长短不同，推动生产资本所必需的货币资本量也就有大有小。一方面，由于流通时间的存在，就要求有一定数量的潜在的货币资本来填补这个空隙；另一方面，劳动期间较长的企业，就需要付出较大量的货币资本；从这个意义上说，货币资本量对于生产规模仍起着重要的限制作用，正如在单个资本的企业中，执行职能的生产资本的价值，要受到与之同时存在的预付的货币资本量的限制作用一样。但是，在社会总资本运动中，这种由单个资本家所拥有的货币量对生产规模的界限，被信用制度和与此相连的联合经营打破了。由于信用制度的发展，资本家可以通过取得贷款，利用别人的货币来经营大企业；由于实行联合经营，资本家还可以通过举办股份公司，集中较多的货币资本来经营大企业；这样，个别资本家因货币资本不足不能经营大企业的限制被打破了。由此可见，单个资本所掌握的货币资本量，不能对生产规模起着决定性的限制作用；这也就是说，从社会总资本的运动来看，不能夸大单个资本家的货币资本量对生产规模的限制作用，还必须看到信用制度、联合经营等社会经济因素对生产规模的重要作用。

在第 396 页到 397 页的一段中，马克思对社会主义社会的计划经济作了重要的提示。(1) 社会主义的计划经济必须正确处理远期发展与近期发展的相互关系，对那些周转期间较长，要在长时期内投入较多的劳动力和生产资料，但在这时期内又不能提供产品的部门，和那些周转期间较短，能够在一年内不断投入生产资料和劳动力，不断提供产品的部门，要有计划地、按比例地发展，前者的发展规模不能超过后者所能提供的物质条件，否则就会有损后者。(2) 由于劳动期间不同，提供产品的时间也就或早或晚。在劳动期间较短的部门，只在较短时间内取走产品而不提供产品；在劳动期间较长的部门，则要在要较长时间内不断取走产品而不提供产品。这种劳动期间长短对生产的影响，不是由社会形式所决定，而“是由各该劳动过程的物质条件造成的”，也就是说，是由该部门产品的生产的特殊性质所造成的。这种情况，不仅存在于资本主义社会，也存在于社会主义社会。这就告诉我们，在制定国民经济计划时，必须反映不同生产部门的这种不同物质条件，并注意它们之间的比例关系。(3) 在社会公有的生产中，资本不存在了，货币不存在了，因而货币资本也不存在了。社会把劳动力和生产资料分配给不同的生产部门，生产者经过劳动后，根据纸的凭证，向社会“取走一个与他们的劳动时间相当的量”的生活消费品，这种纸的凭证不是货币，不能当作货币来流通。马克思在这里所说的，是公有社会的分配问题，前两点所说的是公有社会的生产问题。必须注意，马克思在这里所说的公有社会，是指充分发达的社会主义社会和共产主义社会的高级阶段。他后来在《哥达纲领批判》中曾经设想，在发达的社会主义社会里，商品消灭了，货币也不存在，计划经济得到充分的发展。上述情况，同中国当前尚处在不发达的社会主义初级阶段的情况是有所不同的。但上述原理对我们充分认识不同生产部门的生产特点，遵循客观经济规律，搞好国民经济计划和综合平衡工作，正确实行对消费品的合理分配，有重大的指导意义。

■马克思关于扩大再生产的规模不完全取决于预付货币资本量的原理，也就是说，在投资不变的情况下，充分发挥生产潜力，仍然可以扩大生产的原理，除去其资本主义的特质以外，对于当前中国的社会主义建设有极其重要的实际意义。

不可否认，生产规模的大小首先受到投资多少的限制，但资金转化为生产要素以后，仍然会有一定的伸张力（马克思称为资本的伸张力），这种伸张力，我们通常称为企业的潜力，充分发挥现有企业的潜力，是加速国民经济发展的一个重要方面。国民经济的发展，生产规模的扩大，一是取决于新建企业的多少和大小，一是取决于对现有企业的改造和挖潜。马克思在本章中具体论述了发挥生产潜力的各种途径，例如，加速科学技术的发展，充分利用自然力、自然物质，更有效地利用劳动资料；改善劳动组织，加强企业管理，建立合理的规章制度，建立生产责任制，充分提高劳动效率；加强对劳动者的教育，不断总结劳动经验，提高劳动技能，促进劳动生产率的不断提高；以及不断改进生产技术，缩短周转期间，加速流动资金的周转，节约流通费用等，这些都是在企业中挖掘潜力、不断扩大生产的重要方面。虽然马克思是从货币资本作用的角度来论述这个问题的，但运用这些原理来指导当前企业的挖潜工作，是完全适用的、必要的。

第 十九 章

前人对这个问题的阐述

关于社会总资本的再生产和流通的科学理论，是由马克思创造性地建立起来的。这个理论解决了资产阶级经济学家研究了将近一个世纪所不能解决的问题，成为马克思经济学说中的一个重要组成部分。但是，马克思关于社会总资本再生产的理论，是在批判资产阶级古典经济学派的基础上建立起来的。要正确地理解马克思的上述理论，就要研究马克思是怎样在批判古典学派的基础上建立他的理论的。这就是说，要研究古典学派在社会资本的再生产和流通的问题上，解决了哪些问题，有哪些错误观点，有哪些不能解决的问题，问题的症结何在，然后才能弄清楚，马克思是怎样解决这些问题，从而创建他的科学理论的。

本章共分三节：第一节，研究重农学派魁奈的《经济表》在理论上的重大成就；第二节，批判斯密的错误观点；第三节，指出斯密的错误一直影响着以后的经济学家，他们在这个问题的研究上没有取得任何成就。

Ⅰ. 重 农 学 派

魁奈的《经济表》是对资本主义再生产的第一个系统的说明

弗朗索瓦·魁奈（1694—1774），重农学派创始人，法国经济学家，《经济表》是他的最重要的著作。《经济表》主要有三种，一是原表，二是略表，三是图式。《经济表》的原表著于1758年，当时只印4本，它是分析单个资本的再生产过程的。1760年魁奈写了《经济表分析》的论文，文中附有《经济表图式》，图式是分析社会资本的再生产过程的。后来，包埃尔又对图式加以修订，虽然只修改了两处，但使图式更加简明。

弗·魁奈的《经济表》[①]

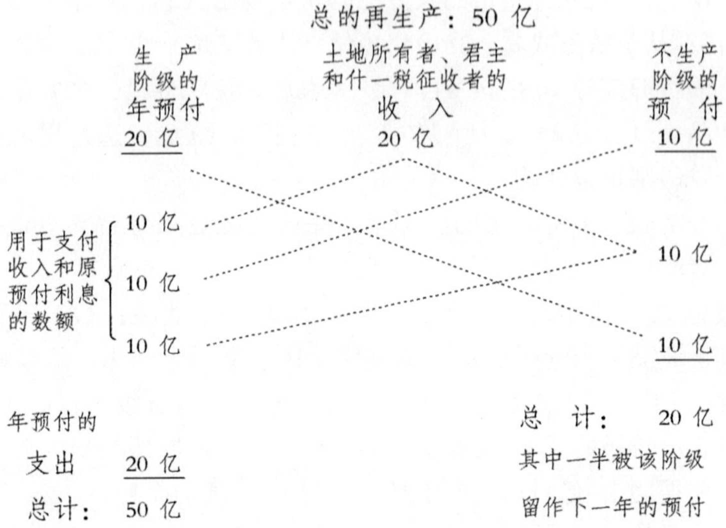

《经济表》所要说明的问题是：在其他条件不变的情况下，一个国家具有一定价值的年产品，怎样通过流通进行分配，使简单再生产不断地实现下去。

《经济表》中所假定的哪些条件是不变的呢？这就是：(1) 交换按等价进行，价格固定不变；(2) 生产规模不变；(3) 没有国外市场。在这三方面条件不变的情况下，社会上存在三个阶级。一是生产阶级，包括租地农场主和农业工人。魁奈认为，只有农业才生产“纯产品”[②]，农业是唯一的生产部门，因而从事农业的阶级，就是唯一的生产阶级。二是土地所有者阶级，包括地主及其从属人员、国王及其侍从、僧侣、贵族、官吏等等，他们靠地租或租税的形式取得“纯产品”。三是不生产阶级，

---

① 上表系图式，摘自魁奈《经济表分析》，转引自《马克思恩格斯全集》第 20 卷，人民出版社 1971 年版，第 277 页。

② 魁奈认为：“纯产品”就是农产品的价值超过为生产这些农产品而必须耗费的价值的余额。可见，魁奈所说的“纯产品”，即体现剩余价值的剩余产品。

包括工商业资本家和工人。重农学派认为工商业不创造“纯产品”，工商业不是生产部门，因而他们都被称为不生产阶级。

《经济表》是以“纯产品”理论为基础的，它的出发点是一年中生产出来的全部农产品。每年农作物收割完毕时，产品作如下分配：(1) 生产阶级手中有价值 50 亿货币的农产品。从实物形式看，其中粮食 40 亿，原料 10 亿；从价值形式看，其中年预付（流动资本）20 亿，原预付（固定资本）的折旧部分 10 亿，“纯产品”（剩余价值）20 亿。(2) 不生产阶级有工业品 20 亿。(3) 土地所有者阶级有货币 20 亿，这是用地租的形式从生产阶级那里取得的。

在《经济表》中所表示的全部年产品的交换过程综合为五次：(1) 土地所有者阶级用 10 亿货币向生产阶级购买 10 亿的粮食；(2) 土地所有者阶级用 10 亿货币向不生产阶级购买 10 亿的工业品；(3) 不生产阶级用出卖工业品给土地所有者阶级所得的 10 亿货币，向生产阶级购买 10 亿的粮食；(4) 生产阶级用出卖粮食给土地所有者阶级所得的 10 亿货币，向不生产阶级购买 10 亿的工业品；(5) 不生产阶级用出卖工业品给生产阶级所得的 10 亿货币，向生产阶级购买 10 亿的原料。

这样流通的结果是：(1) 土地所有者阶级手中有 10 亿粮食和 10 亿工业品（这是用 20 亿货币分别换来的，供个人消费）；(2) 生产阶级手中有 20 亿货币，10 亿工业品，20 亿粮食（他们用 20 亿粮食和 10 亿原料换回 20 亿货币和 10 亿工业品。20 亿货币，作为明年交纳地租之用，10 亿工业品，用于更新固定资本的折旧部分，余下的 20 亿粮食作为明年的年预付用）；(3) 不生产阶级手中有 10 亿粮食和 10 亿原料（这是用 20 亿工业品换来的，供下年度维持简单再生产之用）。这样，全部年产品经过流通便分配于三个阶级之间，在价值形式上得到了补偿，在实物形式上得到了恢复，简单再生产就可以继续进行。

马克思在评介《经济表》时指出：“这张表实际上只有 5 条线，连结着 6 个出发点或归宿点。这个尝试是在 18 世纪 30 至 60 年代政治经济学幼年时期做出的，这是一个极有天才的思想，毫无疑问是政治经济学至今所提出的一切思想中最有天才的思想。”① 具体地说，魁奈在《经济表》

---

① 《马克思恩格斯全集》第 33 卷，人民出版社 2004 年版，第 415 页。

中所作的创见有如下几方面：

第一，他把上一年度的收获，作为构成生产期间的起点。这就是说，他从社会总产品的研究开始，从商品资本循环的研究开始。马克思说："W′…W′是魁奈《经济表》的基础。他选用这个形式，而不选用 P…P 形式，来和 G…G′（重商主义体系孤立地坚持的形式）相对立，这就显示出他的伟大的正确的见识。"①

第二，"无数单个的流通行为，从一开始就被概括为它们的具有社会特征的大量运动，——几个巨大的、职能上确定的、经济的社会阶级之间的流通。"这就是说，《经济表》综合地表明了社会各阶级收入的起源，资本和收入之间的交换，再生产消费和最终消费的关系，并且把农业和工业之间的流通看成是再生产过程的要素，这对于科学地研究社会再生产是很有启发的。

第三，他把"总产品的一部分"看成是"同时只是以同一实物形式再现的原有资本价值的承担者"。这就是说，他把 10 亿货币的工业品用于更新固定资本的折旧部分，实际上已看到不变资本在再生产过程中如何流回，以便重新充当资本的问题。（斯密在这个问题上，产生了重大错误。这个问题，将在第二节中研究。）

第四，他"从资本主义的观点"出发，把农业看成"是唯一的真正生产的领域"。这就排除了"只是由流通幻影引起的思想混乱"，即排除了重商主义者把利润归结为由流通产生的错误观点，从而把剩余价值的产生正确地归结于生产过程。"他把握住了问题的实质"以后，就能"把资本的整个生产过程表现为**再生产过程**，把流通表现为仅仅是这个再生产过程的形式；把货币流通表现为仅仅是资本流通的一个要素"②。

虽然魁奈及其信徒们表示，他的理论是为了改善法国的封建制度的，他们挂着的是封建招牌，但实际上，魁奈在《经济表》中所反映出来的理论体系，却完全是资本主义的。为什么呢？从《经济表》看，他认为：(1) 在整个生产中，租地农场主阶级（实即农业资本家）是产业资本的

① 《资本论》第 2 卷，人民出版社 2004 年版，第 115 页。
② 《马克思恩格斯全集》第 33 卷，人民出版社 2004 年版，第 414—415 页。

代表，是全部经济运动的指导者；(2) 农场是按照资本主义方式经营的，耕种土地的是农业工人，他们在生产中，体现着农业工人和租地农场主之间的生产关系；(3) 他们是进行商品生产的，他们创造着商品的使用价值，也创造出价值，他们的直接动机和目的是为了取得剩余价值，而且这种剩余价值不是由流通领域产生，而是在生产领域产生出来的；(4) 在社会上存在的三个阶级中，他把不生产阶级、农业工人、租地农场主和土地所有者阶级区别开来了（在封建社会里，地主和租地农场主相分离的现象是极少见的），而这种区别，正是资本主义关系在农业经营中的固有表现。所以马克思说："在实际上，重农主义体系是对资本主义生产的第一个系统的理解。"因为他所研究的对象实际上是资本主义的生产关系而不是封建的生产关系。

正是由于重农学派的思想是资本主义经济思想的最早体现者，所以"这种体系的资本主义性质"就受到左的、右的以及其他学派的攻击，这就是，"一方面引起了兰盖和马布利的反对，另一方面引起了自由小土地所有制的辩护者们的反对"。

兰盖是从右的方面来反对魁奈的主要代表人物。兰盖（1736—1794）是法国启蒙思想家，他从维护奴隶制的立场出发，反对魁奈的资本主义思想。例如，魁奈认为，资本主义生产资料私有制的安全，是社会经济制度的真正基础；兰盖却认为，私有制并不是一开始就存在的，社会是由暴力产生的，财产是由强力占有产生的。又如，魁奈宣扬经济自由的资本主义性质；兰盖却从劳动上、生活上、政治上等方面，揭露资产阶级自由的虚伪性，最后他作出结论说，我们必须断却自由的幻想，回到前资本主义的奴隶制去。这就充分说明，兰盖反对魁奈的资本主义经济思想，只是出于维护奴隶制的目的。

马布利是从左的方面来反对魁奈的主要代表人物。马布利（1709—1785）是法国历史学家，空想共产主义者。他反对重农学派关于私有制是自然秩序基础的观点，反对重农学派所描绘的由三个阶级组成的社会，他认为私有制是一切灾难和罪恶的根源，只有共产主义才能恢复人们之间的天然平等，当他自己想象的共产主义不能实现时，就悲观失望，走上了改良主义道路。马布利还反对重农学派发展资本主义大农场的思想，坚持维护小农经济，甚至企图用劳役和实物贡税来代替货币赋税。事实证明，马布利的农业共产主义思想，还在很大程度上带有原始共产主义性质，他和魁奈的资本主义经济思想进行激烈的论战，就不是什么奇怪的事情了。

与重农学派并立的顾尔内（1712—1759）学派，虽然他们都热心倡导经济自由主义，却表现了不同的阶级立场。魁奈主张发展资本主义大农业，从乡村资产阶级中去探寻君主政体的支柱；顾尔内则反对魁奈的主张，否认农业是唯一生产的经济部门，否认魁奈关于“纯产品”的学说，提出“任它做去，任它走去”① 的自由放任的口号，企图在工商业资产阶级中去探寻维护君主政体的支柱，实质上他是站在工商业的立场上来反对魁奈的思想。

当然，魁奈的资本主义思想是挂着“封建招牌”的，因此，马克思指出：“这样，封建主义就被资产阶级化了，资产阶级社会则获得了封建主义的外观。”② 而魁奈的理论体系，“实质上宣告要在封建废墟上建立资产阶级生产制度的体系”③。

但是，魁奈的《经济表》也有重大的缺点和错误：（1）他片面地把农业看成是唯一的生产部门，片面地认为农业劳动是唯一的生产劳动，因而在全部年产品的价值总额中，只有全年农产品的价值总额，没有把工业品的价值包括在内；（2）他错误地认为工业是非生产部门，因而把工业劳动者看成是不生产阶级，他不了解工业中包含着工人阶级与资产阶级的对立，同样，他把租地农场主看成是生产阶级，从而抹杀了农业生产中的农业资本家和农业工人的阶级关系；（3）他只把社会生产分为工业和农业两大部门，没有把社会生产划分为生产生产资料和生产消费资料的两大部类，因而不能从物质形式方面对全部年产品的实现进行科学的分析；（4）他只按资本周转方式把资本划为“年预付”和“原预付”，没有明确的固定资本和流动资本的概念，更不懂得把资本划分为不变资本和可变资本，因而不可能从价值构成方面对全部年产品的实现进

① 转引自卢森贝《政治经济学史》第 1 册，生活·读书·新知三联书店 1959 年版，第 188 页。

② 《马克思恩格斯全集》第 33 卷，人民出版社 2004 年版，第 23 页。

③ 《马克思恩格斯全集》第 33 卷，人民出版社 2004 年版，第 27 页。

行科学的分析。这样，他就不可能真正理解社会资本的特性，不可能在理论上最终解决社会资本再生产和流通的问题。

魁奈《经济表》所列的总产品，实际上不是50亿，而是70亿。他把工业看成是非生产部门，没有把20亿的工业品列入总产品，但又把它列入流通和交换的过程中，这是由他的理论上的错误所引起的计算上的矛盾。

《经济表》问世以后，长期未被人们理解和重视。马克思第一次对《经济表》作了全面分析，肯定了它在理论上的重大贡献，也批判了它的缺点和错误。马克思在《剩余价值理论》第一册第二、六章及附录中，在《反杜林论》第二篇第十章中，在写给恩格斯的信中，对《经济表》的研究提供了精辟的见解。特别是他在1863年7月6日写给恩格斯的信中，创制了一份《经济表》，用来代替魁奈的《经济表》。在这张表后面，还附了魁奈的《经济表》，供恩格斯对比研究。马克思还谈道，“这表将作为**概括**插在我著作最后某一章当中”[①]。在马克思的《经济表》中，批判了魁奈的一些非科学的概念，提出了生活资料生产和生产资料生产的两大部类的划分法，把商品价值划分为不变资本、可变资本、剩余价值三部分，对全部再生产过程进行了分析，在对魁奈《经济表》批判地继承的基础上，进行了新的创造。后来，马克思又将这张表进一步简化和完善，成为再生产公式，写在《资本论》第二卷第二十、二十一章中。[②]

在再生产过程的分析上，斯密比魁奈退步

如果说，魁奈的《经济表》对社会总资本再生产和流通作了包含有科学见解的最初探索，那么，古典学派的杰出代表亚当·斯密，在某些地方不仅“完全重犯了重农学派的错误”，而且比魁奈退步。

---

① 《马克思恩格斯〈资本论〉书信集》，人民出版社1976年版，第182页。

② 现在收入《马克思恩格斯（资本论）书信集》中1863年7月6日马克思的信后所附的只有一张马克思的《经济表》。据马克思遗稿《政治经济学批判》XXⅡI册笔记本中，马克思有两个《经济表》，第一表是说明再生产过程的，第二表是说明总再生产过程的。现在收入书信集中的是第二表。莫斯科版德文《资本论》第二卷附录，把这两个表都附上。郭大力、王亚南合译的《资本论》第二卷1953年版也把这两个表作为附录，收在书中。认真阅读马克思的《经济表》，对于研究魁奈的《经济表》，研究马克思的再生产理论，理解马克思的思想发展过程，是有一定帮助的。

为什么说斯密在某些地方完全重犯了重农学派的错误呢？重农学派错误地认为“纯产品”是农产品价值超过生产费用的余额。但是，这个余额从哪里来呢？他们不懂得“纯产品”是农业工人的剩余劳动所创造的剩余价值，错误地认为它是自然的恩赐，是由土地提供的。主张劳动创造商品价值的亚当·斯密，在谈到农产品时也犯了重农学派的错误。斯密说：“在农业中，自然也和人一起**劳动**；虽然**自然的劳动不需任何费用**，但是它的产品，**和费用最大的工人的产品一样**，仍然具有它的**价值**。”[①] 这就是说，剩余农产品是来源于无偿的自然力。所以斯密认为，“地租可以看作是土地所有者租给租地农场主使用的各种自然力的产物。地租多少，要看设想的各种自然力的大小而定”。这就明显表现出，斯密完全重犯了重农学派把“纯产品”看成是自然恩赐的错误。

为什么说在再生产理论的某些方面，斯密比魁奈退步呢？在魁奈的《经济表》中，生产阶级还把20亿农产品留作下年度的生产消费（如种子）和个人消费之用，这就是说，他们还能从农场主留下的种子等方面，看到不变资本部分如何以更新的形式再现出来。所以马克思说：“在这里，我们感兴趣的是：总产品的一部分……同时只是以同一实物形式再现的原有资本价值的承担者。它不流通，而是留在它的生产者租地农场主阶级手里，以便在那里重新开始它的资本职能。”[②] 可是在斯密那里，“没有像魁奈已经看到的那样，看到不变资本价值以更新的形式再现出来，因而没有看到再生产过程的一个重要因素”，即看不到不变资本的因素。这样，他就只从自然的物理的属性方面，把资本划分为固定资本和流动资本。斯密的这种划分，比重农学派的“年预付”和“原预付”来说，使资本的概念普遍化了[③]，是他的进步之处；但由于他把资本仅仅区分为固定资本和流动资本，不懂得不变资本和流动资本的区分，因而不能正确地确定价值构成，错误地把商品的全部价值都看成是新创造的价值，这就堵塞了对社会总资本再生产进行科学分析的正确道路。

---

① 转引自《资本论》第2卷，人民出版社2004年版，第400页。

② 《资本论》第2卷，人民出版社2004年版，第398页。

③ 参阅本书第十章第一段的解说。

Ⅱ. 亚当·斯密

魁奈的《经济表》并没有引起资产阶级经济学界的应有重视，相反，亚当·斯密的社会资本再生产的理论，在资产阶级政治经济学中一直占统治地位。因此，这一节主要批判亚当·斯密在这方面的错误。

这一节共分五个部分。第一部分是“斯密的一般观点”，着重指出：虽然斯密的再生产理论是错误的，但在他的一般观点中，有些思想片断，有些模糊想法，却是必须重视的。如果把这些思想片断和模糊想法综合起来，进行系统研究，离全部问题的解决也就相差无几了。第二至第五部分，着重批判斯密在再生产理论上的错误。

1. 斯密的一般观点

斯密通过对总收入和纯收入的划分，把已经抛掉的不变资本又偷偷塞进商品价值中来

斯密关于社会资本再生产理论，是以他的价值论为基础的。正是由于斯密的矛盾百出的价值论，堵塞着他研究社会资本再生产的正确道路。

斯密认为：在资本主义社会，每一种商品的价格或交换价值最终分解为工资、利润和地租。他有时又认为：工人的工资，资本家的利润，地主的地租，是一切交换价值的三个原始源泉。这就是说，商品价值是由工资、利润、地租构成的。我们知道，商品价值是由不变资本、可变资本、剩余价值三个部分构成的，不变资本的价值部分是由生产资料的价值转移到新产品中去的，它只是在新产品中再现；可变资本的价值部分是以工资的形式支付工人，要由工人在生产中新创造的价值来补偿；剩余价值部分是工人在剩余劳动时间内新创造的价值，被资本家无偿地占有，至于利润和地租不过是剩余价值的转化形态而已。斯密所说的商品价值分解为工资、利润、地租，其实也就是分解为可变资本（v）和剩余价值（m），即等于工人新创造的价值部分。在这里，体现不变资本（c）即生产资料价值的再现部分没有了。把商品的价值和商品中所包含的劳动新创造的价值这两个不同概念混为一谈了。[①] 这样，就发生了一个问题：商品的价值既分解为工资、利润、地租，这三部分又分别为工人、资本家、地主所消费，那么，就没有生产资料可供再生产之用，如果没有生产资料，再生产怎么能继续进行呢？实际上，要进行再生产，即使是简单再生产，也都必须有生产资料，可见，斯密把生产资料的价值从商品价值中排除出去的价值构成理论是说不通的。

斯密一方面坚持他的商品价值＝v＋m 的理论，另一方面也意识到无法回避生产资料的价值如何补偿的问题，因此，在肯定商品价值＝v＋m 以后，“他还是不得不迂回曲折地把第四个要素，即资本的要素偷偷地塞了进来。这是通过划分总收入和纯收入的区别来达到的”。

按照斯密的意见，一个国家每年的总产品称为“总收入”；从总产品中扣除了固定资本和流动资本，即扣除了不变资本部分以后的剩余部分称为“纯收入”。“纯收入”是全部归入社会消费基金的，而“总收入”则不能全部归入社会消费基金。在这里，斯密也意识到，总产品中相当于不变资本即生产资料的价值部分是必须得到补偿的，因此，他玩弄“收入”这个词，把总收入中的工资、利润、地租称为纯收入，把总收入中体现为生产资料价值的部分称为资本收入，这样，他一方面坚持着价值是由工资、利润、地租所构成的理论，另一方面，又在总收入的概念下把生产资料的价值偷偷地引进来。

必须注意，斯密所说的“总收入”和“纯收入”，和马克思所说的“总收入”和“纯收入”，其含义是不同的。马克思所说的“总收入”，是社会总产品中相当于 v＋m 的部分；而“纯收入”是指社会总产品中的 m 部分。[②] 斯密所说的“总收入”是指全部社会总产品，即等于 c＋v＋m 部分；而“纯收入”则等于 v＋m 部分。

对于斯密的上述区分，马克思批判地指出：第一，斯密在这里所研

---

① 这个问题，在本节第二、三部分将专门进行解说。

② 参阅《资本论》第 3 卷第 49 章。

究的是简单再生产，因为他在这里只注意到固定资本和流动资本的维持费，而不是考察规模扩大的再生产和积累。在简单再生产的条件下，“纯收入”只是构成消费基金的部分，这个消费基金不能侵占执行职能的不变资本；因此，在“总收入”中，除去“纯收入”外，必然还有一部分分解为不变资本。可见，斯密在他的价值构成理论中没有不变资本，而在“总收入”中又引进资本因素，二者是矛盾的。第二，斯密借助“总收入”和“纯收入”的名词游戏，背弃了自己的理论。这是因为：他把总产品的一部分称为资本收入，把另一部分称为纯收入，因此，全部产品的价值都会形成某个人的收入，不过一方面是资本收入，另一方面是用于消费基金的纯收入而已，这样，他把从价值构成中除掉的不变资本的部分，又偷偷地在“资本收入”的名词下引了进来。事实上，生产资料的价值，只是资本家在经营生产时所支出的不变资本的价值在新生产的商品上的再现。试问：这部分不变资本的价值如果作为“资本收入”，怎能不成为新产品价值的一个组成部分？反之，如果不列入新产品价值的一个构成部分，又怎能成为“收入”拿回来？可见，斯密在这里玩弄的名词游戏，在逻辑上是说不通的。

尽管斯密的逻辑混乱，终于在总产品的概念下偷偷地把生产资料的价值引进来，不知不觉地承认了：总产品有三个组成部分，除了可变资本、剩余价值之外，还有不变资本。

斯密意识到必须把两种劳动（提供“纯收入”的消费品的劳动和提供机器等生产资料的劳动）区别开来，这就接近于承认个人消费和生产消费的区别

以上从价值构成方面看，斯密怎样偷偷地把不变资本引进来。以下再从物质形式方面看，斯密又是怎样区分两种不同劳动的。

马克思指出：“亚·斯密在这里碰上了一种非常重要的区别，生产**生产资料**的工人和直接生产**消费资料**的工人之间的区别。”[①] 斯密认为：从生产资料的物质形态看，它不能算作社会纯收入，因为机器、生产工具等不能直接用作个人消费。[②] 但从价值方面看，生产生产资料部门的工人的工资，即斯密所

---

① 《资本论》第2卷，人民出版社2004年版，第405页。

② 即斯密所说：“维持固定资本的全部费用，显然要从社会纯收入中排除掉。”见《资本论》第2卷，人民出版社2004年版，第404页引文。

说的“这种劳动的**价格**，当然可以是社会纯收入的一部分”。因为工人是用这部分工资去购买生活资料以维持生活的。但是在这里斯密忘记加上一句，工资是如此，以利润和地租形态出现的剩余价值也是如此，因为这部分也是被剥削者拿去购买生活消费品和享乐品的。至于生产消费品的劳动，即斯密所说的“在其他各种劳动中，**价格**〔即为这种劳动支付的工资〕和**产品**〔这种劳动体现在其中〕二者都加入这个消费储备”①。这就是说，生产消费品的劳动，不论从价值方面看，或者从产品的物质形式方面看，它们都可算作社会纯收入。由此可见，斯密为说明社会再生产，他把社会劳动分为两大类，即生产生产资料的劳动和生产生活资料的劳动。在生产生产资料的劳动中，从物质形式看，不能算作社会纯收入；但从价值形态看，这类商品中所包含的等于工资部分的价值（当然也应包括剩余价值部分），可以算作社会纯收入。在生产生活资料的劳动中，不论从物质方面看还是从价值方面看，都会形成社会纯收入。

在这里，斯密已接触到一个重要问题，即生产生产资料部门的工人的工资如何实现的问题。他不得不承认由实物形态表现的Ⅰv和由价值形态表现的Ⅰv的区别。因为体现为Ⅰv的实物形态是生产资料，而Ⅰv的价值形态是作为工资，用于购买生活资料，因此，生产生产资料部门的工人，在取得工资后，必须向生产生活资料的部门购买生活消费品，必须依靠生产生活资料的部门来实现。

在这里，斯密又接触到另一个重要问题，即生产生活资料部门的总产品如何实现的问题。他不懂得生产消费和个人消费的区别，只是提出了生活资料可以算作社会纯收入这个空洞概念，这当然不能解决问题，于是他就进一步提出：任何单个资本家的流动资本，都永远不能形成他的收入的一部分；但社会流动资本的一部分（即由消费资料构成的部分），可以同时形成社会收入的部分。他以商店里储存待售的商品为例，说明这部分商品虽然不是商人自己消费的生活资料，但它们都是购买者的消费基金。在这里，斯密把商品资本当成流动资本，因而错误地认为社会流动资本也包含在社会收入之中。事实上，流动资本是生产资本的

① 《资本论》第2卷，人民出版社2004年版，第405页。

一部分，只能用于生产消费；而消费基金所体现的生活资料，只能用于个人消费。斯密不懂得生产消费和生活消费的区别，当然也就不能解决生产生活资料部门的总产品如何实现的问题。

正是由于斯密不仅在价值形态上，而且在实物形态上，不懂得生产消费与生活消费的区别，因而不可能正确解决社会资本的再生产问题。但是，在“这里透露出必须把两种劳动区分开来的想法：一种劳动提供能够加入‘纯收入’的消费品；另一种劳动提供‘有用的机器，工业工具，建筑物等等’，即提供那些决不能加入个人消费的物品。由此，他已经近于承认：要阐明实现问题就绝对必须区分两种消费：个人消费和生产消费（＝投入生产）”[①]。

如把斯密的思想片断综合起来，就已经接近问题的实质

“如果亚·斯密把他先前在考察他称之为固定资本的再生产时和现在在考察他称之为流动资本的再生产时涌现出的一些思想片断综合起来，他就会得出如下的结论”：

第一，从物质形态看，社会产品是由两大部类构成的，第一部类是生产资料，第二部类是生活资料。两者必须分别加以论述。

第二，从价值构成看，由生产资料构成的那部分年产品的总价值分成下面三个部分：一是生产它时所消费的生产资料的价值；二是投在劳动力上的资本价值；三是剩余价值，这是形成利润和地租的源泉。

第三，在第一部类中，固定资本的部分，无论对单个资本家来说还是对社会资本来说，它总是作为资本，从不作为收入执行职能，必须从纯收入中排除掉。至于“其他价值部分”，即 v＋m 部分，应该成为一切参与这种生产的当事人的收入，即工人的工资、资本家的利润和土地所有者的地租。但是，现在体现这部分价值的产品，却是以生产资料的形式存在着，它们只能作为生产资料执行职能。这就是说，在这一部分中(v＋m)，从价值形态看，它是收入；从物质形态看，它是生产资料，只能形成资本。要解决这个矛盾，就有个如何实现的问题。

第四，在第二部类中，产品是以生活资料的形态存在着，他们要补

① 《列宁选集》第1卷，人民出版社1995年版，第177页。

偿生产生活资料用掉的资本，即Ⅱc部分，同时这部分又形成第一部类的资本家和工人借以实现其收入的消费基金。

上述几点，在斯密的思想里，是片断地模糊地存在着的，他自己也是不明确的，马克思把这些思想片断综合起来，才形成上述系统的理解。所以马克思说，“如果亚·斯密的分析达到了这一步，那么，离全部问题的解决也就相差无几了。他已经接近问题的实质”。为什么呢？因为如上所述，斯密已经指出：第一，社会资本在整个社会再生产过程中，在价值上，在物质上，它的表现形式是不同的；第二，在简单再生产中，不仅有v+m的再生产，而且有c的再生产，即“这些新的生产资料用来补偿在生产消费资料时用掉的不变资本部分”；第三，他已经接触到Ⅰv、Ⅰm和Ⅱc的关系，以及如何补偿问题。“因为他已经指出，社会全部年产品由以构成的商品资本的**一种**商品资本（生产资料）的某些价值部分，虽然形成从事这种生产的单个工人和资本家的收入，但并不形成社会收入的组成部分”。这实际上是指Ⅰv和Ⅰm。“而**另一种**商品资本（消费资料）的价值部分，虽然对它的单个所有者即在这个投资领域内活动的资本家来说，形成资本价值，但只形成社会收入的一部分”。这实际上是指Ⅱc。

虽然斯密已经接近问题的实质，但由于这些思想片断没有综合起来，没有形成系统的概念，加上他的错误观点，阻碍着他引申正确的结论。列宁指出：“纠正了斯密的上述两点错误（从产品价值中抛掉不变资本，把个人消费和生产消费混同起来），才使马克思有可能建立起他的关于资本主义社会中社会产品实现的卓越理论。”①

2. 斯密把交换价值分解为v+m

斯密的一个基本理论错误是：把社会生产的全部产品化为社会纯收入，从而把不变资本要素从社会产品中排除掉。这种错误，集中表现在所谓“斯密教条”中。

所谓“斯密教条”，就是斯密关于商品价值构成的错误原理。他认

① 《列宁选集》第1卷，人民出版社1995年版，第177页。

为，每个商品的价格或交换价值，都可分解为工资、利润和地租。实际上，工资是资本家用于购买劳动力的可变资本，利润和地租都是剩余价值的表现形式，斯密所说的商品价值由工资、利润、地租构成，也就是说商品价值由可变资本和剩余价值构成，所以“斯密教条”可以还原为：“商品价值＝v＋m”。由于斯密的后继者几乎无例外地接受了这种错误，所以马克思概括了这个谬误的基本内容，把它称为“斯密教条”。

我们知道，商品价值是由c＋v＋m构成的，单个商品如此，全年的社会总产品也是如此。斯密在这里，把不变资本部分丢掉了，这是“斯密教条”的一个重大错误。关于这一点，下一部分将详细进行论述。

“斯密教条”又一个更为严重的错误是：他既把商品价值分解为工资、利润和地租，同时又反过来，“使收入由‘组成部分’变为‘一切交换价值的**原始源泉**’”。这样就颠倒过来了。说价值分解为v＋m，错误是在于丢掉了c；说三种收入是商品价值的原始源泉，就等于说分配决定价值，分配是价值的来源，这就极为荒谬了。实际上，价值的构成和价值的分配是根本无关的两回事，斯密却硬说价值的分配决定着价值构成，这是一种颠倒。“按照这种颠倒的看法：商品价值好像是由不同种类的收入‘构成’的。这各种收入是互不影响地决定的，而商品的总价值是由这些收入的价值量加在一起决定的。”在这里，斯密的可笑错误达到了登峰造极的地步，他不仅违反了自己所主张的劳动价值论，而且也“为庸俗经济学大开了方便之门”。斯密以后的资产阶级庸俗经济学家，如让·巴蒂斯特·萨伊，就主张生产费用论。他认为劳动创造的收入是工资，资本创造的收入是利息，土地创造的收入是地租，它们构成创造商品效用的生产费用，而商品价值就是由这种效用的生产费用决定的。萨伊的这种庸俗的生产费用论，实际上是在斯密的收入决定价值的影响下产生的。

3. 不变资本部分

现在，我们就要看看，斯密究竟用什么办法把不变资本部分从商品价值中排除出去的。

斯密指出：工资、利润和地租，构成谷物的全部价格以后，也许还必须有第四个部分，用来补偿生产资料的消耗。斯密承认：单个商品，例如谷物的价格，不仅由 v+m 构成，还要增加生产谷物时所消耗的生产资料的价格。但是，他认为，这一切生产资料本身的价格也是由 v+m 构成，所以商品全部价格直接地或最终地仍然要分解为 v+m。他说，“任何一种农具的价格，例如一匹役马的价格，本身又是由上述三个部分构成：养马用的土地的地租，养马的劳动，预付这块土地的地租和这种劳动的工资的租地农场主的利润。因此，谷物的价格虽然要补偿马的价格和给养费用，但全部价格仍然直接地或最终地分解为这三个部分：地租、劳动〔他指的是工资〕和利润”。

戏法终于变成了，原来谷物的价格中所包含的生产资料的价值，也是由 v+m 构成。斯密在这里根本没有看到，这种生产资料的价值，除去 v+m 以外，也还有 c 部分。即使不谈这点，斯密在这里，只是引导我们把研究的问题“由一个生产部门到另一个生产部门，又由另一个生产部门到第三个生产部门”。为什么这样说呢？因为在斯密所举的例证中，原来的问题是：谷物的价格，除分解为工资、利润、地租以外，还有一部分是生产谷物时所消耗的生产资料价格的再现（如耕马的费用）。但现在的问题是：斯密却说这种生产资料的价格（如耕马的费用）也要分解为 v+m。在这里，已经不是对使用耕马的农业资本家，即对这些生产资料的使用者来说的；而是饲养耕马的资本家，即对这种生产资料的生产者来说的。如果按照斯密的说法，对这些饲养耕马的资本家，除去工资、利润、地租外，还要消耗生产资料，那么，还要把这些生产资料再分解为工资、利润、地租，即 v+m，那么，又把我们从饲养耕马的资本家那里，再引向第三个部门去了。这样，从一个生产部门引向另一个生产部门，再从另一生产部门引向又一个生产部门，以此类推下去，可以毫无止境，但问题依然不得解决。所以马克思指出：“商品的全部价格‘直接地’或‘最终地’分解为 v+m 这个论断，不过是一个空洞的遁辞”。因为现在我们研究的是某一商品的价格构成。但是，不使用生产资料，只靠劳动就能生产出商品，这种情况在实际生活中是不存在的。甚至斯密自己所举苏格兰玛瑙采集者的事例，也还是要使用篮子、口袋以及装运小石子的容器等生产资料的。

在第 402 页即已指出，斯密从商品价值中抛掉不变资本以后，怎样玩弄“总收入”和“纯收入”的概念，把不变资本又偷偷地塞进商品价值中来。可见，“亚・斯密自己后来也抛弃了他自己的理论”。但是，他自己并没有意识到自己的矛盾，“而这些矛盾的来源，恰好要到他的科学的起点上去寻找”。这里所说的斯密的“科学的起点”，就是他的价值理论。“亚・斯密是用雇佣工人加进……劳动对象中去的劳动量来决定商品的价值的。”按照斯密的说法，在劳动所创造的价值产品中，一部分是由他的工资的价值量决定，即 v；一部分是剩余价值，即 m。一天的劳动产品是如此，单个工人在单个企业生产的产品是如此，全年的年产品也是如此。这种年工资，形成工人阶级的收入，年剩余价值额则形成资本家阶级的收入。因此，商品价值的这两个要素，同时又形成工人和资本家收入的源泉。“这样一来，就没有为不变的资本价值，为那个以生产资料形式执行职能的资本的再生产，留下任何地盘。”

这就明显地看出：斯密的第一个错误，就是把年产品价值和年价值产品等同起来了。年价值产品是指一年内新创造的价值，即 v+m。年产品价值是指全年产品中所包含的价值，即 c+v+m，其中的 c 部分，只是前一年生产的或前几年生产的生产资料价值的再现，不是本年内新创造的价值。马克思早就指出：“在生产过程中实际新生产的价值产品，是和从这个过程中得到的产品价值不同的。”① 斯密错误地把二者混为一谈，这就赶走了年产品中的不变资本的价值部分。斯密的这种错误，又是由他的另一个错误，即不懂得区分生产商品的劳动的二重性引起的。马克思指出，同一个生产劳动，当作抽象劳动，是劳动力的一般支出，创造商品的价值；当作具体劳动，创造使用价值，同时把生产资料价值移转到产品中去。同一劳动的这种二重作用，是在同一个劳动过程内同时进行和完成的。斯密不懂得这种劳动的二重性质，只认为劳动创造商品价值，等于工资和剩余价值两部分，不懂得在形成产品价值的劳动中，会出现一个不分解为 v+m 的劳动量（即 c）。他不能回答转移生产资料价

① 《资本论》第 1 卷，人民出版社 2004 年版，第 246 页。

值（c）的劳动究竟是由谁来担任和支付这个难题，只得在商品价值中把不变资本排除掉，从而犯了把年产品价值和年价值产品混为一谈的错误，结果在价值构成上出现了错误的所谓“斯密教条”。

斯密的上述错误，归根结底，是由他的“科学的起点”，即他的价值理论而产生的。斯密的价值理论是二重的，既有科学的成分，又有不科学的成分。这是由他研究资本主义经济所动用的两种方法决定的。当他研究资本主义经济各种现象的内在的联系时，认为商品价值是由生产商品所消耗的劳动量决定的。当他罗列资本主义表面的经济现象进行描述时，又认为商品价值是由工资、利润、地租所构成。“他的‘内在的’见解不断和他的在广度上占优势的外在的见解纠缠在一起”，使他处于混乱和矛盾的状态中。但是，尽管上述非科学成分在斯密的价值理论的体系中占优势，产生了许多错误，但他在论述剩余价值的起源时，还是坚持了劳动创造价值的观点，如认为利润、地租都是工人劳动创造的价值的一部分。这就是说，“他的科学本能还不时让内在的观点一再表露出来”。

4. 亚·斯密所说的资本和收入

上一部分，我们研究了在“斯密教条”中怎样把不变资本从商品价值构成中排除掉的错误；在本部分，就要着重研究，在“斯密教条”中怎样把资本和收入相混淆的错误。

> **从资本家来说，用于支付工资的部分是可变资本；从工人来说，因出卖劳动力商品而取得的工资，才形成收入**

斯密认为，商品价值是由工资、利润、地租三种收入构成的。那么，就先来看看，商品价值中的工资部分是怎样成为资本和收入的。

每个商品价值中体现为工资的可变资本的那部分，等于资本家预付在工资上的资本，是他预付总资本的一个组成部分，即可变资本部分。资本家用货币作为工资付给工人，不管这些货币是资本家预付出来的（可能这时工人正在生产，尚未完成一件新产品；也可能工人已把产品生产出来，但还未卖出），还是把工人已经创造出来的商品卖出后所取得的货币拿来付给工人，还是他通过信贷的办法借来的货币，这都与问题无关。在这里，作为工资支付给工人的货币，是资本家的可变资本；通过生产后，在新商品中，资本家又占有相等于这部分的价值物。但是，这部分价值和生产资料的价值不同，它不是把旧价值转移到新产品中去，而是作为新价值以商品的形式重新生产出来，“也就是预付资本价值的再生产，即预付资本价值的新生产”。而工人呢？把劳动力商品出卖以后，取得货币工资，这是劳动力价值或价格的转化形式，然后工人用这些货币工资购买他所必需的生活资料，从而维持劳动力的再生产，这是“一个和可变资本相等的货币额，形成他的所得，因而形成他的收入”。由此可见，从资本家方面看，可变资本以货币工资的形式支付给工人，从而取得在生产过程中对劳动力的使用权，最后生产出补偿这部分可变资本的资本价值，这整个过程，都是资本的运动过程，所以它是资本。如从工人方面看，工人把劳动力作为商品卖出去，取得工资，用于购买生活资料，维持生存，这些在工人手中的货币，则起着收入的作用。

在这里，几种不同的流通过程和生产过程交织在一起，必须把它们区分清楚。

第一，工人把劳动力作为商品卖给资本家，对工人来说，是出卖商品；对资本家来说，是用货币资本购买生产要素，这里的货币“是为增殖价值所投入的货币，也就是货币资本”。

第二，资本家把购买来的劳动力并入生产过程，通过生产，工人耗费劳动力，创造出一个新价值加进被他转化为产品的生产资料中，这个新创造的价值的部分，等于工人劳动的价值（撇开剩余价值不说），也等于资本家为购买劳动力而支付的货币资本。

第三，在出售这些商品时，资本家取得这一部分价值，用于补偿预付的可变资本，以便重新作为可变资本用来购买劳动力。

由此可见，在商品价值中体现为可变资本价值的部分，不能简单分解为：这既是资本家的可变资本，又是工人的收入。事实上，它们之间虽然有时交织在一起，但在实质上是不同的。斯密错误地认为，维持生产劳动所使用的资本部分，在为资本家执行资本的职能之后，就形成工人的收入。[①] 这就是说，工人的收入是由资本转化而来的，把收入和资本混淆起来了。事实上，工人的收入只是来源于出卖劳动力这个特殊商品，绝不是来源于斯密所说的“维持生产劳动所使用的**资本部分**”。

在商品价值中所体现的可变资本价值部分，既不是由收入所组成，也不能直接分解为收入

“我们应当分清：劳动力，在工人手中，是**商品**，不是资本。在工人能不断地反复出卖它的时候，它构成工人的收入；**在**它卖掉**之后**，在资本家手中，在生产过程本身中，它执行资本的职能。”在这里，劳动力起着双重作用：首先，它是作为商品，在工人手中，按它的价值卖给资本家，工人从资本家那里取得货币，成为工人的收入。其次，资本家购买了劳动力以后，在生产过程中使用，作为资本家手中的资本，“即作为创造使用价值和价值的要素执行职能”。由于生产过程的不断反复进行，劳动力的买和卖也要不断地继续进行，这样，一方面，劳动力就不断地永远地充当资本的要素，另一方面，工人又不断地通过出卖劳动力取得收入，以维持生存，“于是，他的劳动力就表现为他取得自己赖以生活的收入的能力”。可见，工人的收入是依靠出卖劳动力而取得的。劳动力的价值，是由生产工人所必要的生活资料的劳动量所决定的，工人在劳动中创造出相等于劳动力价值的部分，用以补偿资本家的可变资本。因此，“商品的这部分价值，既不是**由**作为一个构成这部分价值的独立因素的收入**组成**，也不**分解为**收入”。这就是说，在商品价值中所体现的相当于劳动力价值的可变资本部分，它既不是由收入所构成，也不能直接分解为收入。为什么呢？因为这部分价值是新创造的，只是用于补偿可变资本，决不能成为资本家的收入；资本家把商品卖出去，实现这部分价值，直接补偿可变资本，也不能把这部分直接分解为工人的收入；工人既没有直接出卖产品的权力，也不可能从卖出的商品中直接取得货币，只是这部分货币转化为资本以后，再作为工资付给工人，才是形成工人收入的源泉。如果说，这部分新价值将会形成工人的收入的话，那只是表明，这部分价值的用途如何，它将变成什么而已。

---

① 见《资本论》第2卷，人民出版社2004年版，第422页引文。

批判斯密关于商品价值是由收入构成的谬论

"斯密在这里遭遇的全部不幸，都是'收入'这个范畴造成的"。为什么呢？因为斯密认为，由不同种类的收入，构成商品的新价值；反过来，商品中的新价值，又分解为工资、利润和地租，成为不同的收入。本来，商品价值是收入的源泉，这也就是商品的价值如何分配的问题；斯密却颠倒过来，"把收入看成是商品价值的源泉"。由于这种颠倒，商品价值好像是由不同种类的收入"构成"的，而商品的总价值，就是由这些收入的价值量加在一起决定的。针对斯密的上述错误，马克思就下述两点进行了批判。

首先，价值究竟是由什么构成的？用斯密的话说，是由收入构成的。实际上，把商品价值中的可变资本部分，作为工资付给工人，就这一点说，形成工人的收入；把商品价值中的剩余价值部分，用于资本家阶级的消费，从而形成资本家的收入。这就说明，收入是对价值进行分配的结果，"这种收入的前提是商品价值本身"。没有价值的分配也就谈不上什么收入。可见，价值并不是由收入所构成，恰恰相反，收入是由价值所产生的。商品价值，不管是体现为可变资本的部分，还是体现为剩余价值的部分，"二者都不外是由在商品生产中支出的、在劳动中推动的劳动力构成的"，它们都是由劳动的支出所构成，不是由收入所构成。

其次，如果按照斯密的说法，商品价值是由收入构成，那么，收入的价值又是怎样决定的呢？从工资方面看，还比较好说，因为工资是它的商品劳动力的价值，劳动力的价值，是由生产或再生产它所必需的社会必要劳动量决定的，也就是由生产工人所必要的生活资料的劳动量决定的。但如从剩余价值方面看，即利润和地租，它的价值怎样才可以决定呢？斯密在这方面只说了空话，他时而把工资和剩余价值说成是商品价值由以构成的两个部分，时而又把它们说成是商品价格分解成的两个部分，说来说去，总是说不清楚。事实上，在把收入当成价值的源泉这个错误的前提下，收入的价值究竟如何决定，是根本不可能说清楚的。

在商品价值构成上，斯密的全部概念

斯密一方面正确地认为，年劳动新创造的价值等于可变资本价值加剩余价值；另一方面，他不懂得区别生产商品的劳动二重性，又错误地把抽象劳动和具体劳动混为一谈。因此，在价值构成上，他的全部概念就归结为：商品的价值是由劳动创造出来的，每年劳动产品的价值，也是劳动的产物。劳动时间可以分为两部分：一部分是必要劳动时间，在这时间内，工人创造出补偿资本家为购买劳动力而支付的可变资本；一部分是剩余劳动时间，在这时间内创造出剩余价值。一切商品价值只能分解为这两个部分，最终形成工人阶级的收入和资本家阶级的收入。至于不变资本的价值，即在生产中消耗掉的生产资料的价值，它最终也要由可变资本和剩余价值构成，同样也可分成两个不同的收入源泉。以上是斯密关于价值构成的全部概念，其中错误的部分在前面已进行了批判，但这里也包含一些正确的观点。(1) 商品价值归根结底是由工人的劳动创造出来的。(2) 个别资本家的商品价值除分解为工资、利润、地租外，其中也包括不变要素，即生产资料价值的转移部分，斯密称为第四要素；只是从社会观点看，这种不变要素仍要最终分解为收入。这就是说，他对个别资本家的商品价值构成的看法还是正确的。

5. 总　结

在本段开始，马克思就指出："工资、利润、地租这三种收入形成商品价值的三个'组成部分'这个荒谬的公式，在亚·斯密那里，是来源于下面这个似乎较为可信的公式：商品价值分解为这三个组成部分。但是后一种说法，即使假设商品价值只能分成所消费的劳动力的等价物和劳动力所创造的剩余价值，也是错误的。不过，错误在这里又是建立在更为深刻而真实的基础上的。"在这里，马克思指出了收入形成商品价值的观点是来源于商品价值分解为收入。本章的前部分，已对斯密的收入形成商品价值的错误进行了批判，在本部分，就要着重批判斯密关于商品价值分解为三种收入的错误。

斯密关于价值分解为收入的观点是错误的

为什么说斯密关于商品价值分解为三种收入的观点是错误的呢？又为什么说斯密的上述错误又是建立在更为深刻而真实的基础上的呢？在第一卷中就已研究过，资本主义生产是建立在劳动力成为商品这个客观基础上的，由于劳动者丧失生产资料，不得不把劳动力当作商品出卖给资本家；这个属于流通的交易，决定着资本主义生产过程的独特的性质，这就是，资本主义的生产过程既是劳动过程，又是价值增殖过程，即生产剩余价值的过程，因而在生产的商品中，一部分是不变资本价值的转移，一部分是劳动力价值的等价物（可变资本）的再生产，一部分是剩余价值。所以，剩余价值的生产和占有，是资本主义生产的本质要素，是由劳动力的卖和买引出的；而劳动力成为商品，又是由于资本主义生产资料私有制所产生的。这种资本对剩余价值的占有，“或价值生产分为预付价值的再生产和不补偿任何等价物的新价值（剩余价值）的生产，丝毫也不影响价值实体本身和价值生产的性质”。因为价值实体是人类抽象劳动在商品中凝结，价值生产不外就是人类劳动的耗费过程，商品价值是由人类社会劳动创造出来的，商品的价值量是由所耗费的劳动量来计量的，“商品价值不分解为任何别的东西，也不由任何别的东西构成”。这种劳动创造商品价值的原理，不管是在资本主义社会，还是在奴隶社会、封建社会以及社会主义社会，都是完全适用的。不管商品价值在不同社会有多少种不同的分配情况（分解），都不能改变商品的这种价值性质。为了论证这一点，马克思特地考察了转化为货币以前的商品，它的价值构成分为三部分。第一部分是“生产商品时耗费掉的生产资料以新形式再现的价值”，是资本家预付在不变资本价值上面的等价物，“这个价值的资本职能丝毫不会改变商品的价值性质”。第二部分是“雇佣工人卖给资本家的劳动力的价值”，它和生产资料的价值一样，在进入生产之前就早已决定了的；工人在生产中创造了和这个价值相等的等价物，用以补偿可变资本；但是，这种情况改变不了如下事实：这种新创造的价值是由劳动力的耗费构成的。第三部分是剩余价值，这和补偿可变资本的价值一样，同样是由工人劳动新创造出来的，不管资本家和其他剥削阶级怎么占有，怎么分配，怎么花费，都“改变不了剩余价值是凝固的无酬劳动这一事实”。由此可见，不管商品价值怎么分解，都不能改变价值的性质，也就是说，价值始终只能是人类抽象劳动的凝结，绝不会是由收入所构成。如果从商品价值在再生产过程中所起的不同作用看，它也不能仅仅分解为收入，这是因为：它的 c 部分，要继续作为资本，不断进入生产过程；v部分，也要不断用于补偿可变资本，不断以工资形式支付给工人，这对工人来说是收入，但对资本家来说，是可变资本的补偿；m部分，在简单再生产情况下，可以分解为资本家的收入，执行收入的职能。这就说明，从再生产过程中价值的作用看，“当某些部分执行收入的职能时，另外的部分同样不断地执行资本的职能”。如果说只是分解为收入，那么，继续执行资本职能的那一部分分解到哪里去呢？所以说，价值分解为收入的观点是错误的，首先是因为它违背了商品价值性质的原理，同时也不符合商品价值在再生产过程中进行分配的实际情况。

为什么斯密会产生上述错误

为什么斯密会产生上述错误呢？因为他一开始就把一般商品生产和资本主义商品生产等同起来，他所研究的商品，一开始就是商品资本，这种资本主义商品，不仅包含着生产商品时消耗掉的资本价值（即c+v)，还包含着剩余价值。资本主义生产的唯一目的是榨取剩余价值，因此，从资本家的观点来看，在商品中，不仅要补偿他生产时所耗费的资本价值，还必须包括提供剩余价值。斯密是资产阶级的思想家，他用资本家的眼光加以互相比较的各部分的商品价值，“这样就不知不觉地转化为它的独立的‘组成部分’，并且最终地转化为‘一切价值的源泉’”。这就是说，他用资本家的眼光比较不同商品的经营情况，如工资多少，利润多少，地租多少，观察这些经济现象，久而久之，习以为常，就不知不觉地从印象变为习惯，最终形成理论观点，从而得出了“商品价值由不同种类的收入构成，或‘分解为’不同种类的收入”的错误结论。我们知道，正如货币作为货币资本以后，仍然不改变货币的性质一样，商品价值虽然在不同的人们中间进行分配，仍不能改变商品价值的性质。斯密的上述错误观点，是由于他站在资本家的立场上，肤浅地观察资本主义的经济现象，运用形而上学方法所产生的。当然我们也要注意，斯密的上述错误，有时也与他内在的正确的东西相矛盾，即与他的劳动价值理论相矛盾，这种矛盾，他无法解决，终于产生了他的二重的价值学说。

Ⅲ. 以后的经济学家

在社会资本再生产问题上，“至于说到亚当·斯密之后和马克思之前的其他经济学家，他们全都是重复了亚当·斯密的错误，并没有前进一步”[①]。

李嘉图

英国资产阶级古典学派的集大成者李嘉图，“几乎是逐字地重复亚·斯密的理论”，完全接受了“斯密教条”，即把商品价值分解为工资和剩余价值。他们的共同之点是：都把价值只分解为收入，都排除了不变资本，都不了解全部年产品在实物形式上是由生产资料和生活资料两大部类构成的原理。李嘉图和斯密有争论的问题是：(1) 李嘉图不承认绝对地租的存在，把地租排除在剩余价值的必要要素之外。(2) 李嘉图坚持价值是由生产商品所耗费的劳动决定的，研究价值量是他的出发点，他反对斯密关于商品价值由工资、利润、地租构成的观点，特别是反对斯密关于工资提高必然引起商品价值提高的说法。

拉姆赛

英国资产阶级古典政治经济学后期代表人物之一的拉姆赛（1800—1871），反对李嘉图把全部产品分解为工资和利润的错误观点，他认为全部产品中除工资、利润外，“还必须有一部分补偿固定资本”。他把投在机器和原材料上的资本都称为固定资本，而和投在工资上的流动资本相对立。在这里，拉姆赛所说的固定资本，实际上相当于马克思所说的不变资本，这种观点无疑是正确的。但由于他开始就片面地提出问题，不懂得不变资本和可变资本与固定资本和流动资本的区别，所以无法超出斯密的解释。

萨 伊

法国资产阶级庸俗经济学家萨伊（1767—1832），从“斯密教条”出发，第一个阐述了所谓“生产三要素”的理论，即劳动产生工资，

---

① 《列宁选集》第1卷，人民出版社1995年版，第177页。

资本产生利润，土地提供地租。他不仅重复了斯密关于产品总价值由工资、利润、地租相加而成的错误观点，还从这个观点引申出一个荒谬的结论，即“社会的收入和**生产的总价值**相等”，这也就是说，年生产品的价值全部分解为收入，全部可以被消费掉。萨伊认为，总产品中的一部分——工资，是由工人消费的，另一部分——利润和地租，是资本家和地主消费的，由此出发，他否定资本主义制度下的生产与消费的矛盾，否认在社会资本再生产过程中会出现资本主义经济危机的可能性。

蒲鲁东

法国小资产阶级思想家、无政府主义的创始人之一的蒲鲁东（1809—1865），把上述萨伊的发现据为己有，即把萨伊认为“社会的收入和**生产的总价值**相等”的观点剽窃过来，把总产值和国民收入混为一谈，企图论证在资本主义条件下，剩余价值的实现是很困难的。由于蒲鲁东同样地在价值构成中漏掉了不变资本，不懂得社会产品区分为两大部类的原理，因而不可能理解在资本主义条件下社会产品的实现问题。

施托尔希

俄国经济学家、资产阶级古典政治经济学的模仿者施托尔希（1766—1835），“在原则上也接受亚·斯密的学说”，即把商品价值分解为收入的观点，但他发现萨伊的说法，即年生产品的价值全部分解为收入，全部可以被消费掉的说法，在实际应用中是站不住脚的，因为如果把年生产品价值全部消费掉，再生产就不能继续进行。他认为：“构成一个国家的〔**不变**〕资本的产品，是不能消费的。”但是，施托尔希既承认有这部分资本的存在，同时又接受斯密关于价值分解为收入的观点（因为斯密的观点中是不包括不变资本的），这不是矛盾吗？施托尔希没有办法把这个矛盾解释清楚，最后只好说：“把必要价格分解为它的最简单的要素，是不可能的”。这就陷入虚无缥缈的境界中。

西斯蒙第

法国资产阶级古典政治经济学的完成者西斯蒙第（1773—1842），“曾专门研究资本和收入的关系”。他认为，资本和收入的区别，是政治经济学中最抽象、最困难的问题。他指责英国经济学家不研究资本和收入的区别而产生的错误结果，但他对资本和收入的关系的解释，也是极其混乱的。他在谈到资本时，指出社会产品中的一部分收入会变成资本，这是正确的；但他又把生产资料和资本等同起来，对资本进行了错误的解释。他在谈到收入时，有时把收入解释为占有财富的结果，这就在一定限度内估计到收入的资本主义性质；有时又把收入解释为供消费用的那部分财富，这就又模糊了收入的资本主义性质。针对西斯蒙第的混乱思想，马克思评论说，“他没有说出**一个**科学的字眼，对于问题的说明，没有做出一丝一毫的贡献”。

巴顿、拉姆赛、舍尔比利埃

马克思接着指出：“巴顿、拉姆赛和舍尔比利埃都试图超出斯密的解释。他们失败了，因为他们不能把不变资本价值和可变资本价值之间的区别，与固定资本和流动资本之间的区别截然分开，从而一开始提出问题就是片面的。”巴顿等人都曾想超脱“斯密教条”的束缚，千方百计地想把不变资本的价值引进价值构成中来，但他们都不懂得不变资本和可变资本与固定资本和流动资本的区别，如巴顿，在应该用不变资本的地方，他都用固定资本来代替，在应该用可变资本的地方，则用流动资本来代替。拉姆赛和舍尔比利埃，又错误地把可变资本和全国所有的生活资料数量等同起来。在全国的生活资料中，既有工人使用的消费品，也有资本家使用的消费品，这就把 v 和 m 混同起来。结果是，他们不懂得把年产品价值分为 c＋v＋m，没有正确的价值构成理论，当然也就不可能彻底解决社会资本再生产中的一系列复杂问题。

约翰·穆勒

英国古典政治经济学的追随者约翰·斯图亚特·穆勒（1806—1873），在他所著的《政治经济学原理》（1848 年）一书的序文中，自命为斯密的继承者，他以妄自尊大的态度重复了“斯密教条”，但是他的重复是在改装的情况下进行的。穆勒认为，商品价值由生产成本决定，生产成本又分解为劳动，在计算时，劳动又转化为工资，因此，结果是价值由工资决定。穆勒认为，工资是付给工人劳动的报酬，利润是付给资本家的高度熟练劳动的工资，所以资本家的一切支出都可还原为他所支付的工资，因而，产品价值就只能由工资决定，只能分解为工资。在这里，穆勒不仅重复了斯密的错误，并且把资本家的剥削收入——利润，和工人的劳动收入——工资，混为一谈了，他不仅不能解决社会资本再生产的理论问题，而且还在斯密错误的基础上，增加了新的错误的东西。

由上可见，斯密在社会资本再生产问题上的错误，在资产阶级政治经济学领域里一直占据统治地位，所以马克思最后作出结论说，“结果是：斯密的混乱思想一直延续到今天，他的教条成了政治经济学的正统信条”。

■ 对社会总资本的简单再生产和流通，重农学派作了包含有科学见解的最初探索，相反，斯密在重农学派研究的基础上，不仅完全重犯了重农学派的错误，而且有很大的退步。那么，马克思为什么在本章中对重农学派的评述只有一页半，而对斯密的评述却整整花掉 30 页的篇幅呢？对这个问题，列宁曾有过明确的解释。他在《俄国资本主义的发展》一书中指出：“为了弄清实现的学说，我们应当从亚当·斯密谈起，因为这个问题的错误理论的基础是他创立的，而在马克思以前的政治经济学中，这种错误理论完全占据统治地位。”[①] 他在《再论实现论问题》一文中又指出：“虽然马克思完全承认在重农学派的学说（如魁奈的《经济表》）中，有些原理‘在当时说来是天才的’，承认亚当·斯密对再生产过程的分析甚至在某些方面比重农学派倒退了一步……但是，他在概述实现问题的历史时，对于重农学派只用了那么一页半的篇幅……而对于亚当·斯密却用了 30 多页的篇幅……详细分析了后来整个政治经济学所承袭的亚当·斯密的基本错误。可见，之所以必须谈到亚当·斯密，正是为了要说明一切重复斯密错误的资产阶级经济学家的实现论。”[②] 由此可见，着重研究斯密的观点，是为了批判在整个资产阶级政治经济学领域里占统治地位的错误的再生产理论。

“斯密教条”是斯密再生产理论的基础和出发点。他的主要错误表现在两个问题上：从产品价值中抛掉不变资本；把个人消费和生产消费混同起来。那么，斯密的这两点错误，究竟对理解资本主义再生产造成了

① 《列宁选集》第 1 卷，人民出版社 1995 年版，第 173—174 页。
② 《列宁全集》第 4 卷，人民出版社 1984 年版，第 61—62 页。

怎样的困难呢？我们知道，研究社会资本再生产，就是要阐明社会总资本的生产过程和流通过程的反复运动。从社会总资本的生产过程看，全年生产出来的总产品，既是一个价值总量，又是一个使用价值总量，要使生产过程能不断反复进行，就要研究价值的再生产（价值补偿）和使用价值的再生产（物质补偿）的问题。研究价值补偿，就要对价值构成要素有正确的分析；研究物质补偿，就要对总产品的物质构成有正确的分类；所以，这两个问题是研究社会总资本再生产的前提和出发点。斯密恰恰在这两个根本问题上产生错误。他把价值构成分解为工资、利润、地租，排除了不变资本，这就不能正确阐明在再生产过程中的价值补偿问题。他不懂得个人消费和生产消费的区别，因而不懂得把社会总产品区分为生产资料和生活资料两大部类，相反，却在“总收入”“纯收入”等概念上打圈子，他把固定资本的全部开支包含在“总收入”中（这实际上是指生产资料），把全部消费基金说成是“纯收入”（这实际上是指消费资料），在概念上造成一系列的交错和混乱，这就不能正确阐明再生产过程中的物质补偿问题。斯密在这两个根本问题上产生了错误，就堵塞了他分析社会总资本再生产的正确道路。纠正斯密的上述错误，创建社会总资本的再生产和流通的科学理论，是由马克思在建立了科学的劳动价值理论、剩余价值理论、积累理论等基础上最终完成的。

第二十章
简单再生产

马克思的再生产理论，是在批判资产阶级经济学的再生产理论的基础上创建起来的，因此，马克思在上一章批判地研究了资产阶级学者的再生产理论以后，在第二十、二十一章中，就对他所创建的社会资本再生产的理论作了全面而又系统的论述。通过这两章的学习，要求能全面而系统地掌握马克思关于社会资本再生产的基本原理。

本章共十三节，第一节提出所要研究的主要问题：通过对简单再生产公式的分析，论述在简单再生产条件下，在两大部类之间和它们的内部，社会产品如何从价值上实现和从物质上补偿的规律性问题；第十一、十二节，研究在简单再生产过程中，固定资本如何补偿，以及货币材料的再生产问题，这是与再生产有关的两个专门问题；第九、十、十三节，继续批判资产阶级学者的再生产理论。

Ⅰ. 问题的提出

研究社会资本再生产，要用商品资本循环公式

社会资本在一年内执行职能的结果，提供了年生产的商品产品。这种年产品，既要补偿已消耗的资本部分，即在生产过程中消耗掉的生产资料产品，还要供给工人和资本家的个人生活消费需要的产品；这就是说，年产品既包括生产消费，也包括个人消费。

那么，我们对社会总资本运动的研究应该从哪里出发呢？既然社会总资本的运动不仅包括生产消费，也包括个人消费，因此，研究的起点就要是既能满足生产消费，又能满足个人消费的东西；在其中，不仅要包含不变资本价值，可变资本价值，还要包含剩余价值，如果采用货币资本循环公式 G—W…P…W′—G′，是不能说明问题的。因为公式开始的 G，只是当作资本来用的货币，尽管它本身是由剩余价值转化而来的，但在这里当作资本循环的起点时，它不包括剩余价值，也不能分解为生产消费和个人消费（工人用工资、资本家用剩余价值转化而来的货币购买消费品）。如果采用生产资本循环公式 P… W′—G′—W…P，也是不能说明问题的，因为公式开始的 P，只是生产资本要素，也不包含剩余价值，它只能体现生产消费，无法说明个人消费。因此，研究社会资本的再生产，要运用商品资本循环公式，即：

$$W'—\begin{cases} G—W\cdots P\cdots W' \\ g—w \end{cases}$$

在这里，起点 W′即包含不变资本价值和可变资本价值，也包含剩余价值；它的流通既包含资本本身的流通，也包含剩余价值的流通；它的运动既包含生产消费，也包含个人消费。具体地说，从这个公式中可以看出：

第一，W′是商品资本，其中已包含剩余价值，把它卖掉，取回货币后，在简单再生产条件下，这种货币可分为两部分，一部分货币继续作为预付资本投入生产，构成资本家的再生产基金；一部分货币是从工人身上剥削到的剩余价值，成为资本家的收入，在简单再生产条件下，资本家用于个人生活消费，构成资本家的个人消费基金。上述公式体现了这两者的不同运动。

第二，在资本运动中，资本家要购买生产资料和劳动力这些生产要素，进行生产消费，所以，这种生产消费是由生产资料的消费和劳动力的消费这两部分构成的。至于工人把工资用于购买生活资料，资本家把剥削到的剩余价值用于购买生活消费品和奢侈品，这是个人消费。上述公式，既体现了供生产消费的生产资料（W），又体现了供资本家个人消费的消费资料（w）。

由此可见，在资本主义社会中，对商品产品的全部消费，是再生产顺利进行的前提，因此，只有从社会产品出发，运用商品资本循环公式，才能对社会资本的运动作出正确的分析。所以马克思说，“在 W′…W′运动中，正是要通过说明这个总产品 W′的每一价值部分会变成什么，才能认识社会再生产的条件。在这里，总的再生产过程即包括资本本身的再生产过程，也包括以流通为中介的消费过程”。

分析再生产过程，必须从 W′的价值补偿和物质补偿来考察

为了研究 W′…W′运动如何顺利地进行下去，“再生产过程必须从 W′的各个组成部分的价值补偿和物质补偿的观点来加以考察”。为什么要从价值补偿的观点来加以考察呢？这是因为：我们以前分析单个资本的价值时，只是假定，资本家把商品卖出去，取得货币，然后再购买各种生产要素；至于你的商品是否有人需要，你要买的生产要素能否买到，那是不管的。现在研究社会资本的价值时，就要注意到，一方面，这种价值补偿是和物质补偿联系在一起的，如果只有一定量的价值产品但在物质形式上不能实现补偿的话，同样也是不能在价值上补偿的；另一方面，工人用工资购买消费品，资本家用剩余价值购买消费品，只是商品流通，并不是资本运动，但这种商品流通又是社会总产品运动的一个不可缺少的环节，和单个资本运动交织在一起，在研究价值补偿时，也要包括它们在内。因此，“直接摆在我们面前的问题是：生产上消费掉的**资本**，就它的价值来说，怎样由年产品得到补偿？这种补偿的运动怎样同资本家对剩余价值的消费和工人对工资的消费交织在一起？”

为了研究方便起见，我们在这里做如下假定。(1) 商品是按照价值进行交换的。如果价格与价值发生偏离，即价格高于价值或低于价值，那也不受影响。因为这种情况，对单个资本家来说，是有影响的；但从社会资本的角度看，甲之所失，正好是乙之所得，全社会的价值量还是一样的，进行交换的仍然是同一产品量。(2) 没有发生价值革命，即没有由于劳动生产率的提高而引起的单位商品中所包含的社会必要劳动量即价值量的变化。这种价值革命如是普遍地均衡地发生，那也不会改变年产品价值组成部分之间的比例。如果是局部地不均衡地发生，才能被认为是干扰。

为什么要从物质补偿的观点来加以考察呢？研究个别资本的再生产时，主要是揭示资本家如何保存和扩大资本价值的秘密，研究价值补偿就可以，至于物质补偿，假定个别资本所需要的各种物质资料能够在市场上买到就行了。现在研究社会资本的再生产，“这种仅仅从形式上来说明的方法[①]，就不够用了”。因为社会资本已经包括了所有的个别资本，它在再生产过程中所消耗掉的各种物质资料，不能再从另一资本家那里取得补偿，只能从本身的产品中来求得补偿，因此，社会总产品如何从实物形式上补偿当年消耗掉的物质资料，就成为再生产能否继续正常进行的一个重要问题，只有对这个问题作详细的考察，才能了解资本主义再生产是怎样进行的。所以列宁说，“现在的问题正在于：工人和资本家从哪里获得自己的消费品？资本家从哪里获得生产资料？生产出来的产品怎样满足这些需求和怎样使扩大生产成为可能？因而这里不仅是‘价值补偿，而且是物质补偿’”[②]。

这里所说的价值补偿和物质补偿问题，也就是年产品 W′的实现问题。如何补偿，如何实现，就是简单再生产这一章所提出的问题。本节标题“问题的提出”，也就是提出这个问题。列宁在谈到实现问题时说：“实现问题就是：如何为每一部分资本主义产品按价值（不变资本、可变资本和额外价值[③]）和按物质形态（生产资料，消费品，其中包括必需品和奢侈品）在市场上找到替换它的另一部分产品。”[④] 如果社会总产品的各个组成部分都能在价值上和物质上得到补偿，那么，全部社会产品也就能顺利地实现，社会资本再生产也就能正常地进行。实际上，实现问题不仅是简单再生产所要研究的问题，也是扩大再生产所要研究的问题，或者说，它是社会资本再生产所要研究的问题。

---

① 这里所说的“形式上来说明的方法”，系指本卷第一、二篇所用的方法。在本卷第一、二篇研究资本循环和资本周转时，假定生产出来的商品能在市场上卖掉，所需要的生产资本要素又能在市场上买到；但是，这些商品怎样才能卖掉，所需要的物质资料怎样才能买到，并没有研究；这就是说，在那里，只研究了在循环中资本形式的变化，而没有进一步研究这种交换的物质内容如何实现的问题，可见，“形式上来说明的方法”，是指仅从资本循环的形式来说明的方法。如果理解为形式主义的说明方法，那就错了。

② 《列宁选集》第 1 卷，人民出版社 1995 年版，第 178 页。

③ 指剩余价值——引者注。

④ 《列宁选集》第 1 卷，人民出版社 1995 年版，第 172 页。

研究社会资本的再生产过程必须从分析简单再生产开始

资本主义是以扩大再生产为特征的，“规模不变的简单再生产就只是表现为一个抽象”。那么，为什么研究社会资本的再生产要从分析简单再生产开始呢？这是因为：研究扩大再生产的实现条件，主要困难并不是发生在剩余价值如何转化为资本方面，而是发生在原来预付的资本（c＋v）如何得到补偿，以及这种补偿又如何同劳动者和资本家的个人消费互相交错的问题上面，也就是发生在简单再生产的考察上面。因此，可以把扩大再生产中的积累因素暂时舍象掉，先集中研究简单再生产的实现条件。所以马克思运用抽象分析方法，先从资本主义社会普遍存在的扩大再生产中把简单再生产抽象出来进行研究。另一方面，从资本主义的经济的实际情况看，“只要有积累，简单再生产总是积累的一部分，所以，可以就简单再生产本身进行考察，它是积累的一个现实因素”。这就是说，在有资本主义扩大再生产的地方，简单再生产总是包含在扩大再生产之中，简单再生产是扩大再生产的一个组成部分。例如：原生产某商品 1000 个，现在扩大生产，增产 200 个，共生产产品 1200 个。前者体现为简单再生产部分，后者体现为扩大再生产部分。如果原有 1000 个产品不能完成，只生产了 800 个，那么，扩大再生产的 200 个商品只能补偿简单再生产部分，实际上没有使生产扩大。可见，简单再生产是扩大再生产中的一个主要组成部分，而且往往是最大的一个组成部分。只有在实现了简单再生产的基础上，才能实现扩大再生产；只有在简单再生产实现的过程中，才能把剩余价值转化为资本，实现资本积累。可见，简单再生产是积累的一个现实因素。对再生产的研究，主要的困难“不是发生在对积累的考察上，而是发生在对简单再生产的考察上”①。只要把简单再生产条件下实现的原理弄清楚，扩大再生产的问题也就容易解决了。所以魁奈、斯密等人研究再生产时，都是从简单再生产出发的。

① 《资本论》第 2 卷，人民出版社 2004 年版，第 410 页。

Ⅱ. 社会生产的两个部类

马克思再生产理论所依据的基本前提

列宁指出："马克思的理论（指再生产理论——引者注）所依据的基本前提是下面两个原理。第一个原理，资本主义国家的总产品和个别产品一样，是由下面三个部分组成的：(1) 不变资本，(2) 可变资本，(3) 额外价值。……第二个原理，必须区分资本主义生产的两大部类：第Ⅰ部类是生产资料的生产，即用于生产消费、用于投入生产的物品的生产，不是由人消费而是由资本消费的物品的生产；第Ⅱ部类是消费品的生产即用于个人消费的物品的生产。"[①] 在这节中，马克思首先就确定了再生产理论所依据的这两个基本前提。

从使用价值看，从社会总产品的物质形态看，社会总产品可分为生产资料和消费资料两大类，前者进入生产过程，用于生产消费，后者脱离流通领域，用于个人消费。这两大部类中，每一部类的不同生产部门，总合起来都形成一个单一的大的生产部门：一个是生产资料的生产部门，称为第Ⅰ部类(Ⅰ)；一个是消费资料的生产部门，称为第Ⅱ部类(Ⅱ)。两个生产部门各自使用的全部资本，都包括可变资本和不变资本两部分，它们都形成社会资本的一个特殊的大部类。

从社会总产品的价值形态看，每一部类的总产品价值都是由三个部分组成：一部分代表在生产中消费的生产资料，按其价值转移到产品中去的不变资本部分，即 c；另一部分是工人新创造的价值，用于补偿预付可变资本的部分，即 v；又一部分是工人新创造的价值，被资本家无偿占有的剩余价值部分，即 m。"因此，每一部类的全部年产品的价值，和每个个别商品的价值一样，也分成 c+v+m。"

必须注意：这里所说的转移到产品中的不变资本（c）的价值，和生产上实际使用的不变资本的价值是不一致的。因为不变资本中的固定部

---

① 《列宁选集》第 1 卷，人民出版社 1995 年版，第 177—178 页。

分，如机器、厂房，它们不断以实物形式进入再生产过程，并不断发生作用；而它们的价值却是不断地一部分一部分地转移到产品中去。这里所说的总产品价值中的 c，仅指不变资本转移来的部分。至于存在于机器、厂房等不变资本物质形态上还未转移的价值部分，是存在于这个新生产的产品价值之外的，它们的价值将如何替换，本章第十一节将专门进行论述。

社会总产品在物质形态上分为两大部类，在价值上分为三个部分，是马克思再生产理论作为基本前提的两个基本原理。现在看起来，这两个基本原理很简单明了，但这正是资产阶级经济学者花了近一个世纪的努力都没有弄清楚的关键问题。由于斯密把不变资本从价值中排除出去，不能区分生产消费和个人消费，以后的资产阶级经济学者又都未能跳出“斯密教条”的束缚，从而在再生产理论的研究上很少有所进展。马克思批判地继承了古典学派的经济理论，创造性地提出了这两个基本原理，作为研究社会资本再生产的基本前提，这就为创建科学的再生产理论开辟了正确的道路。

简单再生产基础上交换的三大要点

马克思创造性地提出了一个资本主义条件下简单再生产的公式：

Ⅰ. 4000c＋1000v＋1000m＝6000 生产资料；

Ⅱ. 2000c＋500v＋500m＝3000 消费资料。

在这里，第Ⅰ部类的资本 5000 万元，假定资本的有机构成为 4∶1，其中 c4000 万元，v1000 万元，再假定剩余价值率 100%，取得 m1000 万元，因而Ⅰ总产品价值 6000 万元，这些产品是以生产资料的物质形式存在着的。至于第二部类，资本共 2500 万元，仍按 4∶1 的资本有机构成，c 为 2000 万元，v 为 500 万元，m′为 100%，m 为 500 万元，因而Ⅱ总产品价值为3000万元，这些产品是以生活消费资料的形式存在着的。

那么，为了使再生产能够继续正常进行，它们之间怎样进行必要的交换呢？也就是说，如何在交换中既在价值上得到补偿，又在物质上得到替换，使两大部类的产品都得到实现呢？马克思指出，在这种交换过程中，有三大要点：

第一，第Ⅱ部类的工人工资 500v 和资本家的剩余价值 500m，都是要用于生活资料的消费的，而这一部分产品正好以消费资料的形式掌握在第Ⅱ部类的资本家手中，“因此，第Ⅱ部类的工资和剩余价值，将在第Ⅱ部类内部同Ⅱ部类的产品交换”。这样，Ⅱ500v＋500m＝1000 的消费资料，就在第Ⅱ部类的内部交换中实现了。

第二，第Ⅰ部类的 1000v＋1000m，同样要用于第Ⅰ部类的工人和资本家的生活消费，但代表这部分价值产品的物质形式都是在生产资料的形态上存在着的，工人和资本家都不能把生产资料作为个人的生活消费品，不能把机器当饭来吃，因此，他们必须向第Ⅱ部类购买消费资料。另一方面，第Ⅱ部类生产的是消费品，2000 Ⅱc是以消费资料的形式存在着的，为了补偿生产中已消耗的生产资料，使再生产正常进行，必须用这 2000c 再取得生产资料的物质形式，因此，他们就要向第Ⅰ部类购买生产资料。这样，Ⅰ1000v＋1000m＝2000 要向Ⅱ购买消费资料，2000 Ⅱc要向Ⅰ购买生产资料，二者恰好相等，通过这两个部类之间的交换，这两部分产品都得到了实现。

第三，第Ⅰ部类不变资本 4000c 是由生产资料构成的，它只能用于生产消费；而第Ⅰ部类的资本家正好需要用它们来补偿该部类消费掉的不变资本，“因此，要通过第Ⅰ部类的各个资本家之间的互相交换来解决”。这就是说，通过第Ⅰ部类内部的相互交换，价值 4000 的生产资料就得到了实现。

根据上述交换情况，可用公式示意如下（公式中的数字：在方框内的，表示部类之间的交换；没有方框的，表示在本部类内部交换）：

Ⅰ. 4000c ＋ [1000v ＋ 1000m] ＝ 6000

Ⅱ. [2000c] ＋500v＋500m＝ 3000

下面就对上述情况分别进行分述①。

① 对第一点，将在本章第四节进行论述；对第二点，将在第三节进行论述；对第三点，将在第六节进行论述。

Ⅲ. 两个部类之间的交换：Ⅰ(v+m)和Ⅱc的交换

这一节着重论证了第Ⅰ部类和第Ⅱ部类之间的交换。

Ⅰ(v+m)=Ⅱc。这个公式，说明了资本主义简单再生产条件下的第一个基本原理，即两个部类之间的生产要相互平衡，首先就要求Ⅰ(v+m)和Ⅱc相等。

为什么二者必须相等呢？这是现实所要求的，因为：Ⅰ(v+m)都是以生产资料的形式存在着的，但他们所需要的却是消费资料；Ⅱc是以消费资料的形式存在着的，但他们所需要的却是生产资料。要使Ⅰ(v+m)取得消费资料，使Ⅱc取得生产资料，不仅在价值上，而且在实物上进行补偿，必须在两个部类之间进行交换。这就是，使Ⅱc“从消费资料形式再转化为消费资料的生产资料形式”，使Ⅰ(v+m)“由生产资料的实物形式转化为一种可以作为收入来消费的实物形式”。

这种互相交换是通过货币流通完成的，货币流通在交换中起着媒介作用。那么，这种交换是怎样通过货币流通来进行的呢？马克思的设想是分为下述三步：

第一步：第Ⅰ部类资本家购买一定量的劳动力，从而以1000万元货币作为工资付给工人；工人再用这部分货币向第Ⅱ部类资本家购买生活资料。这样，这1000万元货币流到Ⅱ的资本家手里，第Ⅰ部类的工人却取得了相等的生活资料；然后，第Ⅱ部类资本家再用这1000万元向第Ⅰ部类资本家购买生产资料，这1000万元货币又流回到第Ⅰ部类的资本家手中。这次流通的结果是：Ⅰ资本家仍然掌握了原来已经掌握的1000万元货币；Ⅰ工人取得了相等于1000万元价值的消费资料；Ⅱ资本家用1000万元价值的生产资料替换了原来占有的消费资料。这样，Ⅰv1000和Ⅱc 1000就得到了实现。

第二步：假设第Ⅱ部类的资本家拿出500万元货币向第Ⅰ部类购买生产资料；第Ⅰ部类资本家再用这部分货币向第Ⅱ部类购买500万元的消费资料。这次流通的结果是：Ⅱ资本家付出的500万元货币仍然回到自己手中；Ⅱc中的 500，由消费资料的物质形式转化为生产资料；Ⅰm 中的 500，由生产资料的形式转化为消费资料的形式。这样，Ⅰm 中的一半即 500 和Ⅱc中的$\frac{1}{4}$即 500，就得到了实现。

第三步：假设第Ⅰ部类资本家也预付出 500 万元向第Ⅱ部类购买消费资料；第Ⅱ部类资本家再用这部分货币向第Ⅰ部类购买生产资料。这次流通的结果是：Ⅰ资本家付出的 500 万元货币仍然回到自己手中；Ⅰm 中的 500 由生产资料形式转化为消费资料；Ⅱc中 500 由消费资料的形式转化为生产资料。这样，Ⅰm 中的一半即 500 和Ⅱc中的$\frac{1}{4}$即 500，也得到了实现。

上述交换的总结果是：Ⅱc 2000 由消费资料形式转化为生产资料形式；Ⅰv1000 和Ⅰm1000 都取得消费资料的物质形式；Ⅰ资本家付出的 1000 万元＋500 万元货币仍然流回到自己手中；Ⅱ资本家付出的 500 万元货币同样地也掌握在自己手里。这样，第Ⅱ部类再生产有了生产资料，第Ⅰ部类的工人和资本家都得到了生活消费品。

马克思由此得出结论说，“在简单再生产中，第Ⅰ部类的商品资本中的 v＋m 价值额……必须等于不变资本Ⅱc”，“或者说，Ⅰ(v＋m)＝Ⅱc”。这个公式体现了社会生产两大部类之间的内在联系。它表明：要使简单再生产能够正常进行，第Ⅰ部类生产资料的生产和第Ⅱ部类对生产资料的需要之间，以及第Ⅱ部类消费资料的生产和第Ⅰ部类对消费资料的需要之间，都必须保持一定的比例关系。如果Ⅰ(v＋m)小于Ⅱc，Ⅱ消耗的生产资料就有一部分得不到补偿，Ⅱ所生产的消费资料则有一部分卖不出去，连简单再生产也不能保持。如果Ⅰ(v＋m)大于Ⅱc，第Ⅰ部类的生产资料就有一部分卖不出去，Ⅰ的工人和资本家对消费资料的需求就得不到满足，生产与消费的矛盾就会尖锐起来。所以马克思又作出结论说：“年劳动以生产资料的实物形式创造的新价值产品（分成 v＋m）[①]，等于年劳动的另一部分生产的产品价值所包含的以消费资料形式再生产的不

① 这就是Ⅰ(v＋m)。

变资本价值 c[①]。假如前者小于Ⅱc，第Ⅱ部类的不变资本就不能全部得到补偿；假如前者大于Ⅱc，余额就不能利用。在这两种场合，简单再生产这个前提都会被违反。”

Ⅳ. 第Ⅱ部类内部的交换。必要生活资料和奢侈品

本节着重研究的问题是：第Ⅱ部类内部的必要生活资料和奢侈品的交换问题。不仅在第Ⅱ部类内部，即使在第Ⅰ部类内部，都包含种类繁多的产业部门，每一部类内部还可以分成“分部类”（或称副类），在分部类和不同的产业部门之间，也须要保持一定的比例关系。任何分部类之间，或不同的产业部门之间，生产过多或过少，不仅会影响到本部类内部的分部类之间和不同企业之间的生产，也会影响到这一部类和另一部类之间的生产，实即影响到整个社会的生产。因此，研究Ⅰ或Ⅱ部类内部的比例关系和实现问题，也具有一定的重要意义。

第Ⅱ部类内部必要生活资料和奢侈品的交换

从第Ⅱ部类内部的产品情况来看，可以分成两大分部类：一是必要消费资料，它们不仅要供给工人阶级的生活消费，而且要供给资本家阶级的一部分消费，马克思把这个分部类称为Ⅱa。另一是奢侈消费资料，或称奢侈品，这部分只供资本家阶级消费，因此，它只能和剩余价值相交换，马克思把这个分部类称为Ⅱb。现在，根据上述简单再生产的公式，做如下假定。(1) 资本有机构成仍为 4∶1，Ⅱa的资本共 2000，其中，1600c，400v；Ⅱb的资本共 500，其中，400c，100v。(2) 剩余价值率是 100%，(Ⅱa)m＝400，(Ⅱb)m＝100。资本家把剥削到的剩余价值中的 60%用于购买必要生活资料，40%用于购买奢侈品，这样，Ⅱa的 400m 中，240 用于购买必要生活资料，160 用于购买奢侈品；Ⅱb的 100m 中，60 用于购买必要生活资料，40 用于购买奢侈品。这样，Ⅱa和Ⅱb的年产品就是：

---

① 这就是Ⅱc。

$$\left.\begin{aligned}&\text{Ⅱa：}1600c+400v+400m=2400\\&\text{Ⅱb：}\ \ 400c+100v+100m=\ \ 600\end{aligned}\right\}3000$$

那么，这些产品如何实现呢？

首先，Ⅱa的 400v，是要由工人用于必要生活资料的消费的，恰好Ⅱa的产品就是必要生活资料，因此，这部分可通过Ⅱa分部类内部交换实现。例如：Ⅱa资本家付给工人 400 货币工资，工人再用 400 货币向Ⅱa资本家购买必要生活资料。

其次，Ⅱa的 400m 中，要以 240m 作为资本家自己的必要生活消费，因此，这 240m 可以通过Ⅱa资本家之间的交换而得到实现。这样，Ⅱa需要交换的只有 160m 了。

再次，Ⅱb的产品是以奢侈品的形式存在着的，Ⅱb的资本家要以 100m 的 40％用于购买奢侈品，因而 40m 可以在自己的分部类内部实现。

更次，Ⅱb需要交换的还有 100v，这是用于工人消费的，不能用来购买奢侈品；60m，这是用于Ⅱb资本家的生活必需品，也不能用于购买奢侈品。因此，Ⅱb就有 100v＋60m 要和Ⅱa交换。而Ⅱa的资本家也正好有 160m 要购买奢侈品。在这里，交换过程是这样的：Ⅱb以 100v 的货币工资付给工人；Ⅱb工人以 100 货币向Ⅱa购买生活必需品；Ⅱa资本家把 100 的生活必需品卖给Ⅱb工人并取得 100 货币以后，再用它购买Ⅱb的奢侈品；这样，Ⅱb的 100v 就实现了。至于Ⅱa的 60m 部分，Ⅱa以 60 货币购买Ⅱb的奢侈品，Ⅱb再用它购买Ⅱa的生活必需品，这样，60m 部分也实现了。

这样，通过Ⅱa与Ⅱb之间的交换，v 和 m 部分都得到了实现。

最后，还要来看看Ⅱc的部分。Ⅱa的 1600c 是以生活必需品的形态存在着，Ⅱb的 400c 是以奢侈品的形态存在着。但是第Ⅰ部类的 1000m 也要以 40％用于Ⅰ资本家的奢侈品，以 60％用于生活必需品，这样，Ⅰ资本家就要以 600m 向Ⅱa购买生活必需品（还有工人的 1000 工资也要用于购买生活必需品），以 400m 向Ⅱb购买奢侈品，因此，Ⅱa和Ⅱb的不变资本部分，通过和第Ⅰ部类的交换，也得到了实现。在这里，第Ⅱ部类分为Ⅱa和Ⅱb，并不改变整个第Ⅱ部类和第Ⅰ部类之间的关系。

关于上述实现情况，可用下列图式表示：

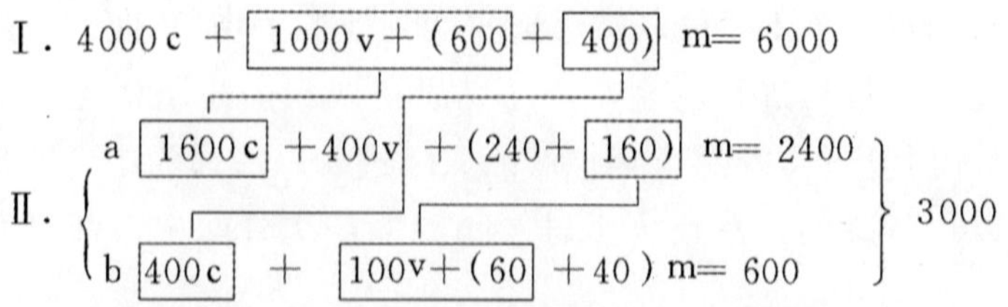

这样，我们就会看到，“必要消费资料的生产和奢侈品的生产之间的比例关系，是以Ⅱ(v+m)在Ⅱa和Ⅱb之间的分割为条件的，从而也是以Ⅱc在(Ⅱa)c和(Ⅱb)c之间的分割为条件的。因此，这种分割从根本上影响着生产的性质和数量关系，对生产的总形态来说，是一个本质的决定因素”①。这就充分说明了研究第Ⅱ部类内部比例关系的重要意义。

(Ⅱb)v要在(Ⅱa)m的一个等价部分中实现，因此，(Ⅱb)v要小于(Ⅱa)m

从上述Ⅱa和Ⅱb的比例关系中就可看出，要平衡Ⅱa和Ⅱb的比例，首先是不能违反Ⅰ(v+m)等于Ⅱc这个简单再生产的前提，如果这个前提违反了，Ⅱa和Ⅱb的不变资本部分就不能得到正常的补偿和实现。但是，在Ⅱa和Ⅱb的关系中，由于(Ⅱb)v要在(Ⅱa)m的一个等价部分中实现，这是因为生产奢侈品工人的工资不能用来购买奢侈品，而是要向Ⅱa购买生活必需品，而Ⅱa的v部分，供应本部类内部工人的消费需要，因此，(Ⅱb)v只能在(Ⅱa)m中实现，“因此，投入奢侈品生产的v，必须等于以必要生活资料形式生产的m中和它的价值量相适应的部分，因而就必然小于这整个m，即小于(Ⅱa)m”。简言之，即(Ⅱb)v要小于(Ⅱa)m。我们知道，(Ⅱa)m首先要用一部分来满足Ⅱa资本家的生活需要，因此，(Ⅱa)m只能有一部分（而不是全部）用于Ⅱa资本家的奢侈品消费。如果(Ⅱb)v大于(Ⅱa)m，其结果必然是，(Ⅱb)v无法全部实现，很多奢侈品无人购买。如果(Ⅱb)v等于(Ⅱa)m，由于(Ⅱa)m中必然用一部分（如60%）去购买生活必需品，只能用另一部分（如40%）购买奢侈品，因此，(Ⅱb)v中也还有60%无法实现。只有在(Ⅱb)v小于(Ⅱa)m的情况下，才能使(Ⅱb)v在(Ⅱa)m中得到实现。“只是由于这个v在这一部分m中实现，奢侈品的资本主义生

① 《资本论》第2卷，人民出版社2004年版，第457页。

产者所预付的可变资本才能以货币形式回到他们手中。”他们才能重新用于购买劳动力，继续进行再生产。马克思在谈到上述比例关系对实现问题的重要性时指出：“既然全年总产品实际进入以流通为中介的年再生产过程，所以这些比例关系在全年总产品的每一次分配中，都具有质的决定意义。”

接着，马克思又批判了关于剩余价值可以分解为工资、利润和地租的谬论。他指出，既然(Ⅱb)v要在(Ⅱa)m中实现，那么，根据斯密的谬论，就可以得出另一个谬论，即(Ⅱa)m分解为(Ⅱb)v，或者说(Ⅱb)v是(Ⅱa)m的一个组成部分，也就是说，剩余价值分解为工资，即可变资本，而可变资本形成剩余价值的一个组成部分。这种谬论确实可以在斯密那里看到。马克思指出，斯密忘记了下面两点。第一，在商品交换过程中，该商品的有酬劳动多少，无酬劳动多少，对交换本身是没有关系的。在商品交换中，只要求等量价值的商品和等量价值的商品相交换。(Ⅱb)v在(Ⅱa)m中实现，是商品交换问题，不是研究无酬劳动和有酬劳动的分解问题，这是完全不同的两回事。第二，尽管A的商品是生产资料，B的商品是生活必需品，它们在交换以后，前者进入生产消费，后者进入个人消费，这只是交换以后的用途问题，对商品本身的交换也是无关的，虽然研究全年社会总产品的再生产和流通时，必须研究这些产品的用途，但和商品交换本身毕竟还是完全不同的两回事。所以，(Ⅱb)v在(Ⅱb)m中实现，只是交换问题，根本不是什么剩余价值分解为工资，或工资是剩余价值的一个组成部分的问题。这是不同的两个命题，怎能混为一谈呢！

在(Ⅱb)v和(Ⅱa)m的一个等价部分的交换中，不必假定每个资本家都按同一比例在必要消费品和奢侈品之间分配他们的剩余价值。有的资本家可能在必要消费品上用得多些，有的资本家可能在奢侈品上用得多些，“在简单再生产的基础上，前提只是：一个和全部剩余价值相等的价值额在消费基金中实现”。就是说，他们把剩余价值全部用于生活消费，可以互相补偿就行。如果是扩大再生产，这种比例量就会发生变化。

奢侈品生产和奢侈品消费的关系以及它和生活必需品的生产和消费的关系

从上述(Ⅱb)v要在(Ⅱa)m的一个等价部分中实现这一点，可以得出如下结论：年产品中的奢侈品部分越是大，奢侈品生产所吸收的工人越是多，因而Ⅱb的可变资本就越是多；既然这部分v要在Ⅱa的m中实现，因而Ⅱb的工人的生存和再生产，“也就越是要取决于资本家阶级的挥霍，越是要取决于这个阶级的剩余价值的很大一部分转化为奢侈品”。

这个理论说明了奢侈品的生产和资本家的消费之间的关系。它在资本主义实际经济生活中也得到了充分的证明。例如，在经济危机时期，会暂时减少奢侈品的消费，一部分奢侈品卖不出去，使奢侈品的生产减少，Ⅱb的一部分工人被解雇，购买力减少，使得生活必需品的出售也因此停滞和减少，Ⅱa的商品的实现也成了问题。在危机前夕的繁荣时期，情况正相反，这时候，经济活跃，就业增加，物价上涨，工资提高，对生活必需品的需要增加了，对奢侈品的需要也增加了，而且资本家挥霍浪费，甚至连工人阶级“也暂时参加了他们通常买不起的各种奢侈品的消费”，这些又会反转过来引起价格的提高。这就明显地看出，奢侈品的生产不仅与奢侈品的消费有着直接关系，而且与生活必需品的生产和消费也有密切关系，这就说明了Ⅱb和Ⅱa之间的相互作用。

德国庸俗经济学家洛贝尔图斯等人，不懂得生产与消费之间的相互关系，片面地夸大消费的作用。他们认为：资本主义经济危机产生的原因，是由于消费不足，即缺少支付能力所引起的。他们认为：只要提高工资，增加工人有支付能力的消费，危机就可以消除。马克思批判了这种谬论，指出：如果提高工资，增加消费需求，就能消除危机，那么，危机前夕的繁荣时期，工资普遍提高，消费需求有较大的增长，就应消除危机，为什么反而马上就接着爆发危机呢？“因此，看起来，资本主义生产包含着各种和善意或恶意无关的条件，这些条件只不过让工人阶级暂时享受一下相对的繁荣，而这种繁荣往往只是危机风暴的预兆。”马克思的这句话打中了洛贝尔图斯危机学说的要害，所以恩格斯特加注进行说明。按照马克思的观点，危机的深刻根源并不是消费不足，而是生产的社会性和资本主义占有的私人性之间的矛盾。这个问题，在《资本论》

第三卷第十五章中将着重进行研究。

这里还有一个问题：简单再生产实质上是以消费为目的的，资本主义生产则是以榨取剩余价值为目的的，这两者之间的关系究竟如何呢？马克思指出，“这种个人消费的动机总是和发财致富的动机本身相伴而生，同时又和它相对立。实际上，问题表现得更复杂”。生产的最终目的是为了消费，但资本主义生产的实质则是为了取得剩余价值，所以简单再生产不是资本主义的本质特征，只有积累，扩大再生产，才能满足资本家阶级狼一般的贪欲。

Ⅴ. 货币流通在交换中的中介作用

这一节着重论述，在两大部类的交换中，货币流通起着交换的中介作用。

对于货币在两大部类交换中的中介作用，本章第三节已进行了论述，这一节又总结了前两节研究的成果，再进行系统的论证。

除第三、四节已经研究过的问题外，本节从Ⅰ(v＋m)和Ⅱc相交换的角度，着重论述了下列问题：

第一，投在Ⅰv上的货币，要通过迂回的道路，才能返回到第Ⅰ部类资本家手中。

从第463页论述的Ⅰ、Ⅱ部类交换进行的情况说明[①]：“商品生产者预付在流通中的货币，在商品流通正常进行的情况下，会回到他自己手里”[②]。“这样，谁预付货币来购买别人的商品，谁就会在出售自己的商品时，重新得到货币。”[③] 那么，投在Ⅰv上的货币，与投在Ⅱv上的货币在流回时有什么不同呢？马克思说：“第Ⅰ部类投在工资上的货币，即以货币形式预付的可变资本并不是在货币形式上直接地返回的，而是间接地、

① 对这个交换过程，第三节中已论述过，本节又接连论证了三次。见《资本论》第2卷，人民出版社2004年版，第462—463页。

② 《资本论》第2卷，人民出版社2004年版，第459页。

③ 《资本论》第2卷，人民出版社2004年版，第460页。

通过迂回的道路返回的。相反，在第Ⅱ部类，500 镑工资却直接从工人那里回到资本家手中，就像在同一些人彼此交替地作为商品的买者和卖者不断对立，反复进行买和卖时货币总是直接返回一样。”这是因为：第Ⅰ部类资本家把工资付给工人，但工人不能用工资向本部类资本家购买生活消费品，因为第Ⅰ部类资本家所占有的产品是以生产资料的形态存在着的，所以必须采取迂回办法，即以这部分工资向第Ⅱ部类的资本家购买消费品，第Ⅱ部类资本家在卖出消费品从而占有这部分货币以后，再拿这部分货币向第Ⅰ部类资本家购买生产资料，这时，货币才流回到原来付出它的第Ⅰ部类的资本家手中。第Ⅱ部类则不同，第Ⅱ部类资本家把工资付给工人，工人拿到工资后就可以立即向本部类资本家购买生活必需品，因为第Ⅱ部类的产品是以消费资料的形式存在着的，这是“直接返回”，和Ⅰ的“间接”“迂回”是不同的。尽管它们流回的道路有显著差别，但在这个流通过程中，货币都起着交换中介的作用，最后都流回到它的预付者手中。

第二，为实现Ⅱc而预付的货币，通过第Ⅰ部类向第Ⅱ部类购买消费资料而“流回到第Ⅱ部类那里”[①]。

第Ⅱ部类资本家为了 c1000 的实现[②]，要用 500 货币购买生产资料(见第 463 页第 4 点)，这时预付的货币，就由货币形式转化为生产资本要素。这预付的 500 货币，并不是由商品资本转化来的，因为这时它的商品——消费资料还在仓库中，但他已经预期到第Ⅰ部类资本家在取得货币后，会向他购买消费资料，他“以商品（消费资料）形式存在的那一部分将转化为货币形式”。第Ⅰ部类资本家取得这 500 货币后，再来购买第Ⅱ部类的消费品，这时，“这些货币并不代表第Ⅰ部类的资本价值的任何组成部分，而代表只是用在消费资料上的货币化的剩余价值”。就是说，第Ⅰ部类资本家用于购买消费资料的这 500 货币，并不是Ⅰ的资本，只是代表Ⅰ的剩余价值，只是这一部分剩余价值在消费资料上的货币化，从而形成第Ⅰ部类资本家的收入。

① 《资本论》第 2 卷，人民出版社 2004 年版，第 463 页。

② 如书中例证，Ⅱc 2000，其中 1000 已和Ⅰv相交换，这是指余下的 1000。

那么，在交换过程中究竟需要多少货币量？那仍然要由货币流通的规律所决定。在其他条件不变的情况下，同一货币周转的次数较快，流通中的货币量就较少。如果货币流通次数已定，流通中的商品价格总额是大还是小，就决定着流通中的货币量是多还是少。例如Ⅱc 1000 与Ⅰv 1000相交换，如同一货币流通 4 次，4×250＝1000；如果是流通 5 次，5×200＝1000；这就是说，前者需要 250 货币来流通，后者只要 200 货币来流通就够了。

第三，投在Ⅰm 上的货币，“是通过它的资本主义生产者本身在私人消费上支出的货币而实现的”。

如果“不是第Ⅱ部类，而是第Ⅰ部类作为买者出现”，那么，为了Ⅰm 1000的实现，第Ⅰ部类资本家就要投入 500 货币，用以购买第Ⅱ部类的消费品。在这里，预付的 500 货币，不是出售商品所得的货款，而是追加的货币，这种货币代表了预期的收入，即预期他的体现 m 的生产资料商品能够卖出去，能够把这部分货币再换回来。这部分剩余价值的实现，不是在 500 货币投入的时候，而是在 500 货币投入以后，第Ⅱ部类资本家用它来购买 m 的生产资料时才实现的。“这样，**该部类自己投入流通的货币，使它自己的剩余价值转化为货币**。”这就是说，Ⅰm 所以能够实现，是由于该部类的资本家投入了货币。或者说，由于Ⅰ资本家预付出货币，才使它的剩余价值得到实现，得以转化为货币。由此可见，实现剩余价值所需要的货币的最初来源，是由资本家预付出来的。这“不仅不是奇谈怪论，而且还是整个机制的必要条件，因为在这里只有两个阶级：只能支配自己劳动力的工人阶级；对社会生产资料和货币拥有垄断权的资本家阶级”。如果说，为实现商品中所包含的剩余价值所需要的货币，不是由资本家预付，而是由工人预付，那才真是奇谈怪论呢。那么，资本家在什么形式上进行这种预付呢？或者是：支出货币来购买消费资料；或者是：预付货币来购买生产资本的各种要素，不管是支出还是预付，都是从资本家那里出来的，资本家都是起流通的起点的作用。但是，在资本主义的现实经济生活中，往往有两种情况掩盖着上述真相。其一是，好像商业资本家和货币资本家是这种货币的最初预付者；另一是，土地所有者、高利贷者以及政府的官吏、食利者等等，他们分割了剩余价值，但他们却直接用货币购买商品，这样，好像产业资本家的货币又都是从这些家伙那里出来的。由于这两种假象掩盖着真相，“这时，人们总是忘记，他们最初得到并不断地重新得到的货币的来源是什么”。

Ⅵ. 第Ⅰ部类的不变资本

本节着重研究第Ⅰ部类不变资本的实现问题。这是前述交换的三大要点中的第三个要点。

根据马克思在本节前四段的论述，概括起来，第Ⅰ部类不变资本的实现，有如下三方面的特点：

第一，不仅Ⅰc的价值是再现的，而且它的实物形式也是再现的。Ⅰc的价值不是新创造出来的，而是已消耗的生产资料的价值转移到年产品中来的，这些价值是在“这一年以前作为不变的价值，作为第Ⅰ类生产过程的生产资料既定的价值”客观存在着的。同样，它的实物形式，也是以同一形式反复出现，不断进行补偿的，如煤在生产过程耗费了，新的煤又生产了出来；机器在生产中磨损了，新的机器又生产了出来。所以它们“是以能立即再作为不变生产资本执行职能的实物形式再现的”。至于Ⅱc就不是这样。虽然Ⅱc的价值也是旧价值的实现，但它是以消费品的形式存在着的，它没有在物质形式上再现，不能立即直接用于再生产过程。

第二，Ⅰc的实物形式可以立即进入生产消费。由于Ⅰc的全部商品产品，是“由生产资料，即由建筑物、机器、容器、原料和辅助材料等等构成。因此，其中用来补偿这个部门所使用的不变资本的那一部分，能够以它的实物形式立即重新作为生产资本的组成部分执行职能”，“由它的资本主义生产者在生产上消费掉”。至于第Ⅱ部类的不变资本(Ⅱc)，“不能再进入第Ⅱ部类的资本家的生产消费”。

第三，Ⅰc必须在第Ⅰ部类内部交换，在第Ⅰ部类内部实现。从第Ⅰ部类总产品看，其中的v+m部分，有的已为社会基金所吸收，有的已用于补偿第Ⅱ部类的不变资本，都已作了安排；只有这Ⅰc部分，它的全部商品产品“只能作为不变资本的要素发生作用”，只能用于补偿第Ⅰ部类的不变资本，“如果它进入流通，那也是在第Ⅰ部类内部流通”。至于Ⅱc则不同，它不仅要在价值上，而且要在物质上得到实现，必须“通过和第Ⅰ部类的交换来进行补偿”。

那么，Ⅰc怎样在第Ⅰ部类内部实现呢？

“第Ⅰ部类的不变资本，由大量的不同的资本群构成。它们被分别投入不同的生产资料生产部门”，例如，有的投入钢铁工业，有的投入采掘工业，有的投入机器制造业等等，从而形成不同的资本群或这种社会的群资本。这些部门生产出来的商品产品，都是以生产资料的形式存在着的，它们补偿Ⅰc的办法有两种。一种情况是：把这部分产品当作生产资料直接投入本部门本企业的生产，例如，开采的煤重新作为本企业生产之用，谷物作为种子重新用于农业等等。另一种情况是：在本部类内部不同的企业之间进行交换。例如，采掘工业部门把煤炭卖给钢铁工业，钢铁工业部门把钢铁卖给机器制造业，机器制造业又把采煤机、轧钢机等等机器卖给采掘工业、钢铁工业等等部门。“在这里，只要交换是在第Ⅰ部类的各个资本家之间进行的，这种交换就是一种实物形式的不变资本和另一种实物形式的不变资本的交换，就是一种生产资料和其他生产资料的交换。这是第Ⅰ部类的不同的单个不变资本部分的互相交换。”通过交换，互相得到补偿。

上述Ⅰc的补偿不仅在资本主义社会里是客观地进行的，是完全必要的，即使在资本主义制度废除以后，在公有制为基础的社会主义社会里，也是客观地存在的，也是完全必要的，只是剔除其资本主义的特质，更加符合于有计划按比例发展的客观要求而已。马克思特别指出：“如果生产是社会的，而不是资本主义的，那么很明显，为了进行再产，第Ⅰ部类的这些产品同样会不断地再作为生产资料在这个部类的各个生产部门之间进行分配，一部分直接留在这些产品的生产部门，另一部分则转入其他生产场所，因此，在这个部类的不同生产场所之间发生一种不断往返的运动。”

Ⅶ. 两个部类的可变资本和剩余价值

这一节主要研究两个部类的可变资本和剩余价值等于第Ⅱ部类产品的总价值，以及第Ⅱ部类的产品价值可分成 v+m 的问题。

两个部类的可变资本和剩余价值等于第Ⅱ部类产品的总价值

“每年生产的消费资料的总价值，等于当年再生产的第Ⅱ部类的可变资本价值和新生产的第Ⅱ部类的剩余价值（即等于第Ⅱ部类当年生产的价值），加上当年再生产的第Ⅰ部类的可变资本价值和新生产的第Ⅰ部类的剩余价值（也就是加上第Ⅰ部类当年生产的价值）。”这就是说，Ⅱ(c+v+m)=Ⅰ(v+m)+Ⅱ(v+m)。或者说，第Ⅱ部类产品的全部价值，等于两个部类的可变资本和剩余价值的总和。

这个公式是从Ⅰ(v+m)=Ⅱc引申出来的。因为Ⅱc既与Ⅰ(v+m)相等，那么，Ⅰ(v+m)+Ⅱ(v+m)当然也就与Ⅱ(c+v+m)相等了。这个公式表明了：消费资料的生产同两大部类的工人和资本家的个人消费之间的关系。这是因为：消费资料的一部分要依靠工人以他出卖劳动力所取得的工资来购买；消费资料的另一部分要依靠资本家把剥削到的剩余价值当作个人消费基金来购买。因此，第Ⅱ部类的产品，在价值上应该等于两大部类工人和资本家收入的总和，在实物形态上应该同他们购买消费资料的要求相适应，这样，才能既满足工人和资本家的消费需要，又能使全部消费资料得以实现。在简单再生产条件下，如果第Ⅱ部类全部产品的价值小于两个部类的可变资本和剩余价值，就会有一部分工人或资本家买不到消费品；相反，如果第Ⅱ部类全部产品的价值大于两个部类的可变资本和剩余价值，就会有一部分消费品卖不出去，必然要缩小生产规模，不能维持简单再生产。可见，上述公式明确地显示了第Ⅱ部类的生产同两个部类的工人和资本家的个人消费之间的关系。

我们知道，年价值产品是当年新创造的价值，是当年活劳动新创造的全部价值，v 和 m 正体现着当年新创造的价值部分。所以Ⅱ(c+v+m)

＝Ⅰ(v＋m)＋Ⅱ(v＋m)的公式，也等于说："在简单再生产的前提下，每年生产的消费资料的总价值，等于年价值产品，即等于社会劳动在当年生产的全部价值"，一句话，即等于当年新创造的全部价值。

如果把社会工作日也分为必要劳动和剩余劳动两部分，必要劳动创造出补偿可变资本的价值，剩余劳动创造出剩余价值，上述公式又可表述为："一年生产的消费资料的总价值①，等于社会总工作日在当年生产的总价值，等于社会可变资本的价值加上社会剩余价值，等于当年的全部新产品。"

必须注意，虽然第Ⅱ部类全部产品的价值和Ⅰ(v＋m)＋Ⅱ(v＋m)的价值量是一致的，都等于当年在社会总工作日内新创造的价值，但仅仅是"等于"，为什么呢？因为绝不能说全年新创造的价值都体现在第Ⅱ部类的全部产品中。第Ⅱ部类全部产品价值为3000，其中2000c，500v，500m，不变资本2000的价值，不是工人新创造的，是由生产资料的旧价值转移而来，仅仅因为这一部分再现的不变资本价值2000，和第Ⅰ部类的1000v＋1000m在量上相等，而且进行交换，这样，这部分转移的旧价值，就等于第Ⅰ部类创造的新价值了。所以仅能说是"等于"，而不能把第Ⅱ部类全部产品直接看成就是全年新创造的价值。

为什么第Ⅱ部类产品的价值可分成v＋m

根据以上论证，马克思进一步指出："这就表明，为什么尽管对第Ⅱ部类的资本家来说，他们的产品价值分成c＋v＋m，但是从社会的角度来考察，这些产品的价值却可以分成v＋m。其所以如此，只是因为Ⅱc在这里等于Ⅰ(v＋m)，社会产品的这两个组成部分通过交换来互相交换它们的实物形式。在这样交换以后，Ⅱc就再以生产资料的形式存在，而Ⅰ(v＋m)则再以消费资料的形式存在。"从第475页第2段到478页第1段，都是围绕这个问题进行深入论证的。

为什么第Ⅱ部类产品的价值可以分成v＋m？这不是和斯密的观点"年产品的价值分解为v＋m"一样了吗？其实，上述看法，第一，"只适用于由消费资料构成的那部分年产品"，即只适用于第Ⅱ部类产品，不适

① 即Ⅱ全部产品的价值。

用于第Ⅰ部类产品。这是因为，可以转化为收入的只是以消费资料形式存在的产品，而绝不能把以生产资料形式存在的产品也转化为收入。斯密的错误在于，他把只适用于消费资料的观点，说成也适用于生产资料，即适用于资本主义社会的全部产品，因而得出年产品价值都分解为 v+m，即分解为收入的错误结论。第二，为什么适用于第Ⅱ部类的产品呢？并不是说整个社会上的 v+m 都是由第Ⅱ部类生产的（事实上，第Ⅰ部类也有新生产的 v+m），也不是说第Ⅱ部类产品都体现着新创造的价值，“而只是指：Ⅱ(c+v+m)=Ⅱ(v+m)+Ⅰ(v+m)，或者说，因为Ⅱc=Ⅰ(v+m)”。

为什么要这样说呢？请看下列论证：

第一，虽然社会工作日和每个单个工作日一样，都是由必要劳动和剩余劳动构成，前者创造出补偿可变资本的价值，后者创造出剩余价值。这就是说，可以分成 v+m。“但是从社会的角度来考察，社会工作日的一部分是专门用来**生产新的不变资本**的，也就是用来生产那种专门供在劳动过程中作为生产资料，从而在伴随而来的价值增殖过程中作为不变资本执行职能的产品的。”这就是说，从整个社会来看，必然要有一部分社会工作日用于生产生产资料，以便作为不变资本执行职能，否则，再生产就不能进行。那么，这就出现了一个问题：怎能把用于生产生产资料（不变资本）的这部分社会工作日也分解成为 v+m 呢？

第二，必须明确：不管在第Ⅰ部类还是在第Ⅱ部类，社会工作日只能分为必要劳动和剩余劳动，它创造的新价值只能等于可变资本和剩余价值，绝不会有任何部分用来创造不变资本的价值。因为不变资本的价值不是新创造的，而是转移来的。劳动者只能把新创造的价值追加到生产资料上，凝结在新的产品中，即使它的产品是生产资料，但作为新产品出现时，它只是商品资本，不是生产中的不变资本；只是在将来，即由商品资本转化为货币资本，再转化为生产资本要素进入生产过程后，才执行不变资本的职能。

第三，第Ⅱ部类全部产品，就它的使用价值来考察，“是第Ⅱ部类所提供的$\frac{1}{3}$社会工作日的产品”。就全社会总工作日来说，它创造了 3000

的新价值，其中 2000 Ⅰ(v+m)已占$\frac{2}{3}$，1000 Ⅱ(v+m)只占$\frac{1}{3}$。这Ⅱ(v+m)的 1000，是在$\frac{1}{3}$社会工作日中新创造的价值，它同时也生产出第Ⅱ部类的全部产品，在Ⅱ全部产品中，2000c+500v+500m，除去 1000 Ⅱ(v+m)外，2000 Ⅱc是由生产资料的旧价值转移而来的。由此可见，在$\frac{1}{3}$的社会工作日中，生产出第Ⅱ部类的全部产品，一方面，抽象劳动创造了 1000 Ⅱ(v+m)的新价值；另一方面，具体劳动在生产商品的同时又转移了 2000 Ⅱc的旧价值。所以第Ⅱ部类的价值产品只体现了社会工作日的$\frac{1}{3}$。而它的产品价值，除了这$\frac{1}{3}$的新价值外，还有转移来的$\frac{2}{3}$的旧价值。“产品价值的这$\frac{2}{3}$的**价值**=2000，并不是在第Ⅱ部类当年的价值增殖过程中产生的”。

第四，据此，进一步研究第Ⅱ部类的产品：如从劳动过程的观点看，既有活劳动的消耗，又有对象化劳动的转移；如从价值增殖过程的观点看，既创造了新价值，又转移了旧价值。但是，在这里突出的问题是：Ⅱc这个由旧价值转移来的部分，和Ⅰ(v+m)相交换，“事实上也就是并不形成当年劳动的任何部分而在本年以前已经完结的$\frac{2}{3}$总工作日，同本年新追加的$\frac{2}{3}$工作日相交换”，“是当年的劳动时间同本年以前的劳动时间的交换”，即转移的旧价值部分和新创造的价值部分相交换。从实物形态看，第Ⅱ部类全部产品都是消费品，都可进入生活消费过程，由于Ⅱc与Ⅰ(v+m)交换的结果，第Ⅱ部类产品都作为收入消费掉；从价值形态看，其全部价值又相等于全年新创造的价值，“这些产品的价值却可以分成 v+m”，即可分解为收入。这也就是在上面提出的为什么第Ⅱ部类产品可以分成 v+m 的原因。这也是马克思的分析和斯密的分析根本不同所在。

到此，我们在前面提出的谜一般的问题可以得到答复。这就是：既然用$\frac{2}{3}$的社会工作日生产了生产资料（不变资本），为什么整个工作日又只分解为 v＋m？因为这是由于Ⅱc与Ⅰ(v＋m)相交换，即以过去工作日的$\frac{2}{3}$与当年工作日的$\frac{2}{3}$相交换所产生的结果。而这又是和劳动二重性（即创造出新价值，又转移了旧价值）分不开的。年产品的旧价值是由具体劳动转移来的。如果没有生产资料，劳动者也不能把它转化为商品，不能生产新产品，当然也就没有旧价值的转移，更谈不上新价值的创造了。正是由于二重性的劳动创造了第Ⅱ部类的产品，使得Ⅱc能和Ⅰ(v＋m)相交换，第Ⅱ部类产品也才能分解为收入。

Ⅷ. 两个部类的不变资本

本节主要研究：在简单再生产条件下，Ⅰ(c＋v＋m)＝Ⅰc＋Ⅱc，即第Ⅰ部类全部产品的价值，应该等于两大部类的不变资本价值的总和问题。

本节所研究的这个公式，也是从Ⅰ(v＋m)＝Ⅱc引申出来的。既然第Ⅰ部类全部产品的价值分解为 c＋v＋m，那么，以Ⅰ(v＋m)和Ⅱc相交换，Ⅰ(v＋m)＝Ⅱc，于是就可进一步引申出Ⅰ(c＋v＋m)＝Ⅰc＋Ⅱc。

本来，不管从个别产品来看，还是从社会总产品来看，对价值的分解是不会发生困难的。从个别产品看：某资本家生产了价值 9000 的商品，其中 6000c、1500v、1500m，是清清楚楚的。如从社会总产品看，这 9000 商品也是分解为6000c、1500v、1500m 的。假定以 3000 作为 1 个社会工作日，那么9000等于 2 个社会工作日，6000c 等于 2 个社会工作日，1500v 等于$\frac{1}{2}$个社会工作日，1500m 等于$\frac{1}{2}$个社会工作日，这种分析也不会产生什么困难。那么，在这种分析中有没有困难呢？有的。困难在哪里呢？“困难是在于把社会产品的**价值**组成部分和它的**物质**组成部分作比较时产生的。”

我们知道，社会总产品不仅具有价值形式，而且具有一定的物质形式，“生产资料和消费资料是完全不同的两类商品”。如果把实物形式的商品按价值形式来分解，则以 3000 所表现的消费资料似乎没有不变资本，只分解为可变资本和剩余价值，因为“当年的新的价值产品即 v+m，等于由**消费资料**构成的那部分产品的价值，并在该部分产品中体现出来”。而以 6000 所表现的生产资料似乎只是由不变资本组成，似乎社会为生产这部分产品没有消耗任何新的社会劳动，因为“不变的、仅仅再现的那部分价值，等于由生产资料构成的那部分产品的价值，并在该部分产品中体现出来”。这样，我们不仅可以得出Ⅰ(v+m)+Ⅱ(v+m)=Ⅱ(c+v+m)的公式，即“年劳动的价值产品，等于第Ⅱ部类的产品价值，等于新生产的消费资料的总价值”。我们还可得出Ⅰc+Ⅱc=Ⅰ(c+v+m)的公式，即“生产资料(Ⅰ)的总价值，等于以生产资料(Ⅰ)形式再现的不变资本价值同以消费资料(Ⅱ)形式再现的不变资本价值之和，所以，等于在社会总产品中再现的不变资本价值之和”。这样，就出现了一种假象，就是：第Ⅱ部类产品的价值，Ⅱc是过去劳动转移来的，只有Ⅱ(v+m)才是当年劳动创造的，但由于第Ⅱ部类的产品全部是消费资料，又由于Ⅱc=Ⅰ(v+m)，因而第Ⅱ部类产品和全年劳动新创造的价值相等，这就造成这样的假象，好像第Ⅱ部类产品价值全部都是新创造出来的，其中并没有从过去的对象化劳动所转移来的价值部分；同样，第Ⅰ部类产品的价值，Ⅰc是过去劳动转移来的，Ⅰ(v+m)是新创造的，但由于第Ⅰ部类产品全部是生产资料，又由于Ⅰc+Ⅱc=Ⅰ(c+v+m)，第Ⅰ部类产品和Ⅰ、Ⅱ消耗的不变资本价值相等，这种假象为：好像第Ⅰ部类产品价值全部都是由生产资料的旧价值转移来的，其中并没有当年劳动新创造的价值。

上述这种假象，就单个资本来说，是不会发生的。因为每个单个资本家所生产的产品所包含的 c、v、m，都是清清楚楚的，它只要求能够卖出去，而不管它的商品是何种实物形式，以及作何用途，也就是说，只要求实现商品的价值，而不研究在实物形态上如何补偿，因为在那里，实物形态的补偿是被假定为不成问题的。但是，如果从社会资本的角度来考察，“社会总资本的产品却不是这样。再生产的一切物质要素，都必须以它们的实物形式形成这个产品本身的各个部分”。已经消耗的不变资本部分，必须用新生产资料的实物形式来补偿。而这部分实物的价值，只相当于已消耗的全部不变资本价值的再现。“因此，在简单再生产的前提下，由生产资料构成的那部分产品的价值，必须等于社会资本的不变价值部分。”这样，就会得出如下结果。一方面，生产生产资料的劳动，既把生产资料的旧价值转移到产品中去，又创造出新价值，而它的产品却是“新的**不变资本**”，即新的生产资料，这是用于补偿Ⅰc和Ⅱc的，所以第Ⅰ部类产品的全部价值，只能够买回实物形式的不变资本，“因而，从社会的角度来考察，它既不分解为可变资本，也不分解为剩余价值”，而全部分解为补偿资本。另一方面，生产消费资料的劳动，同样要转移旧价值并创造新价值，但它的产品都是消费资料，只能用于Ⅰ(v+m)和Ⅱ(v+m)，即“要用来实现第Ⅰ部类和第Ⅱ部类的可变资本价值和剩余价值”，因而，从社会角度看，它就“不生产社会的补偿资本的任何部分”，而全部分解为收入。这样，在实际生活中就会把资本和生产资料混为一谈，把收入和消费资料混为一谈。这就是上述假象产生的根本原因，也是“把社会产品的**价值**组成部分和它的**物质**组成部分作比较时产生的”困难所在。

在简单再生产条件下，第Ⅰ部类产品的价值等于Ⅰc和Ⅱc，但绝不能分解为Ⅰc和Ⅱc，更不是由Ⅰc和Ⅱc的价值所组成，因为在第Ⅰ部类产品的价值中，Ⅰ(c+v+m)除去Ⅰc以外，还有v+m这个新创造的价值部分，不能把这部分新创造的价值也说成是转移来的，说Ⅱc与Ⅰ(v+m)相等，只是价值量的相等。归根到底，第Ⅰ部类的产品价值还是由c+v+m组成的。

最后，马克思还附带批判了蒲鲁东在方法论上的错误。蒲鲁东在考察单个资本时，还把它作为资本主义经济来分析，但他认为，把社会资本当作一个整体来考察，“便会失掉它这种独特的历史的经济的性质”。实际上，社会资本是由个别资本的总和组成的，社会的总体资本家是由千千万万的个别资本家的总和组成的，总资本只表现为所有单个资本家的股份资本的总和，资本主义的独特的经济性质，从个别资本考察是这样，从社会总资本来考察也是这样。

Ⅸ. 对于亚·斯密、施托尔希和拉姆赛的回顾

本节主要是在第十九章的基础上，继续对斯密、施托尔希、拉姆赛进行批判。

在第十九章中，对他们有关再生产理论已经进行了批判，为什么现在又要“回顾”、进行补充批判呢？这是因为：在第十九章中，是根据他们的错误观点直接进行批判的；现在，已经从理论上弄清楚简单再生产的公式，就要在正面弄清再生产理论的基础上，运用上述公式，进一步分析他们的错误观点，从而弄清楚他们错误观点的要害所在。那么，在资产阶级经济学家中，为什么只对他们三人的再生产观点进行补充批判呢？实际上，这三人的错误观点代表了三种不同类型：施托尔希懂得年产品的价值要分解为资本和利润，但不能证明它；斯密把全部社会产品的价值只分解为收入，从而不变资本就消失了；拉姆赛重视年产品价值中的固定资本（实即不变资本），但看不到可变资本，把它仅当成是工人的收入。批判了这三种类型的代表性的观点，也会进一步加深对年产品价值由 c＋v＋m 组成的原理的理解。

先看施托尔希。他认为，“年产品的价值分成资本和利润两部分。年产品价值的这两部分中，每一部分都要有规则地用来购买国民所需要的产品，以便维持该国的资本和更新它的消费基金”。这种把年产品价值分解为资本和利润的方法是正确的，但问题在于：施托尔希不能在理论上进行分析和论证，他不懂得年产品价值为什么要分为上述两部分，这两部分不仅在价值上，而且在实物上又是如何补偿和实现。马克思的简单再生产公式把这个问题说得既简单又明了。以前述简单再生产公式为例：社会产品的总价值 9000＝6000c＋1500v＋1500m，那么，6000 就是再生产出的生产资料的价值，它以生产资料形态存在着，用以补偿不变资本的价值，构成生产基金；3000(v＋m)就是再生产出的消费资料的价值，它以消费资料的形式存在着，是新创造价值的体现者，构成消费基金。施托尔希的结论基本上是对的，但从道理上却没法说清楚，因为他不懂

得科学的再生产理论的两个基本前提。

再看斯密。“斯密教条”的错误，在第十九章中已进行了详细的分析批判，在这里，着重批判由“斯密教条”所形成的两个错误观点：其一，似乎全部社会产品的价值分解为收入，其二，消费者“最终地”必须把全部产品价值支付给生产者。

为什么说全部社会产品的价值分解为收入的观点是错误的呢？以书中所举的亚麻衬衫为例，它的全部价值是包含生产资料的价值和工资、剩余价值的。一切消费资料的价值也都如此。可以说，全部消费资料产品的价值分解为收入是正确的。马克思指出：“一切进入消费基金的商品的价值总额，最大限度也只能等于分解为 v＋m 的那部分社会产品价值，也就是等于由当年耗费的劳动加到原有生产资料——不变资本价值——中去的价值”。这个问题，在第 475 页中就已分析过，在那里，马克思指出：尽管第Ⅱ部类消费品的总价值是 c＋v＋m，“但是从社会的角度来考察，这些产品的价值却可以分成 v＋m”。为什么能把Ⅱ总产品的价值分解为 v＋m 呢？这是因为Ⅱc＝Ⅰ(v＋m)。如果像斯密所说，全部社会产品的价值分解为收入，就不正确了，因为除去消费资料以外，还有生产资料部分，这部分是用于补偿已消耗的不变资本的价值的，这种不变资本的价值补偿，是按照两种方式进行的。第一种方式是，通过第Ⅱ部类的资本家和第Ⅰ部类的资本家之间进行交换，如Ⅱc和Ⅰ(v＋m)相交换。这种交换能不能仅仅分解为收入呢？不能。但是有些资产阶级经济学者却认为：对一个人是资本的东西，对另一个人就是收入。好像可以把Ⅱc和Ⅰ(v＋m)相交换也可分解为收入似的。其实，从Ⅱc来看，2000 形成不变资本的价值，第Ⅱ部类资本家根本不能用于生活消费，它只是资本，不是收入；2000Ⅰ(v＋m)，以生产资料的实物形式存在着，工人和资本家都不能直接消费它，只有在和Ⅱc交换以后，它们才成为工人和资本家的收入。所以在这 4000 价值额的商品中（其中 2000 以生产资料形式存在，2000 以消费资料形式存在)，只有一半补偿不变资本，一半形成收入，怎么能说对一个人是资本的东西，对另一个人就是收入呢？[①] 第二种方式是，在第Ⅰ部类

① 这个问题，下一章将着重继续进行解说。

内部直接用实物形式补偿不变资本，或者通过第Ⅰ部类资本家之间进行交换，或者直接用于本企业的再生产过程，这都是作为资本，不能分解为收入。这就是说，在全部社会产品中，既有分解为资本的部分，以便继续进入生产过程；也有分解为收入的部分，用于工人和资本家的生活消费。因此，斯密把全部社会产品都分解为收入，显然是错误的。

为什么消费者“最终地”必须把全部产品价值支付给生产者的说法是错误的呢？如上所述，年产品价值既分解为资本，又分解为收入，显然，就不能把全部产品价值都分解为收入，当然消费者也不会把全部产品价值都支付给生产者了。事实上，消费者所支付的，仅仅是年产品价值 9000 中的新创造价值的部分，即 v＋m 的部分。如果在这里把消费者理解为既是个人消费，又是生产消费，那就是正确的。因为体现在生产资料上的不变资本部分，是要进行生产消费的。但如果这样，那无非是说，生产资料的产品部分要进入生产消费，补偿已消费的不变资本，不断地作为资本来执行职能；消费资料的部分要进入个人消费，作为收入，退出流通过程。这也就是说，年产品的一部分必须作为资本来执行职能，不能作为收入进入个人消费，这样，年产品价值就不能只分解为收入，必然有一部分继续作为资本。因此，消费者最终要把全部产品价值支付给生产者的说法显然是错误的。

再来看拉姆赛。如果我们把总产品价值 9000 分为 6000c＋1500v＋1500m，并把 3000(v＋m)只作为收入 来考察，就会出现一种情况，好像 6000 是资本，3000 是收入，“把 3000(v＋m)只作为收入来考察，那相反就会觉得，似乎可变资本消失了，从社会的角度来考察，似乎资本只是由不变资本构成的了”。拉姆赛就曾被上述现象所迷惑，因而错误地认为，原来表现为1500v 的东西，现已分解为收入的一部分，它的资本性质已经消失了，这样，似乎资本只是由固定资本（即不变资本）构成，流动资本（即可变资本）对于生产也就毫无重要意义了。这样，拉姆赛由于对可变资本这部分的错误认识[①]，对年产品价值由 c＋v＋m 构成缺乏

---

① 为什么这部分对资本家来说，体现可变资本，对工人卖出劳动力取得工资的情况来说，却是收入，在第十九章第二部分第四节中已进行了详细的论述。

正确的理解，看不到可变资本在生产中的重要作用；同时，又混淆了固定资本和流动资本与不变资本和可变资本的区别，把不变资本说成是由劳动资料构成的，流动资本是由生活资料构成的，二者完全一样，都是有一定价值的商品，都不能生产剩余价值，这样，就掩盖了剩余价值的真正来源，抹杀了资本主义生产的剥削实质。

X. 资本和收入：可变资本和工资

本节批判资产阶级经济学家关于资本和收入的错误观点，特别是着重批判了那种“对一个人是资本的东西，对另一个人就是收入；反过来说也一样”的流行的错误看法。

社会的年劳动大部分用来生产新的不变资本

从第487页到489页第3段，马克思针对斯密把价值分解为收入的错误观点，论证了社会的年劳动大部分用来生产新的不变资本的问题。

全部年产品的总价值，既包括当年耗费的劳动力新创造出来的价值，即当年的价值产品，也包括由生产资料的旧价值，即不变资本价值转移来的部分，这转移的旧价值，是去年或前几年早已生产出来的生产资料的价值。据此，就上述简单再生产公式而论，当年新创造的价值（价值产品）等于v、m之和，而Ⅰc和Ⅱc都是由生产资料转移来的旧价值。但是，Ⅰ(v+m)这个社会年劳动的$\frac{2}{3}$新创造的价值，是以生产资料的实物形式存在着的，它必须和Ⅱc相交换，补偿第Ⅱ部类的不变资本，这样，就会看到，在第Ⅰ部类耗费的$\frac{2}{3}$的年劳动，就要重新生产出第Ⅱ部类不变资本的实物形式，所以马克思说：“从社会的角度来考察，当年耗费的劳动的$\frac{2}{3}$，创造了在和第Ⅱ部类相适应的实物形式上实现的新的不变资本价值。所以，社会的年劳动大部分用来生产新的不变资本（以生产资料形式存在的资本价值），以便补偿在生产消费资料上所花费的不变资本价值。”这就说明，社会年劳动不仅分解为收入，而且分解为资本，而且以其中的大部分用来生产新的不变资本、新的生产资料。马克思在批判西尼耳的错误观点时指出：资本主义社会把年劳动的大部分用来生产生产资料，使它作为不变资本执行职能，这部分只分解为资本，不分解为收入，这是清清楚楚、一目了然的。但如与原始公社的野蛮人相比，后者虽也懂得需要制造生产资料，但仅到此为止，因而他们的生产资料既不能作为资本执行职能，也不可能分解为资本。由此可见，在资本主义社会里，年产品的价值分解为资本和收入，是客观存在着的，斯密把它只分解为收入是错误的。

批判“对一个人是资本的东西，对另一个人就是收入”的错误观点

接着，马克思就转入了对资产阶级经济学界一种流行的错误观点的批判。这个错误观点认为：“对一个人是资本的东西，对另一个人就是收入；反过来说也一样。”马克思指出：“这种看法部分地说是正确的，如果使它具有普遍意义，那就是完全错误的。”为什么这样呢？马克思做了以下两个方面的分析。

第一，马克思批判了“可变资本在资本家手中作为资本执行职能；在雇佣工人手中则作为收入执行职能”的错误说法。

首先，从资本家方面看。当资本家用货币购买工人的劳动力时，可变资本就以货币资本的形式执行职能。这时候，保存在资本家手中的一定数量的货币资本，是一个既定的不变的价值量，是可能的可变资本。只有当他购买到劳动力，抛弃了货币资本形式，取得了对劳动力的使用权，使劳动力作为生产资本要素并在生产过程中发生作用，这时，才成为现实的可变资本。可见，可变资本一直是在资本家手中，一直是作为资本（由货币资本形式转化为生产资本要素的形式）而发生作用的。

其次，从工人方面看。把劳动力当作商品卖出后，取得货币形式的工资，再以这些货币工资购买生活必需品，这些货币是作为工人的收入来发生作用的，他是靠出卖劳动力而取得的。这种体现为工资的货币，不是作为资本的货币，不是可变资本的货币形式，而是作为收入的货币，它只作为交换的媒介物而发生作用。所以，可变资本在雇佣工人手中作为收入执行职能的说法，显然是错误的，因为可变资本根本不存在于工人手中。至于在资本家那里作为可变资本的货币形式执行职能的货币，作为工资转入工人手中时，它已不是可变资本，只是工人的货币收入。所以在这里，“并不是可变**资本**执行双重职能，既作为资本家的资本，又作为工人的收入”；而是“同一个**货币**”有两种不同的用途，起先是在资本家手中作为购买劳动力之用，是可变资本的货币形式；然后是在工人手中作为购买生活资料之用，是交换过程的媒介物。同一货币在买者手中有一种用途，在卖者手中有另一种用途，这是一切商品买卖都有的现象。在这里，资产阶级经济学者把货币的这种两种不同的用途，错误地说成是可变资本两种不同的职能形式，因而就得出了可变资本在资本家手中作为资本执行职能、在工人手中作为收入执行职能的错误结论，把作为工资的货币混同为可变资本，从而混淆了收入与资本的本质区别。

资产阶级辩护士的根本错误，就是把作为商品出卖的劳动力看成是商品资本了。他们认为，同一货币在这里实现了两个资本，一个是，资本家用货币资本购买劳动力，把劳动力并入生产资本；另一个是，工人出卖劳动力，也就是出卖他的商品形式的资本，作为他收入的经常来源。这样，这部分货币既是收入，又是资本，对资本家来说是资本，对工人来说就是收入了。其实，劳动力只是劳动者的商品，而不是他的资本。劳动者只有不断出卖他的劳动力，才能维持生存。只有当劳动力卖出后，到了资本家手中，把它并入生产过程，才能作为生产资本要素而发挥作用。如果说，劳动者出卖的是商品资本劳动力，那么劳动者也就成为资本家了，这样，可变资本在他手中也就以收入的形式表现出来了，因此，对一个人是资本的东西，对另一个人就是收入了，那么，体现为工资的货币，既可作为收入，又可作为资本了，从而，资本与收入的区别只是相对性的，本质的区别就被完全抹杀了。

第二，马克思又批判了资产阶级经济学者的下述错误看法：在Ⅰ(v+m)和Ⅱc的交换中，对一方是不变资本的东西，对另一方是可变资本和剩余价值，从而就是收入；对一方是可变资本和剩余价值，从而也就是收入的东西，对另一方就是不变资本。

对于上述似是而非的错误看法，马克思从下述四个方面进行了批判。

首先，从Ⅰv和Ⅱc的交换来看：就工人的角度来考察，第Ⅰ部类的工人把劳动力卖给第Ⅰ部类的资本家，由此取得1000的货币工资，再用它购买第Ⅱ部类生产的消费资料。在这里，他的工资在消费资料中实现，会作为收入花掉，因此，不管是货币工资还是买得的消费资料，都只是工人的收入，不是资本。在这里，流通的过程是：W(劳动力)—G—W(消费资料)，这是一般的商品流通，不是资本流通。这就是说，作为工人的收入的东西，不可能同时再作为资本。就资本家的角度来考察，第Ⅱ部类的资本家把1000的消费资料卖给第Ⅰ部类的工人，第Ⅰ部类工人用来购买Ⅱc 1000的货币，只是货币，不是可变资本，只是在第Ⅰ部类资本家把这1000作为货币工资付给第Ⅰ部类工人时，这些货币才是可变资本的职能形式。一旦作为货币工资转入第Ⅰ部类工人手中时，它只是第Ⅰ部类工人的收入，要作为消费资料的购买手段花费掉。当第Ⅱ部类资本家由于卖出这些消费资料而取得1000的货币时，只是由商品资本形式到货币资本形式的转化，他们还要用这些货币向第Ⅰ部类资本家购买生产资料，才能由货币资本形式再转化为生产资本形式，才能使第Ⅱ部类这一部分的不变资本价值在实物形式上得到更新，才能进行再生产。在这里，流通的过程是：W(价值1000的消费资料)—G(货币1000)—W(价值1000的生产资料)，即由商品资本转化为货币资本，再由货币资本转化为生产资本要素，在这里进行的，不是一般的商品流通，而是资本流通，是资本的不断运动。这就是说，对第Ⅱ部类资本家来说，这一部分所体现的，只是资本的不断运动，根本不会表现为收入。再就第Ⅰ部类的资本家来说，他们用1000预付的可变资本购买工人的劳动力，取得了一定量劳动力的使用权，使它并入生产过程，然后生产出新的商品资本，再把这些商品卖出去，取得货币，作为可变资本不断地继续地购买劳动力。在这里，流通过程是：G(1000的v)—A(价值1000的劳动力)…W(经过生产过程,生产出新的商品)—G(卖出商品,取得货币)。这也是资本的流通（其中包括生产过程)，也是资本的不断运动，因此，对第Ⅰ部类资本家来说，根本也不会表现为收入。经过上述分析，结果是：一方面，第Ⅰ部类资本家不断握有1000价值的货币资本，作为预付的可变资本而不断存在着；另一方面，工人不断地出卖劳动力，不断地取得货币工资，不断地用工资购买生活资料进行消费，不断地作为商品劳动力的卖者而出现在劳动市场上。这是两种截然不同的流通，前者是资本流通，后者是商品流通，怎能说成是对一方是资本，对另一方就是收入呢?!

其次，从第Ⅱ部类可变资本的交换来看：如果把第Ⅱ部类资本家和工人都当作总体资本家和总体工人，他们之间的交换就是直接进行的。第Ⅱ部类资本家用500v购买工人的劳动力，使可能的可变资本转化为现实的可变资本；工人把出卖劳动力得来的500价值的货币收入，再向第Ⅱ部类资本家购买消费资料，这500货币又回到第Ⅱ部类资本家手中。从工人方面来看，工人出卖劳动力后，在生产过程中创造出500的新价值，用以补偿资本家预付的500v，并凝结在消费资料的形式上。工人由于出卖劳动力，取得货币工资，实现了劳动力的价值，他才有可能为了自己和家庭的生活需要，用货币工资去购买这部分生活必需品，这是工人以自己的货币形式的收入，同资本家的商品500v（这是工人为资本家生产出来的）相交换，在这里的特点是，“等价的货币形式的收入价值，补偿了商品形式的可变资本价值”。从第Ⅱ部类资本家方面看，他预付了500v的货币资本，经过生产，取得相适应的商品资本，然后卖出去，再取得这500v的货币形式，在这里，“流回到第Ⅱ部类资本家手中的500货币，同时也是已经更新的货币形式的可能的可变资本”。这500货币所以是可能的可变资本，是因为用它可以同劳动力相交换，可以转化成为劳动力，以便在生产过程使用它。经过上述流通，500货币回到第Ⅱ部类资本家手中，他仍要用它去购买劳动力，继续充当可变资本而发生作用；工人出卖了劳动力后，取得了生活资料，维持了他本人和家属的生活，从而维持了他的劳动力，才能继续把劳动力投入到市场上，在这里，由于劳动对资本的依附关系，这500v既是可能的不变资本，又具有不断转化为现实的可变资本的客观条件。由此可见，第Ⅱ部类的工人和第Ⅱ部类资本家在上述交换过程中，存在着密切的联系，并不断再生产着资本主义关系本身，但不能因此得出：Ⅱv既是资本家的资本，又是工人的收入；更不能反过来说Ⅱv是工人的资本，又是资本家的收入。

再次，从生产奢侈品的(Ⅱb)v的情况看，它和Ⅰv是相同的，而和Ⅱv是有区别的。Ⅱv的流通过程是在第Ⅱ部类资本家与工人之间直接进行的，而(Ⅱb)v的流通，则要经过迂回的道路，间接地进行，这就是，Ⅱb的资本家预付v用来购买劳动力，Ⅱb工人把这部分货币工资向Ⅱa资本家购买生活必需品，Ⅱa资本家再把这部分货币购买Ⅱb的奢侈品，这时，这部分货币才流回到Ⅱb的资本家手中。这种间接流回与直接流回毕竟是有区别的。因为工人阶级是挣一文吃一文的，他们不能把货币工资储藏起来，而是要及时购买消费品来维持生活；至于资本家，他在有利可图时才把商品卖出去，如果暂时不卖更有利可图，他就宁愿把商品堆在栈房里，这样，Ⅱc一部分不出卖，Ⅰv就有一部分买不到消费品，就会影响到再生产的继续进行。可见，(Ⅱb)v与Ⅱa资本家的关系，和Ⅰv与Ⅱc的关系一样，需要通过迂回的方法进行流通和实现，即使如此，但资本与收入的区分仍然存在着明显的界限，是不能混淆的。

最后，再从过去的年劳动的结果来考察，可变资本不会转化为收入，工资也不会转化为资本。所谓从年劳动的结果来考察，就是指这个年产品的生产过程已经完成，已经过去，已经化为它的产品，与此相联系的流通过程也都已经实现。在这里，资本家预付了资本，经过生产过程，再把生产出来的商品资本转化为货币资本，从而又取回预付的资本，包括其中预付的可变资本；工人则通过出卖劳动力，取得工资，购买消费资料，维持了劳动力，并把它继续投到市场上。这样交换的结果，整个再生产过程可以重新开始。如果从这种年劳动的结果来系统地进行考察，可变资本就经过了三次转化。第一次，是资本家把货币形式的可变资本作为工资付给劳动者，这就使可变资本从货币形式转化为同等价值额的劳动力；第二次，是劳动力在生产过程中作为可变资本的物质形式直接发生作用，“在这种形式上，创造价值的力代替了和它交换的既定价值”；第三次，是可变资本通过生产证实了它新创造的价值的一部分是补偿可变资本的价值，这时候，可变资本又以商品资本的形式存在着。“在这一切转化中，第Ⅰ部类的资本家手中始终持有可变资本。”这也就是说，可变资本一直都保留在资本家手中，只是不断地改变着它的形式而已。这就是：“1. 开始是作为货币资本；2. 然后是作为他的生产资本的要素；3. 再后是作为他的商品资本的价值部分，也就是以商品价值的形式存在；4. 最后是再以货币形式存在，这些货币所要交换的劳动力再同这些货币相对立。”根据上述情况，马克思作出结论说：**“因为可变资本总是以某种形式保留在资本家手中，所以无论如何也不能说，它会转化为某人的收入。”**为了突出这句话，马克思还特地用黑体字来显示它。从另一方面看，工资也不会转化为可变资本。为什么呢？工人把劳动力商品卖给资本家，资本家把可变资本的货币形式作为工资付给工人，这时候，“这种货币一经转化为劳动力，就不再作为第Ⅰ部类的可变资本的货币形式执行职能”。因为这时候，交换双方的性质是不同的，资本家把可变资本的货币形式用来购买劳动力，是由可变资本的货币形式转化为生产资本的要素形式；工人把劳动力作为商品卖给资本家，用商品换取货币，是由商品到货币的转化，是简单商品流通。在这里，货币具有两种不同的用途，前者是作为资本的货币形式，后者是作为交换的媒介物，所以这些货币一经转到工人手中，就不再是可变资本，而是一般性质上的货币，所以“工人阶级以工资形式得到的货币在他们手中进行的交换，不是可变资本的交换，而是转化成货币的劳动力价值的交换”。工人把这部分货币拿去购买消费品，他花掉的这些货币是工资，是工人的货币，是一般意义上的货币，不是可变资本，因此，这种工资只能分解为收入，不能分解为资本。但是，由于工资作为收入花掉，使Ⅰv、Ⅱv得到了实现，使相应的货币仍然流回到资本家手中，从而恢复了货币资本的形式，这对于年产品的交换来说，是一个重要的事实，但这种情况只是货币再转化为资本，不是工资再转化为资本。

Ⅺ．固定资本的补偿

这一节着重研究，在简单再生产条件下，固定资本如何补偿、如何实现的问题。

不变资本中的流动资本部分，如原材料，它的价值是一次就转移到新产品中去；不变资本中的固定资本部分，如机器、厂房等，它的价值不是一次转移，而是逐步转移到新产品中去。前面的研究，都是假定不变资本部分在当年内都把价值转移到年产品中去。实际上，机器、厂房等固定资本价值，是要经过几年、几十年才把价值全部转移到产品中去。当它的价值在逐步转移的时候，它的物质形式仍在生产过程中发生作用。这种固定资本在价值和物质上的补偿及其实现，将在本节进行研究。

下述情况是不在本节研究的范围之内的：

(1) 在一年之内，它的价值全部转移到产品中去的那种固定资本，它可以通过年再生产来补偿和更新。这种当年补偿和更新的固定资本，与本节研究的问题无关。

(2) 整个机器是比较耐久的固定资本，需要多年才能把价值转移完毕；但其中的某一器官，却必须在当年内替换和补偿，这种部分器官，同在当年内补偿的固定资本要素一样，与本节研究的问题也是无关的。

(3) 本节所研究的折旧基金，是为了在价值上和物质上补偿固定资本之用，绝不能和各种修理费用混为一谈。

(4) 作为折旧基金而贮存的货币，和用于原材料的储备而暂时贮存的货币是不同的，后者是生产资本，只是临时作为货币储存，它是服务于生产过程继续进行的需要的；前者是由固定资本转移来的价值，它不会直接转化为生产资本的组成部分，而是以货币的形式，暂时在生产资料旁边沉淀下来，直到旧的实物形式的寿命已经完结，才把这些货币用来对固定资本进行实物补偿。本节只研究前者，并不涉及后者。

1. 损耗的价值部分在货币形式上的补偿

我们从Ⅰ(1000v＋1000m)和Ⅱ2000c 相交换开始。在这里，Ⅱc的2000 价值，“包含着补偿固定资本的价值损失的要素”。假定在 2000c 中，1800 是作为补偿原材料等流动资本和必须在当年全部补偿的固定资本部分，200 作为损失了部分价值但不需要立即用实物来补偿、只是形成折旧基金以货币形式而储存的固定资本部分，“这个货币逐渐积累成一个总额，直到固定资本需要以实物形式更新的时候为止”。由于单个企业使用的固定资本有不同的寿命，有的企业固定资本才刚刚使用，只在价值上提取折旧基金，而实物形式无须换；有的企业固定资本已达到寿命的终点，必须用积累的货币基金进行实物更新；这样，固定资本每年都有一部分必须用实物来补偿，每年又都有一部分以货币形式作为折旧基金储存起来。这样，在Ⅰ(v+m)和Ⅱc的交换中，立即遇到了困难，这就是：一方面，Ⅰ(1000v+1000m)以生产资料形式存在着，要与以消费资料形式存在着的2000 Ⅱc相交换，另一方面，在2000 Ⅱc中，却不能以其全部2000与Ⅰ相交换，而必须以其中的一部分，即补偿固定资本损耗，作为折旧基金的部分，首先以货币形式储存起来。例如，第Ⅱ部类把2000消费品卖给第Ⅰ部类，然后只向第Ⅰ部类购买1800的生产资料，其余200则作为折旧基金，结果是，除1800在Ⅰ、Ⅱ之间进行交换外，第Ⅱ部类拥有200用来补偿固定资本损耗的折旧基金，第Ⅰ部类还有200的生产资料卖不出去，第Ⅰ部类资本家预付的200货币也不能流回，因此，两大部类交换的比例平衡就遭到破坏，简单再生产也不能继续进行。

用什么办法来解决实现中的上述困难呢？

能不能靠地租和利息的支出，来填补Ⅱc的200折旧基金，从而使第Ⅰ部类200生产资料能够实现呢？不能。这是因为，“如果产业资本家不得不作为地租或利息转让给剩余价值的其他共有者的那部分商品剩余价值，长期不能通过商品本身的出售而实现，那么，地租或利息的支付也就终止”。

能不能依靠商人的“货币”来克服困难呢？也不能。即使商人用200货币资本向第Ⅰ部类购买生产资料，第Ⅰ部类的200生产资料实现了，但产品仍然在商人手里，卖不出去，“而这个购买额的停滞，使第Ⅰ部类不能更新同样的过程”。

能不能假设第Ⅰ部类的资本家多预付200的货币，向第Ⅱ部类购买消费品呢？也不能。实际上，这个假设是不合理的。因为在这个假设下面，第Ⅱ部类资本家虽然能储存200折旧基金，但是，却违反了在再生产过程中，资本家预付到流通中的货币必须回到原来的出发点的规律。如果第Ⅰ部类资本家多付出了200货币，这200货币不能再回到第Ⅰ部类资本家手中，违反了上述货币运动的规律，这种假设也就没有现实性。所以马克思说：“它永远排除了关于200 Ⅱc(d)是靠第Ⅰ部类预付的货币来实现货币化的这一假设”。

2. 固定资本的实物补偿

上述办法都否定了以后，就只剩下了这样的可能性："除了用货币补偿损耗部分以外，还用实物补偿寿命全部完结的固定资本。"

具体地说，第Ⅱ部类是由许多不同的资本家构成的，他们的固定资本处在再生产的完全不同的期限中。一些资本家要把已储存的货币形式的折旧基金拿出来，以便用实物形式来更新固定资本〔即资本家(1)〕；一些资本家要把固定资本转移的价值部分，以折旧基金的货币形式储存起来，不需要用实物来更新〔即资本家(2)〕；这就是马克思所说的："第Ⅱ部类的一部分资本家在已经更新的实物形式上再拥有他们的固定资本价值，另一部分资本家则还要在货币形式上积累固定资本价值，以便将来用实物来补偿他们的固定资本。"这样，资本家(1)要把已储存的货币抛出来，而资本家(2)则要储存货币。具体的交换过程是：第Ⅱ部类资本家(1)用已储存的折旧基金 200 货币向第Ⅰ部类资本家购买 200 生产资料，从而在物质形式上更新自己的固定资本，第Ⅰ部类资本家再用这 200 货币向第Ⅱ部类的资本家(2)购买消费资料，资本家(2)把这 200 货币作为折旧基金储存起来，这样，Ⅰ的 200 生产资料、Ⅱ(2)的 200 消费资料都实现了，Ⅱ(1)的固定资本在实物形式上得到了补偿，Ⅱ(2)取得 200 货币作为折旧基金，到此，困难就完全解决了。这种情况，如果以纯粹的形式表现出来，即：

Ⅰ. 200 m 商品（生产资料）。

Ⅱ. (1)200 c 货币＋(2)200 c 商品（消费资料）。

上述办法极其简单明了，但在实际生活中，却复杂得多。从第 515 页第 4 段到 519 页第 1 段，马克思又假定有三种不同情况：

一种情况是：作为余额以第Ⅱ部类商品形式存在的 400（消费资料），其中 100 商品（消费资料）在Ⅱ资本家(1)手中，300 商品（消费资料）在Ⅱ资本家(2)手中。Ⅱ资本家(1)投入货币 300，向Ⅰ购买生产资料，其中 200 货币，是以前储存的折旧基金的货币形式，用这 200 货币购买到Ⅰ的 200 生产资料后，从而在实物形式上进行固定资本的更新；Ⅰ资本家卖出 300 生产资料，并取得 300 货币后，以其中的 100 货币向Ⅱ(1)购买消费资料，这样Ⅱ(1)的 100 消费品得到了实现，付出 300 货币，又有 100 货币流回自己手中，200 折旧基金的货币也同时在固定资本实物形式上进行了更新。至于Ⅱ资本家(2)，手中有 300 商品（消费资料），他以 100 货币向Ⅰ购买生产资料；Ⅰ再以 300 货币（除去(2)付出的 100 货币外，还有(1)付出的 200 货币的折旧基金），向Ⅱ资本家(2)购买 300 消费资料，这样，Ⅰ的 400 生产资料都实现了，Ⅱ资本家(2)的 300 消费资料也卖出了，他除了买进 100 生产资料用于补偿已消耗的不变资本外，还取得了 200 货币，作为折旧基金。在这里，Ⅱ(2)储存的折旧基金的货币 200，是以Ⅱ(1)已储存的折旧基金的货币 200 的支出为前提的。

一种情况是：Ⅱ(1)没有商品（消费资料）、只有 200 货币（已储存的折旧基金），Ⅱ(2)拥有 400 商品（消费资料）。其交换过程是，Ⅱ(1)以折旧基金的 200 货币，向Ⅰ购买生产资料，从而使固定资本在实物形式上得到更新。Ⅰ再以这 200 货币购买Ⅱ(2)的商品（消费资料），Ⅱ(2)取得这 200 货币后，再向Ⅰ购买 200 生产资料，Ⅰ再以这 200 货币向Ⅱ(2)购买商品（消费资料），这样，Ⅰ400 生产资料都已卖出，取得 400 的生活资料，这一部分实现了；Ⅱ(2)的 400 消费资料也已卖出，取得了 200 的生产资料和 200 货币，这 200 货币作为折旧基金而储存起来。这样，Ⅱ(2)储存的折旧基金的 200 货币，还是从Ⅱ(1)已储存的折旧基金的 200 货币转移而来的。

一种情况是：Ⅱ(1)有 200 商品（消费资料）和 200 货币（已储存的折旧基金），Ⅱ(2)有 200 商品。其交换过程是：Ⅱ(1)以 200 货币向Ⅰ购买 200 生产资料，以抵偿消耗的不变资本部分；Ⅰ再以 200 货币向Ⅱ(1)购买消费资料；Ⅱ(1)再以这 200 货币向Ⅰ购买生产资料，用于固定资本的实物更新；Ⅰ再以此 200 货币向Ⅱ(2)购买消费资料，结果是：Ⅱ(1)的 200 商品在实物形式上补偿了已消耗的不变资本，Ⅱ(1)的 200 货币已用于固定资本的实物更新；Ⅰ的 400 生产资料已实现为 400 的消费资料；Ⅱ(2)的 200 商品转化为货币，作为折旧基金储存起来。这样，Ⅱ(2)储存的折旧基金的 200 货币，同样也是从Ⅱ(1)转移来的。

分析上述情况以后，马克思着重指出："在这里先决条件显然是：第

Ⅱ部类不变资本的这个固定组成部分，即按自己的全部价值再转化为货币，因而每年要用实物更新的固定组成部分（第1部分），应该等于第Ⅱ部类不变资本中另一个固定组成部分的年损耗，也就是等于以旧的实物形式继续执行职能，而其损耗（即转移到所参与生产的商品中去的价值损失）先要用货币来补偿的那个固定组成部分的年损耗。因此，这样一种平衡，好像就是规模不变的再生产的规律了"。简单地说，就是：一年间在实物形式上进行更新的固定资本总额，应该等于当年在货币形态上积累的折旧基金的总额。或者说，Ⅱ(1)要在实物形式上进行更新的固定资本额，应该等于Ⅱ(2)固定资本被磨损部分，从而以折旧基金储存起来的货币额。这是客观上要求的比例平衡。如果这个比例平衡一旦被破坏，社会资本的再生产和流通就会出现危机。

从第521页第2段到523页第3段，马克思还进一步考察了Ⅱc(1)的余额和Ⅱc(2)的余额不相等所产生的不同情况。如果Ⅱc(1)大于Ⅱc(2)，"Ⅱc(1)方面有一个货币余额不能再转化为固定资本；如果假定Ⅰm的余额＝Ⅱc(1)，在Ⅰm方面就会有同等数量的货币余额不能转化为消费资料"。为了使Ⅰm中的货币余额能够实现，就要从国外进口商品。反之，如果Ⅱc(1)小于Ⅱc(2)，"从而在200Ⅰm和Ⅱc(2)两方面都出现货币不足，都出现同样的商品过剩；如果假定Ⅰm的余额＝Ⅱc(1)，在Ⅱc(2)方面就会出现货币不足和商品过剩"，那就要把过剩的商品输出。这种大于或小于的比例不平衡现象，不仅对于简单再生产，而且对于扩大再生产都是值得注意的。因为在扩大再生产条件下，上述大于或小于的两种情况都是会出现的。

3. 结　　论

根据上述对固定资本补偿的分析，可以得出如下的一般结论：

在其他条件不变的前提下，如果Ⅱc中的固定资本要素有更大一部分已经寿命完结，需要在物质上更新，那么，以折旧基金的货币形式储存起来的固定资本损耗部分，必然要按同比例减少，这就是：Ⅱc(1)大于Ⅱc(2)，由此，必然引起下列两个情况，第一，从对第Ⅰ部类的影响来看，Ⅰ商品的较大部分由Ⅱc固定资本要素构成，较小部分由Ⅱc的流动组成部分构成，它的生产总额保持不变。如果Ⅱc中用于实物更新部分增加，Ⅰ为Ⅱc生产的固定资本要素部分也要增加，同时，另一部分，即流动组成部分就要减少，也就是说，Ⅱc中固定资本的实物更新部分的增加引起折旧基金以货币形式贮存起来的部分的减少，必然也直接影响到Ⅰ内部生产固定资本要素的增加和生产流动组成部分的减少。从对第Ⅱ部类的影响来看，如果第Ⅱ部类生产总额不变，由于固定资本实物更新部分增加，就要求流动组成部分减少，但第二部分是有一定比例的，如果流动组成部分减少（这意味着原材料的减少），简单再生产的继续进行又怎么可能呢？第二，由于Ⅱc要以更大一部分进行实物更新，就要把已经储存的折旧基金拿出来，除了单纯为了Ⅰ、Ⅱ交换而投入流通的货币外，还会有更多的货币投入第Ⅰ部类，这种更多的货币只是作为购买手段从第Ⅱ部类流到第Ⅰ部类，因此，第Ⅰ部类有较大一部分不能转化为第Ⅱ部类的商品，而是要保留在货币形式上。这就是Ⅱc(1)大于Ⅱc(2)所产生的结果。

相反，如果Ⅱc(1)小于Ⅱc(2)，即Ⅱc中用于固定资本实物更新的部分较小，作为固定资本损耗以折旧基金储存的部分较大，则会产生上述相反的结果。

总之，在简单再生产条件下，Ⅰc(1)与Ⅱc(2)的比例关系如果遭受破坏，会发生经济危机。

为什么上述比例关系的破坏会发生经济危机呢？如果在一个场合，Ⅱc(1)大于Ⅱc(2)，尽管需要再生产的流动组成部分的量不变，但对固定组成部分的需要量却会增加，这样，对第Ⅰ部类就要求能提供更多的固定资本要素，从而引起第Ⅰ部类生产的扩大，否则，第Ⅰ部类就会出现生产不足现象。如果出现生产不足现象，第Ⅰ部类就要靠延长劳动时间，增加劳动强度等办法来生产更多的产品，从而加强了对工人的剥削；同时，还会出现资本和劳动从一个部门转移到另一个部门的现象，这就必然引起在生产上的暂时紊乱和价格的变动。如果在另一个场合，即Ⅱc(1)小于Ⅱc(2)，用于实物更新的部分减少，用于折旧基金而储存的部分增加，那么，第Ⅰ部类生产的固定资本物质要素的部分就会减少，如果第

Ⅰ部类不减少这部分产品的生产，就会出现生产过剩。因此，第Ⅰ部类必须压缩生产，这就意味着危机；或者是继续生产，但产品卖不出去，这仍然是危机。由此可见，不管是Ⅱc(1)大于还是小于Ⅱc(2)，只要它们的比例受到破坏，总会产生危机。

在上述两个场合，都可靠对外贸易来补救。在前一场合，生产不足，可以进口商品；在后一场合，生产过剩，可以输出商品。“但是，对外贸易既然不是单纯补偿各种要素（按价值说也是这样），它就只会把矛盾推入更广的范围，为这些矛盾开辟更广阔的活动场所。”这也就是说，对外贸易只是临时的补偿办法，不能从根本上解决问题，同时还会把矛盾由一国推向另一国，由本国的危机引向另一国的危机，促使危机扩大。

马克思接着深刻地分析了社会主义条件下，上述两部分的比例关系及物资储备的重要作用。虽然社会主义不存在固定资本，但还有固定资产，仍要转移价值，计算折旧。虽然在社会主义制度下，固定资产的实物更新是每年不同的，有的年多，有的年少，但也会引起上述比例关系的变化，那么，对这种比例不平衡的现象怎样处理呢？“只有用不断的相对的生产过剩来补救”。这就是说，一方面，要多生产出一些固定资金的物质要素，除满足实物更新需要外还要有多余；另一方面，要多生产出一些流动资金的组成要素，如原材料等，作为物资储备。这样，如果某些地方一旦出现了缺口，就可以用储备的物质来弥补，使不平衡转为平衡。马克思着重指出：“这种生产过剩等于社会对它本身的再生产所必需的各种物质资料的控制”，“这种过剩本身并不是什么祸害，而是利益”[①]。在这里，马克思深刻地启示我们：要搞好社会主义的国民经济计划，必须根据客观比例，进行综合平衡。在增加生产的基础上，保留必要的物资储备，用以调节两大部类生产中的不平衡部分。如果在计划中不是留有储备，而是留有缺口，必然造成有的产品严重过多，有的产品严重不足，出现不平衡，就会违反客观经济规律的要求，必然对社会主义经济建设事业带来祸害。

“固定资本生产和流动资本生产的不平衡，是经济学家在说明危机时

---

① 《资本论》第2卷，人民出版社2004年版，第525页。

惯用的根据之一。”资产阶级经济学者不懂得经济危机是资本主义基本矛盾的产物，但对现实存在的经济危机又无法回避，因此，有些资产阶级经济学者，如英国的威尔逊等人，就企图从“资本生产过剩”出发来解释经济危机。他们认为：“资本生产过剩”和“商品生产过剩”是不同的，之所以产生危机，是由于固定资本生产与流动资本生产没有保持一定的比例，致使固定资本或流动资本产生过剩现象。例如：如果追加资本投入机器生产部门，但没有相应地投入原料生产部门，结果，用新的机器来扩大生产规模时，原料就会不足，机器就会过多，这就形成了所谓“固定资本生产过剩”。又如：当发明纺纱机器，而织布还用手工操作时，则纺纱量骤增，远远超过织布业对纱的需要，这就产生了所谓“流动资本生产过剩”。威尔逊曾以“固定资本生产过剩”来说明过几次危机的发展，另一些资产阶级经济学者又曾以“流动资本生产过剩”来说明另几次危机的发展。他们的说明，虽然也涉及危机产生的某些直接因素，但并没有揭示出资本主义经济危机的真正原因。虽然机器生产部门和原料生产部门如果出现不平衡，会产生商品生产过剩，导致经济危机；但如果在机器生产部门和原料生产部门按比例平衡地生产的情况下，也会产生危机，这又如何解释呢？所以马克思讽刺他们说：“如果说这种不平衡在固定资本甚至仅仅**维持原状**的情况下也能够发生并且必然会发生，也就是说，在理想的正常生产的前提下，在已经执行职能的社会资本的简单再生产的情况下也能够发生并且必然会发生，那在他们看来倒是有点新奇的。”

Ⅻ. 货币材料的再生产

本节研究的是金的再生产，但不是把金作为工业原料，而是作为货币材料来研究的，又不是把它作为一般的货币材料的再生产，而是从它对社会资本的再生产和流通有关的作用方面来进行研究的。

作为货币材料再生产的金，在两大部类之间进行交换的情况

虽然资本主义生产占统治地位的国家，除美国外，绝大部分不是金银的直接生产者，但我们现在进行研究时，“要把金看作年再生产的直接要素”。为什么呢？因为在分析年再生产的产品价值时，如果把对外贸易引进来，只能把问题搅乱，而且对解决问题又不会提供任何新的要素，所以我们把它完全撇开。

金的生产，同一般金属生产一样，属于第Ⅰ部类，即属于生产资料生产的部类。我们假定：年生产的金产品价值为30，可分解20c＋5v＋5m。其中，20c要和Ⅰc的其他要素相交换，5v＋5m要和Ⅱc的要素相交换，现在就着重研究后者的交换。

先看5v。生产金的资本家（Ⅰg），在开采金时，他总要购买劳动力，因而要预付货币，作为可变资本，所以在货币形式上的5v，只是他的预付货币，还不是他生产出来的金。Ⅰg工人用这5v向Ⅱ购买生活资料，5v货币就流到Ⅱ资本家手中。假定第Ⅱ部类资本家以这5v中的2向Ⅰg购买金作为生产资料，以其中的3作为贮藏货币，这样，Ⅰg（金生产者）支出5只收回2；如果是其他的商品生产者，3的商品就卖不出去，再生产就无法继续进行；但由于Ⅰg生产的是金，是可以直接作为货币投入流通的，他以2的金卖给第Ⅱ部类，再以3的金补充支出的货币，连同他收回的2，仍然有5货币掌握在手中。在这里，Ⅰg实现3时，不是先作为商品卖者然后再作为买者，而是直接作为买者，或直接作为货币持有者出现，因为金是可以直接当作货币来进行交换的，因而他的3虽然没有经过卖出商品的过程，但仍能照样进行再生产。同时，在第Ⅱ部类却有3作为贮藏货币。

再看5m。因为金本身可以直接作为货币材料，所以Ⅰg的5m就没有什么实现不实现的问题，因为它随时都可直接作为货币来支出，直接进入流通，购买消费资料。它既能作为固定资本要素补充Ⅱc的不变资本，又可作为贮藏货币，在第Ⅱ部类贮存起来。

虽然是简单再生产，不是扩大再生产，但仍必须包括货币贮藏。为什么呢？除了流通中不断磨损的金要由金的货币材料再生产进行补充外，每年作为货币材料直接投入流通的金仍然有一定的量，由于这一定量的金材料投入流通，流通中每年都增加了货币的贮藏量。资本主义生产的年代越久，所有资本家积累的货币总量也就越大。由于积累的货币总量越来越大，每年新生产的金作为货币材料加进这个积累总量中的比例就越来越小，尽管从绝对量来说，它的增加是很大的。所以，在再生产开始时都会有与商品交换相适应的一定数量的货币存在于Ⅰ、Ⅱ部类资本家手中。

批判资产阶级经济学者提出的有关流通中货币量的质问

一般说来，流通中需要的货币量是适应商品交换的需要的，但是有些资产阶级经济学者却提出了这样的质问：既然流通中的货币，归根结底是由资本家投入的，那么用什么货币来实现剩余价值呢？因为资本家没有投入这部分货币呀！这也就是说，资本家从流通中取出的货币，怎么能够比他投入的货币多呢？

在第十七章中，已对这个问题进行了分析，现在把该章已经阐述的要点，归纳说明如下：

1. 在这里研究的唯一必要的前提是：要有足够的货币来使年商品产品进行交换。至于这些商品中是否包括剩余价值，是与问题无关的。所以在这里研究的问题只是：这些商品进行交换时的货币从何而来的问题，并不是剩余价值借以货币化的货币从何而来的问题，资产阶级经济学者提出的问题本身就是错误的。

我们先来回答资产阶级经济学者的上述质问。大家知道，商品价值是由 c+v+m 构成的，c+v 部分是资本，是从资本家预付的货币开始的；m 部分是资本家的收入。那么，实现这部分收入（m）的货币是从哪里来的呢？“简单地说就是，资本家阶级手中现有的货币量中，从而总的来说，社会现有的货币总量中，有一部分货币是为了使资本家的收入流通的。”这是因为：m 是商品价值构成的一个部分，只要流通中的货币量能使流通中的商品量进行交换，实现 m 所需要的货币也就包括在其中了。但是在实际经济生活中，人们往往不认识这一点，这是由于下述两个因素造成的。第一，人们一般地都只是考察资本的流通和周转，把资本家只看作资本的人格化，即着重研究他如何通过资本经营剥削剩余价值这方面；但对资本家同时还是消费者、享受者，为了消费剩余价值而把货币投入流通的这方面，却往往被忽视了。这是一种片面观点。第二，又有些人只注意资本家的消费，但又不注意资本的周转，不注意剩余价值这种收入的来源，因而认为，资本家以收入的形式把一定的货币额投入流通，从而取得一定量的消费品，这些消费品好像是资本家用等价来支付的，因而这部分收入好像就不是无偿占有的剩余价值了。他们不懂得剩余价值货币化的货币，是由剩余产品转化而来的，不懂得资本家为消费剩余价值而投入的货币，又会通过出卖商品，实现剩余价值，再流回到资本家手中，不懂得“作为资本家阶级来看，他们始终占有为剩余价值的货币化所必需的这个货币额”。这又是一种片面观点。正是由于上述两种片面观点，使得人们往往弄不清实现剩余价值的货币来源。

第 533 页第 2 段到 535 页第 2 段，又批判了斯密和图克对上述问题的错误看法。他们从“斯密教条”出发，认为年收入流通所需要的货币，也足以使全部年产品流通，他们把收入的货币化所需要的货币量同全部产品流通所需要的货币量完全等同起来，这当然是错误的。这个错误看法是斯密和图克不懂得对社会总产品再生产和流通既要在价值上实现、又要在实物上补偿所产生的必然结果。

现在再回到原来的命题：资本家从流通中取出的货币怎么能够比他投入的货币多呢？这是由于：

2. 每个产业资本家在开始经营时，购买固定资本要素要投入大量货币，以后，这些货币又是不断地小量地从流通中再流回到资本家手中，这就是说，“它最初投入流通的货币多于它从流通中取出的货币”。在最初开始经营时是如此，在营业开张以后，还会有下列现象：(1) 固定资本需要在实物形式上进行更新时，又要投入大量的货币，以后还是不断地小量地流回；(2) 固定资本需要进行部分更新或进行大修理时，也会出现上述同样的现象。所以，在社会资本的再生产和流通过程中，“一方面是从流通中取出的货币多于投入的货币，另一方面则相反”，即“最初投入流通的货币多于它从流通中取出的货币”。

3. 如果其他资本家（撇开固定资本支出不说），从流通中取出的货币多于投入的货币，那么，生产金银的资本家，把金银作为货币材料不断投入流通，而只取出商品，这就是说，他们向流通中投入货币但不取出货币，这就增加了流通中的货币量，从而成为资本家从流通中取出的货币多于他投入的货币的主要源泉。

4. 还要注意到一些其他的特殊情况。一方面，流通中的有些商品，除了直接流通所需要的货币额外，在特殊情况下，还可由贮藏货币来发挥作用，即用贮藏货币来支付。另一方面，有些商品在交换时是不需要以货币为媒介的，如生产者本人直接用于个人消费的产品，或直接用于本企业再生产的产品，农业工人的实物报酬之类。

根据以上分析，我们就可看到，“年产品借以流通的货币量，是社会原有的，是逐渐积累起来的。这个货币量不是当年的价值产品，但是，用来补偿已经磨损的铸币的金是例外”。

必须注意货币流通中的两种情况

现在我们假定只有单纯金属货币的流通，并且只有现金买卖，这样，货币流通就以自然形式表现出来，对此进行简单的考察，就会看出下列两种情况：

第一，资本主义生产发达的社会里，“货币资本显然起着主要的作用”。为什么呢？作为工资的可变资本，是以货币形式进行支付的，雇佣劳动制度越是占统治地位，越要用货币资本来购买劳动力，劳动者取得货币工资后，还要用它购买生活必需品，因此，商品的范围扩大了，交换的数量增加了，商品必须通过货币才能实际进行运动，“流通货币量必须足以使商品转化为货币”。相反，在奴隶制度下，就不是这样。如奴隶主依靠战争、掠夺等暴力行为，对奴隶进行直接的肉体强制，即不需要用货币去购买奴隶的劳动力，奴隶也没有货币去购买生活必需品。虽然有时也用货币购买奴隶，这种用于购买奴隶的货币资本也“起着固定资本的货币形式的作用”，但货币资本在社会经济生活中仍不起主要作用。

第二，在资本主义生产的基础上，“货币在年产品交换中自发地流出和流回”。如固定资本要以大量的货币一次预付，以后则不断地小量地作为折旧基金流回。又如：由于商品的生产期间和销售时间长短不同，货币的预付时间也长短不等，加之单个资本家的生产贮备各不相同，结果是，不同资本家预付的货币资本、流回的数量和期间也各不相同。货币在年产品交换中自发地流出和流回，“只有通过经验才会被人察觉、引人注意”。当人们掌握到这些情况时，才能“有计划地既用来采取信用制度的各种机械性的辅助手段，又用来实际捞取现有的可贷资本”。当然，从个别资本家来说，可以利用这种自发的货币流通进行信用、借贷、转账、支付等活动，但从整个资本主义社会来说，对这种货币流通的自发性是无法控制的。

XIII. 德斯杜特·德·特拉西的再生产理论

本节着重批判德斯杜特·德·特拉西的再生产理论。

法国资产阶级庸俗经济学家、君主立宪的拥护者德斯杜特·德·特拉西伯爵的再生产理论，是把产品的实现看成是利润的来源。确切地说，德斯杜特的上述主张并不是再生产理论，而是他关于利润来源的理论；但他是在分析再生产的基础上得出错误的利润理论的，所以把它当作再生产理论来批判。

德斯杜特认为，产业主的利润是从流通中产生的，“因为他们按高于生产成本的价格出卖他们生产的一切产品”。他并从产业资本家之间、资本家和工人之间、产业资本家和有闲资本家之间的三个方面来说明。现在，我们也就从这三方面进行批判。

第一，德斯杜特认为，产业资本家“彼此售卖用来满足他们需要的全部消费品；他们用自己的一部分利润来支付这些消费品”。这也就是说，资本家之所以发财致富，是由于他们之间交换消费品时互相欺诈，用价格高于成本的办法而取得利润。例如，价值 400 元的商品按 500 元的价格出售，多得的 100 元就成为出售者的利润收入了。这种说法显然是错误的。因为资本家不仅作为卖者，有时也作为买者，他在卖时所得，必然在买时失去；再者，这个资本家之所得，必然是另一资本家之所失。这样做，只不过是用 500 元的货币来使 400 元的商品价值流通，资本家阶级虽然把商品价格在名义上全都提高了，但实际上只是 400 元的商品在他们中间交换和分配。所以“这种方法与其说是致富的方法，不如说是变穷的方法，因为他们必须使总财产的一大部分非生产地保持无效的流通手段的形式”。马克思在《资本论》第一卷第四章中早就批判了这种错误，从而得出结论说：“一个国家的整个资本家阶级不能靠欺骗自己来发财致富。”[①]

第二，德斯杜特认为，产业资本家还把商品卖给工人，“通过这种途径，他们从雇佣工人那里收回工人的全部工资，或许只有工人的少量积蓄除外”。这就是说，资本家把货币作为工资付给工人，工人用工资购买资本家的商品，就成了这些资本家发财致富的第二个源泉。例如，资本家阶级以 100 元作为工资付给工人，工人再以 100 元购买资本家阶级的商品，100 元仍然流回到资本家阶级手中。试问：付出 100 元，流回 100 元，从哪里会带来利润呢？可能德斯杜特会说，资本家是以高于成本的价格出卖商品的，如果资本家付出的工资是 100 元，以 120 元的价格出卖商品，结果 100 元商品卖出了，却取得 120 元的收入。事实上，这是不可能的。因为资本家只付给工人 100 元的工资，工人只有 100 元可用来购买，不可能有 120 元用来购买。也许采取另外的办法：在以 100 元作为工资付给工人时，把 80 元的商品用 100 元的价格卖给工人，不是资本家同样可以取得 20 元了吗？如果这样，工人的工资 100 元（等于劳动力的价值），而工人取得的商品只有 80 元，即所得商品比劳动力报酬少 20%，这就是说，资本家的利润是从扣除工人的正常工资中而取得的，“这样，德斯杜特先生就必然把资本家阶级怎样发财致富的全部秘密归结为：由于扣除工资”。如果这样，利润只是工资的扣除，是工资的一部分，剩余价值就不存在了，资本家的积累基金和消费基金也就不存在了。“因此，任何一个国家，如果把工人的货币工资降低到他们作为一个阶级生存所必需的消费资料的价值，那里也就不存在资本家的消费基金和积累基金，从而也就不存在资本家阶级的生活基金，也就不存在资本家阶级了。”按照德斯杜特设想的资本家和工人的交换，只不过是做无益的游戏。所以马克思讽刺地说：“这是一种非常独特的发财致富的方法。”

第三，德斯杜特认为，产业资本家把商品卖给有闲资本家，“有闲资本家把自己的收入中还没有付给自己直接雇用的雇佣工人的那一部分支

---

① 《资本论》第 1 卷，人民出版社 2004 年版，第 190 页。

付给他们。他们每年付给这种资本家〈有闲者〉的全部租金，就是通过这种途径或别种途径，再流回到他们手里的”。这就是说，产业资本家的利润又是从向有闲资本家出售商品中取得的。显然，这是极其荒谬的。如果产业资本家剥削了剩余价值 200 元，以其中的 100 元留作自己个人消费，以其中的另 100 元作为地租和利息，交给有闲资本家，在这里，只是剩余价值的分配问题。如果有闲资本家以这 100 元向产业资本家购买商品，这 100 元又回到产业资本家手中，但却从产业资本家那里取走了 100 元的消费资料，在这里，只是一般的商品交换问题。显然，把有闲资本家向产业资本家购买商品一事引进来，企图用以说明利润的来源，是完全不能说明问题的。事实上，“这种利润所以产生，是由于对所借土地和资本的使用，而不是由于为使用而支付的价格”。这就是说，由于对资本和土地的使用才产生了利润，不是由于支付了地租与利息才产生利润。换句话说，利润不是从地租和利息中产生出来的。如果把有闲资本家的 100 元利息与地租向产业资本家购买商品，作为利润的又一个来源，实际上，就等于说，地租和利息是利润的又一个来源。在这里，大逻辑学家德斯杜特的思想混乱真是达到惊人的程度。

这里还有两种可能。一种是：产业资本家把 100 元剩余价值作为地租和利息付给有闲资本家，然后再以 100 元的商品用 120 元的价格卖给他们，由于价格高于价值，产业资本家多得了 20 元。其实，产业资本家还付出 100 元商品，这是作为剩余价值被有闲资本家分割去的，对产业资本家来说，只是损失；至于因价格高于价值而多得的 20 元，对产业资本家来说，才是收益。在这里，在 100 元的损失中，只收益 20 元，仍然有 80 元的损失，这绝不是盈余，而是亏损。这一情况说明了，“对有闲者的欺骗减少了产业家的损失，但是并不能因此而使他们财富的损失变为他们发财致富的手段”。另一种是：产业资本家用 80 元的商品换取有闲资本家的 100 元货币，这和前者一样，收益了 20 元，但仍然要白白付出 80 元的商品，产业资本家所采取的这种欺骗方法，只是“减轻了对有闲者的贡赋，但是贡赋依然存在”。这点能反过来说是产业资本家的利润的又一个来源吗?!

德斯杜特企图从上述三方面来说明利润的来源，并企图证明利润是在产品实现的过程中产生的。如果在研究个别资本家的利润如何产生时，上述现象和错觉还可能迷惑一些人；但在研究整个社会资本的再生产过程时，上述谬论就完全彻底破产了。德斯杜特的错误，实际上是从目光短浅的个别产业资本家的立场出发的。他虽然一方面抄袭了斯密“劳动是一切财富源泉”的正确观点，另一方面又提出了不是工人养活资本家，而是资本家养活工人的反动谬论，把利润归结为在流通中产生，从而建立起了他的荒谬绝伦的再生产理论。如果说，他是资产阶级庸俗经济学家的一颗明星，和他的痴呆倒是十分相称的。

■ 本章的着重点，是研究简单再生产条件下，社会总产品在价值上的实现和在实物上的补偿问题，马克思通过这样的研究，得出三个重要的公式，这就是：

1. Ⅰ(v＋m)＝Ⅱc。

2. Ⅰ(c＋v＋m)＝Ⅰc＋Ⅱc。

3. Ⅱ(c＋v＋m)＝Ⅰ(v＋m)＋Ⅱ(v＋m)。

这三个公式本质上是一个公式，后两个公式是从前一个公式引申出来的，只是表现的方式不同而已。但是，这三个公式又表现三个基本原理。第一个公式，表现两个部类的生产之间必须保持一定比例平衡关系的原理；第二个公式，表现每年所生产的生产资料，要能够补偿当年生产已经消耗掉的生产资料的原理；第三个公式，表现两个部类当年劳动新创造的价值和相应的物质资料，形成当年的国民收入的原理。这三者都是讲一定的比例关系，它们是互相联系着的，从而在社会资本再生产过程中，形成经济内部的比例关系。这种比例关系是不以人们的意志为转移而客观存在着的。只要有社会化的大生产，这种按比例发展的客观规律就必然起作用。但是，在不同的社会里，它是以不同的形式表现出来的。在资本主义社会里，个别资本家虽然懂得，在本企业中如何按照技术构成遵照一定的比例来组织生产，但从社会资本再生产来看，资本家是不可能认识和掌握这种按比例发展的经济规律的。由于生产的社会化和生产资料私人占有的资本主义基本矛盾，必然使比例关系不断受到破坏，从而导致经济危机。在社会主义社会里，由于实行了生产资料公有制，可以有计划地进行经济建设，加强宏观调控，运用经济计划指导、组织社会生产和流通，这就要遵循客观经济规律，正确安排国民经济各方面的比例关系，不仅要注意一个经济部门内部、一个企业内部的比例关系，还要注意这一经济部门与另一些经济部门、这一企业与另一些企业之间的比例关系；不仅要注意各经济部门之间的比例，而且要注意各地区之间的联系和关系；不仅要了解社会经济中的现存的比例关系，还要看到它们比例关系的历史状况和在以后发展过程中的变化；等等。以便掌握它们在生产发展过程中的变化，不断发现薄弱环节，及时采取措施，搞好综合平衡，才能促使国民经济持续快速健康发展。由此可见，学习和研究马克思的简单再生产条件下实现的原理，对于中国特色社会主义建设事业来说，具有重大的现实意义。

第二十一章

积累和扩大再生产

简单再生产是扩大再生产的起点和基础，扩大再生产下的社会再生产是简单再生产和扩大再生产的总和。资本主义是以扩大再生产为特征的，资本主义的简单再生产只是在理论上的抽象，因此，在上一章研究了资本主义简单再生产以后，本章就要进一步研究资本主义的扩大再生产。

研究资本主义的扩大再生产，主要是研究扩大再生产的实现条件，中心还是在实物形式上如何补偿，在价值形式上如何实现的问题。本章共四节，第一节研究第Ⅰ部类的积累，第二节研究第Ⅱ部类的积累，第三节研究在两个部类都积累的条件下，社会总产品实现的基本条件，第四节补充说明积累中的货币从何而来的问题。

本章一开始有一个引言，着重提出，要扩大再生产，必须要有货币的先行积累，因而，买卖如何平衡、如何实现，就是一个需要研究的困难问题。

我们知道，单个资本家的积累是：把生产出来的商品卖掉，转化为货币（其中当然也包括剩余价值部分转化为货币），然后拿货币再去购买生产资本要素（生产资料和劳动力），这种增大了的资本，在下一次生产的循环中，生产规模会扩大，产品会增加。这是单个资本家积累的情况。社会资本的积累是单个资本积累的总和，所以，“在单个资本上发生的情况，也必然会在全年的总再生产上出现”。

积累是把剩余价值转化为生产资本。实现这个转化必须具备两个条件。第一，在售出商品（包括剩余产品）取得货币后，在进行实际积累和扩大再生产以前，必须有一个货币的先行积累的时间，即把货币暂时贮藏起来。只有货币贮藏达到一定的数量，才能另行开创新企业或增加本企业的投资。第二，在贮藏的货币达到一定数量、能够用来购买生产资本要素（生产资料和劳动力）时，有关的生产要素必须已经生产出来，能够在市场上买到。因为这种贮藏的货币本身，只是代表着新的可能的货币资本，还不是实际再生产的要素。其所以是可能的，因为它将会转化为生产资本要素，将在生产过程中发挥着剥削剩余价值的作用；其所以不是实际再生产的要素，因为如果把一大堆货币放在那里，它是不会创造出新的产品来的，只有用它购买生产资料和劳动力以后，才能进行实际的扩大再生产。所以，从剩余价值转化为资本的过程，必须经过货币贮藏和货币向生产资本要素转化这两个环节，只有完成了这两个环节上的由货币到资本的运动，才完成了由剩余价值到资本的转化，才会由货币积累发展为实际积累，才会有现实的扩大再生产。

这里就产生了一个问题：要把剩余价值资本化，进行货币贮藏，必然要把商品卖出去，暂时不去买商品，只卖不买；如果是一个资本家进行货币积累，就会有另一个资本家来买它的商品；如果是所有的资本家都进行货币积累，大家都是只卖不买，那么，买者应该从哪里来？如果没有买者，只有卖者，商品必然卖不出去，货币贮藏无法实现，由剩余价值到资本的转化会受到阻碍，实际积累也就不可能。这是一个表面的困难，但又是需要解决的问题。

也许有人说，金是天然的货币材料，金的生产者是只买不卖的。如果这种说法能够成立的话，就等于说，一切生产者的商品都要卖给金生产者。这显然是错误的。因此，不能用金生产者的只买不卖来回答上述问题。那么，这个问题怎样解决呢？

I. 第Ⅰ部类的积累

1. 货 币 贮 藏

第Ⅰ部类的积累包括货币积累和实际积累。本节第一部分研究前者，

第二、三部分则研究后者。

> 一部分资本家用于积累的货币贮藏，是另一部分资本家从已经积累的贮藏货币中提供出来的

上面提出的问题，还是比较容易弄清楚的。不同的产业部门、不同的资本家企业，他们把剩余价值转化为资本所经历的阶段是不同的，一部分资本家用剩余价值已经货币化而贮藏起来的货币购买生产资料，使可能的货币资本转化为生产资本，进行实际积累，实现上述的第二环节；而另一部分资本家则刚刚把商品卖出去，把剩余价值货币化，从事可能的货币资本的贮藏，进行货币积累，实现上述的第一个环节。“因此，这两类资本家是互相对立的：一方作为买者，另一方作为卖者，并且每一方在这两种作用中都只起一种作用。”假定进行货币积累的一部分资本家是 A、A′、A″等，进行实际积累的一部分资本家是 B、B′、B″等，前者卖而不买，后者买而不卖，前者从流通中取出货币，进行贮藏，后者把已贮藏的货币投入流通，这样，上述问题不是就弄清楚了吗？当然，在这里，只回答了买者从何而来的问题，至于从流通中取出的货币和投入流通的贮藏货币是否相等，货币积累和实际积累是否平衡，那是需要研究的另一个问题。

这种货币贮藏有如下特点：

第一，它是在许多点上从流通中取出的，暂时不进入流通，因而在一个或长或短的时间内失去流通能力，只是可能的货币资本。

第二，“它是资本主义生产过程的一个内在因素。”在简单商品流通下的货币贮藏，只是把货币作为社会财富的一般代表；在这里，贮藏货币，是为了把货币转化为资本。我们知道，剩余价值的生产是资本主义生产的目的和契机。积累货币，以便转化为资本，剥削更多的剩余价值，是资本家的内在动力。

第三，它“是能动的，生利的东西”。在信用制度下，资本家把这些货币存入银行，作为生息资本、“可贷资本”等等，从而取得利息。所以，这种贮藏不是绝对意义上的贮藏。

第四，这种货币贮藏的前提是剩余价值的连续生产。这就是说，它能够被贮藏，是由于工人在生产过程中不断创造出剩余产品，资本家把

它卖掉，取得货币，所以，这种货币积累是由剩余价值转化而来的，即剩余价值的货币化。如果没有剩余价值的生产这个资本主义前提，当然也不会有这种货币积累。

第五，它能够从流通中取出来作为贮藏货币，是因为 A、A′、A″等资本家只是把商品投入流通，没有从流通中取出商品。这与 B、B′、B″等资本家只向流通中投入货币，取出商品完全相反。

货币积累和实际积累的不平衡，增加了危机的可能性

既然一部分资本家进行货币贮藏，另一部分资本家进行实际积累，因而前者为了贮藏货币而进行单纯的卖，后者为了把贮藏的货币支出去而进行单纯的买，“一方面的单纯的卖，必须由另一方面的单纯的买来抵消”。“这里必须具有的前提是，Ⅰm 中 A、A′、A″的形成货币贮藏的部分的单纯的卖，和Ⅰm 中 B、B′、B″把自己的贮藏货币转化为追加生产资本要素的部分的单纯的买保持平衡”。

从 A、A′、A″来说，现在是作为卖者，但以后他又会成为买者，用出卖时的同等价值额来进行购买；从 B、B′、B″来说，现在是作为买者，但他们以前曾作为卖者，现在是用以前卖出的同等价值额来进行购买；从这个意义上说，好像买卖是会平衡的。但是，在年产品中所要实现的是实际的平衡，这是不能从某一资本家卖出买进的角度来看待的，“实际平衡要取决于互相交换的商品具有同等的价值额”。因为这种平衡是指在买卖交易行为中的平衡，“这种平衡只有在如下的前提下才能保持：单方面的买的价值额要和单方面的卖的价值额互相抵消”。如果在交易时，买的价值额多于卖的价值额，就会有人买不到东西；相反，如果卖的价值额多于买的价值额，就会有些东西卖不出去。

上述买卖双方的平衡，只是生产过程中的客观要求，但在资本主义扩大再生产的条件下，由于生产资料私有制，生产是在无政府状态中盲目地自发地进行的，正常进行的再生产条件，“转变为同样多的造成过程失常的条件，转变为同样多的危机的可能性”。这就是说，客观上所要求的上述买卖之间的平衡，经常会受到破坏，出现买卖的不平衡，从而增加了经济危机的可能性。“因为在这种生产的自发形式中，平衡本身就是一种偶然现象。”资本主义扩大再生产，是在经济比例严重失调的情况下进行的，不断经过危机的破坏，才自发地从不平衡达到某种暂时的不稳定的平衡，但这种平衡只是偶然的，很快又会为新的不平衡所代替。

不仅在货币积累和实际积累之间不平衡会增加危机的可能性，马克思还指出Ⅰv和Ⅱc交换中的不平衡也会造成危机的可能性。例如，Ⅰ资本家以100货币资本作为工资付给工人，工人以此100货币购买Ⅱc的生活资料，这时，从Ⅰ工人来说是买者，Ⅱc方面是卖者；然后Ⅱ资本家再以100货币向Ⅰ资本家购买生产资料，这时，Ⅱc是买者，Ⅰ资本家只是卖者。在这些买卖关系中，有三个方面交错在一起，这就是：第Ⅰ部类工人要不断出卖劳动力，Ⅰ的商品资本有一部分要转化为可变资本的货币形式，Ⅱ的商品资本有一部分要用生产资料来补偿，它们三者之间都是互为条件的，处在极其复杂的交换过程中，如果某一环节上出现不平衡，往往会造成一系列的连锁反应，引起比例的严重失调，导致经济危机。所以马克思说："这个过程，包括三个彼此独立进行但又互相交错在一起的流通过程。过程本身的复杂性，呈现出同样多的造成过程失常的原因。"

2. 追加的不变资本

资本主义扩大再生产的物质基础

在研究了货币积累以后，现在就来研究实际积累问题。

要扩大再生产，必须有追加的生产资料，也就是说，必须建立扩大再生产的物质基础。什么是扩大再生产的物质基础呢？马克思说："如果只考察价值量，扩大再生产的物质基础是在简单再生产内部生产出来的。简单说来，这种物质基础就是直接用在第Ⅰ部类生产资料的生产上的、用在第Ⅰ部类潜在的追加资本的创造上的第Ⅰ部类工人阶级的剩余劳动。"

怎样理解马克思所作出的上述结论呢？

首先，扩大再生产的物质基础是在简单再生产内部生产出来的。我们知道，用于第Ⅰ部类的追加的生产资料，是由第Ⅰ部类自己生产出来的。如以前述公式为例，第Ⅰ部类产品为6000，其中4000c、1000v、

1000m，m 部分是以剩余产品的形式存在着的，这 1000 剩余产品，是在简单再生产范围内生产出来的，它没有使用追加资本，也没有使生产扩大，也没有耗费更多的剩余劳动；如果把这 1000 剩余产品的一半（500）用于资本家的个人消费，一半（500）用于积累，这种以生产资料形式存在的用于积累的 500 部分，在 A、A′、A″等资本家手里，就形成潜在的、追加的不变资本了。这也就是说，用于扩大再生产的追加的生产资料（从价值说是不变资本），不是在扩大再生产以后生产出来的，而是在简单再生产的内部生产出来的。可见，简单再生产是扩大再生产的起点和基础。

其次，这部分追加的生产资料，是“直接用在第Ⅰ部类生产资料的生产上的”，这也是扩大再生产与简单再生产不同的地方。我们知道，简单再生产的前提是把剩余价值作为收入全部花费掉，因此，Ⅰ生产出来的体现 m 的 1000 商品（生产资料），就要和Ⅱc相交换，所以它的实物形式就是能用于补偿Ⅱc的生产资料；但现在用来作为第Ⅰ部类自己追加的生产资料（不变资本）则不同，它不是用于补偿Ⅱc的生产资料，而是用于追加Ⅰc的生产资料，它不是用来补偿生产消费资料的生产资料，如纺纱机、织布机之类，而是用来生产生产资料的生产资料，如轧钢机、采煤机、机床之类。据上例，如以 500 剩余产品用于追加Ⅰc，这 500 产品的实物形式就应该是用于生产生产资料的生产资料。可见，简单再生产和扩大再生产不同的是，这些剩余产品必须具有不同的物质形式。马克思说：“在这里，区别只在于所使用的剩余劳动的形式，只在于它的特殊的有用方式的具体性质。”“因此，为了从简单再生产过渡到扩大再生产，第Ⅰ部类的生产要能够少为第Ⅱ部类制造不变资本的要素，而相应地多为第Ⅰ部类制造不变资本的要素。”这也就是说，要少为第Ⅱ部类生产机器和原料，要多为第Ⅰ部类生产机器和原料（如发展动力工业、原材料工业等）。

再次，这些追加的生产资料，是第Ⅰ部类工人的剩余劳动创造出来的，是“用在第Ⅰ部类潜在的追加资本的创造上的”。如上例，体现 1000 剩余价值的剩余产品是第Ⅰ部类工人的剩余劳动的凝结。这些剩余劳动所形成的剩余价值，为直接经营的产业资本家无偿占有。起初，它在 A、

A′、A″等第Ⅰ部类资本家手中，这时，它只是以商品资本的形式存在着，在没有出售以前，已经是潜在的追加的不变资本了。但这只是可能性，还没有正式转化为现实的追加资本，要完成这个转化，必须把它卖出，转到B、B′、B″等第Ⅰ部类的实际积累的资本家手中，这时，它们才能实际执行追加的不变资本的职能。这里所说的“用在第Ⅰ部类潜在的追加资本的创造上”是指上例的500m而言，至于另一半500m则是用在资本家收入的个人消费上，至于4000c则是用在第Ⅰ部类不变资本的补偿上，而1000v则是用在劳动力的再生产上，它们之间是有所区别的。如果上述500m不是用于积累而是被资本家也用于个人消费，那就不是潜在的追加资本的创造了。

以上研究第Ⅰ部类的追加不变资本，是从质的方面进行考察的，下面再从量的方面来考察。

一国执行职能的生产资本越多，劳动生产力和技术发展水平越高，剩余产品量就越大，潜在的追加生产资本和潜在的追加货币资本的量也越大

作为潜在的追加资本的生产，是在简单再生产的基础上进行的，它只表示生产过程本身的现象，即生产资本的要素在一定形式上进行的生产。至于这种潜在的追加生产资本向潜在的货币资本的转化，则是由剩余产品的出售引起的，是由从流通中取出相应的货币进行贮藏来完成的。所以这种潜在的追加生产资本的量和潜在的货币资本的量，与剩余产品的量以及积累率有密切关系。而剩余产品量的多少，又是由执行职能中的资本总额以及劳动生产力水平、技术发展水平等因素所决定的。所以马克思又作出结论说：已经在一个国家执行职能的生产资本越多，劳动的生产力、从而生产资料生产迅速扩大的技术手段越发展，因而剩余产品的量（包括价值量和使用价值量）就越大，潜在的追加生产资本和潜在的追加货币资本的量也就越大。可见，追加的不变资本量是由生产规模、技术发展水平以及由它们所生产的剩余产品的量所决定的。

以上说明，剩余产品的量越多，转化为追加的不变资本的量就越大；资本的积累和生产的发展，特别是和剩余产品的增加密切联系着的。像富拉顿（1780—1849）这样有名的英国资产阶级经济学家，也不懂资本

积累和生产发展的相互联系。他主张把生产过剩和资本过剩区别开来，一方面否认商品的生产过剩，另一方面又固执着“资本生产过剩”，从而用流动资本生产过剩来说明几次危机的发展，这当然不能揭示资本主义经济危机的真正原因。所以马克思批判地指出，“那就再一次证明，甚至最优秀的资产阶级经济学家也根本不了解他们的制度的机制”。

已经执行职能的资本总额越大，生产出来的剩余产品的量越大，因而转化为潜在货币资本的量也就越大，“这种资本的分裂也就会更容易”。这就是说，作为追加的潜在的货币资本量增大了，可以作为新的货币资本进行投资，另外建立新的独立的企业，从而在外延上进行规模扩大的再生产。当然，如果追加的潜在的货币资本还处在贮藏状态，它是绝对非生产的，是存在于生产过程之外的。如果把它作为生息资本，又会以另一个形式对资本主义生产体系的发展产生极大的影响，但这是在《资本论》第三卷中所要研究的问题。

由剩余产品到实际积累的转化

既然积累规模是由剩余产品的量所直接决定的，那么，怎样由剩余产品转化为实际的积累呢？

从 A、A′、A″(Ⅰ)资本家来说，他们是企业经营者，是剩余产品的直接占有者，他们为规模扩大的再生产提供了现实基础，并实际生产了潜在的追加资本。他们要把这些产品卖给 B、B′、B″(Ⅰ)资本家，取得货币，进行贮藏。而 B、B′、B″(Ⅰ)资本家购买到这些剩余产品后，才能把它们作为实际追加的不变资本，在生产中执行职能。由于这些剩余产品是由 A、A′、A″在当年生产的，往往要到下一年、甚至更晚的时候，才能转入 B、B′、B″等资本家手中。在它们生产出来后到实际投入生产这段时间里，要经过买卖的流通行为，使这部分剩余产品由 A、A′、A″手中转到 B、B′、B″手中。但是，这个流通过程所需要的货币是从哪里来的呢？第 562 页第 4 段，回答了这个问题。这就是：在Ⅰ、Ⅱ资本家手中掌握的用于交换剩余产品的一定量货币，在扩大再生产的情况下，“A 等等和 B 等等(Ⅰ)将交替地提供货币，以便使剩余产品转化为追加的潜在的货币资本，并且交替地把新形成的货币资本作为购买手段再投入流通”。当然，在这里，流通中的货币量必须更大，这是因为：一、流通中的商品的范围扩大了；二、流通中的商品资本量及其价值量迅速地扩大了；三、日益增大的可变资本必须不断转化为货币资本；四、对作为货币贮藏的现成材料需要量增加了，这是一方面。但是另一方面，由于资本主义信用制度的发展，使流通中的货币量限制在日益缩小的最小限度，这是一个矛盾，由于这个矛盾的存在，往往会影响由剩余产品到实际积累的转化。

3. 追加的可变资本

从劳动力方面看，在资本主义生产的基础上，会产生相对人口过剩，存在大批失业工人，所以"劳动力总是准备好的"。当然，有时生产扩大，不需要增加工人，只靠延长劳动时间，提高劳动强度，就能推动更多的劳动。因此，这个问题暂时没有必要加以论述。在这里，只要假定，在扩大再生产的情况下，总会找到追加的劳动力。

从可变资本方面看，虽然没有积累，也可扩大再生产。但这里说的是，资本积累引起生产的扩大，因此，生产的扩大，取决于资本的扩大，即取决于剩余价值到资本（包括追加不变资本和追加可变资本）的转化。这是极其明显而简单的。

至于谈到金生产者，他们不必出售产品，就可以把金直接转化为积累的不变资本和可变资本。如转化为可变资本，就是把金作为货币直接付给工人。如转化为不变资本，还要在市场上找到各种不变资本的物质要素，并用金直接去购买它。所以金生产者的积累，与一般商品生产者的资本积累有着不同的特点。

Ⅱ. 第Ⅱ部类的积累

谈到第Ⅱ部类积累，首先就要碰到一个困难。

如果第Ⅰ部类扩大再生产，Ⅰ(v+m)不能全部与Ⅱc相交换，只是部分地与Ⅱc相交换，Ⅱc有部分商品（消费资料）卖不出去，不能转化为生产资料，Ⅱc的再生产就成了问题。从第 565 页第 1 段到 566 页第 2 段，马克思从一方面提出了上述问题：Ⅱc向Ⅰm 购买生产资料，Ⅰm 将该货币作为贮藏货币，不再向Ⅱc购买消费资料，Ⅱc的部分商品就会卖不出去，发生商品过剩。从第 566 页第 3 段到 567 页第 1 段，马克思又从另一方面提出了上述问题：如 2000Ⅰ(v＋m)，以 500 作为追加的不变资本，只在第Ⅰ部类内部购买生产资料，只用 1500 向Ⅱc交换，2000 Ⅱc与Ⅰ交换1500后，还有 500 消费资料的商品卖不出去，于是第Ⅱ部类就会发生生产过剩。

怎样解释这种消费品生产过剩的现象，小资产阶级的批判家、经济浪漫主义的代表人物西斯蒙第（1773—1842），就曾提出了“积累是靠牺牲消费来进行的”的说法。他认为，年所得的全部（他认为是工资、利润、地租）势必与年产品的全部相交换，两者必须在价值上相等。而年产品的全部都要在每年消费掉，其中一半由工人消费，一半由资本家消费。如果迅速积累，必然牺牲一部分人的消费，从而会导向灾难。他认为，资本主义生产的目的和动机是消费，而发展资本主义生产则是达到这一目的的手段。资本家进行积累和扩大再生产，则是为了手段而牺牲目的。这也就是说，积累是通过牺牲消费而达到的。在这里，西斯蒙第一方面把上述第Ⅱ部类生产过剩归罪于第Ⅰ部类的积累，另一方面，把消费当成资本主义生产的目的，这就不能理解资本主义生产的实质，也不可能理解把剩余价值资本化进行资本积累的实质，所以马克思批判地说：“积累是靠牺牲消费来进行的这种一般的说法，不过是和资本主义生产的本质相矛盾的一种幻想”。

也有人企图回避上述困难，为此进行辩解。他们认为，在积累进行的过程中，既要有货币贮备，也要有商品贮备，上例 500 Ⅱc存在仓库中的消费资料，并不是生产过剩，而是消费资料的商品贮备，只是有了这种商品贮备，才能使再生产中的消费过程连续进行。实际上，上述说法是不能成立的，这是因为：第一，如果第Ⅱ部类需要商品贮备，那么第Ⅰ部类也必然要有商品贮备，而“第Ⅱ部类的商品的储备，是以第Ⅰ部类的商品先有储备为前提的”。“但是，如果我们把两方面都考虑到，问题就不会发生任何变化。”第二，如果在第Ⅱ部类，今年结束时要为明年留下商品贮备，那么，去年也必定为今年留下商品贮备，在分析年再生产时，平均地说，必须把这二者都扣除。也就是说，这种单方面的商品贮备是不应计算在内的。第三，上述困难，在考察简单再生产时是没有碰到的，而这种困难又是一种特殊的现象，这是与商品贮备无关的特殊现象，“这种现象之所以发生，只是由于第Ⅰ部类的各要素之间（就再生产来说）有了不同的组合，没有这种组合的变化，就根本不可能发生规模扩大的再生产”。这里所说的第Ⅰ部类各要素之间不同组合是指：在简单再生产条件下，Ⅰm都是与Ⅱc相交换；现在，进行积累和扩大再生产，除了Ⅰm的一部分要与Ⅱc相交换外（这些产品的物质形式是生产消费资料的生产资料），Ⅰm的另一部分要作为追加的不变资本积累起来，以便用于第Ⅰ部类的扩大再生产（这些产品的物质形式是生产生产资料的生产资料）。正是由于这种不同组合的变化，规模扩大的再生产才成为可能。由此可见，为了要实现扩大再生产，第Ⅰ部类各种要素之间要产生新的组合，第Ⅱ部类各种要素之间也要产生新的组合，要解决上述困难，就要研究这两个部类的各种要素如何在新的结合下形成新的有机联系，从而在社会资本再生产和流通的过程中，如何从实物形式上补偿、从价值形式上实现的问题。这个问题，将在下一节进行具体研究。

Ⅲ. 用公式来说明积累

第三节是本章的重点，主要研究：在扩大再生产条件下社会总产品如何实现的问题，也就是研究扩大再生产实现的条件。

两个公式的比较

从第569页到571页第1段，马克思举了(a)(b)两个不同公式来比较：

$$\text{公式(a)}\left.\begin{array}{l}\text{Ⅰ}.\ 4000c+1000v+1000m=6000\\ \text{Ⅱ}.\ 1500c+\ \ 376v+\ \ 376m=2252\end{array}\right\}\text{合计}=8252$$

$$\text{公式(b)}\left.\begin{array}{l}\text{Ⅰ}.\ 4000c+\ \ 875v+\ \ 875m=5750\\ \text{Ⅱ}.\ 1750c+\ \ 376v+\ \ 376m=2502\end{array}\right\}\text{合计}=8252$$

上述(a)(b)两个公式，虽然合计都是8252，但却有所不同，前者系扩大再生产公式，后者则是简单再生产公式。马克思通过这两个公式的比较，着重说明了两个问题：

第一，扩大再生产的前提是什么？马克思指出："对一定量商品来说，规模扩大的再生产所需要的前提只是，既定产品的各种要素已经有了不同的组合，或不同的职能规定，因此，按价值量来说，这种再生产首先只是简单再生产。所改变的，不是简单再生产的各种既定要素的量，而是它们的质的规定，并且这种改变是以后随着发生的规模扩大的再生产的物质前提"。例如，在简单再生产条件下，Ⅰm全部用于资本家的个人消费，因此必须和Ⅱc相交换，这就必须以生产消费资料的生产资料的物质形式而存在着。在扩大再生产条件下，Ⅰm一部分用于资本家的个人消费，一部分用于积累，用于个人消费的部分要与Ⅱc相交换，它仍以生产消费资料的生产资料的物质形式而存在着；用于积累的部分则要留在第Ⅰ部类内部，作为追加的不变资本，因此以生产生产资料的生产资料的物质形式而存在。由此可见，简单再生产与扩大再生产相比，Ⅰm生产要素的组合必须有所不同，这种生产要素的不同组合，不是由它们的量，而是由它们的质所规定的，即由生产消费资料的生产资料和生产生产资料的生产资料具有不同的质所规定的。这就是说，改变了简单再生产条件下的生产要素的不同组合，生产出不同质的产品，这才为扩大再生产创造前提条件。

第二，从价值量的方面看，上述公式(a)"却形成规模扩大的再生产的物质基础"。为什么呢？在公式(b)中，(875v +875m)Ⅰ =1750 Ⅱc，它们交换时正好相等，没有余额，仅能补偿已消耗掉的生产资料，只能是简单再生产。在公式(a)中，(1000v+1000m)Ⅰ和1500 Ⅱc相比，Ⅰ(v+m)除以1500与Ⅱc相交换以外，还有余额500，这个余额即可作为追加资本供第Ⅰ部类积累，这就构成规模扩大再生产的物质基础。

对公式(a)的分析

既然公式(b)是简单再生产公式，我们现在研究扩大再生产，就暂且把公式(b)抛弃掉，着重分析公式(a)。我们假定：Ⅰ、Ⅱ资本家都把剩余价值的一半积累起来，1000Ⅰm就要以500作为追加资本（并分解为追加的不变资本与追加的可变资本)，以 500 作为资本家的个人消费。因此，1000m 就要分解成三个部分：一是用于资本家个人消费的部分，即 $\frac{m}{x}$；一是用于追加的不变资本部分，即 Δc[①]；一是用于追加的可变资本部分，即 Δv。这样 Ⅰm 就分解为 $\frac{m}{v}+\Delta c+\Delta v$。

现在就来看看公式(a)吧，其中：(1) 1500(1000v＋500m)Ⅰ和 1500Ⅱc相交换，这在简单再生产时已阐明了，无须再研究；(2) 4000Ⅰc在第Ⅰ部类交换，也无须再研究；(3) 那么所要研究的只是 500Ⅰm 和(376v＋376m)Ⅱ。在这里，500Ⅰm 是用于第Ⅰ部类的追加资本之用的，当然不能只用于追加不变资本，还要用于追加可变资本。Ⅰ的有机构成是 4∶1，那么，500m 也按 4∶1 分解，则追加的不变资本为 400Δc，追加的可变资本为 100Δv。其次，Ⅱ(376v＋376m)，376v 是由第Ⅱ部类工人直接用于生活资料的消费的，他们可用取得的工资直接向第Ⅱ部类资本家购买，这部分也无须再研究；在Ⅱ376m 中，也要分解成三个部分，以一半用于Ⅱ资本家个人消费，即 188 $\frac{m}{x}$，以一半用于积累 188，其中又要按Ⅱ有机构成 4∶1 分解，追加不变资本为 150Δc[②]，追加的可变资本为 38Δv[③]，这样，第Ⅱ部类 376m 就分解为：$376\,\text{Ⅱ}m=188\,\frac{m}{x}+150\,\text{Ⅱ}\Delta c+38\,\text{Ⅱ}\Delta v$。[④] 以上分析说明，我们要着重研究的，就是 500Ⅰm 分解为ⅠΔc 和ⅠΔv，188Ⅱm 分解为ⅡΔc 和ⅡΔv，它们在本部类内部以及在两个部类之间如何实现、如何补偿的问题。所以，在这里，“一方面要考察第Ⅰ部类和第Ⅱ部类各自的内部关系，另一方面要考察两个部类之间的运动”。这也

① “Δ”是数学上表示“增量”的符号，在《资本论》第三卷第十五章，马克思曾用“Δ”表示追加资本。

② 应为 150.4。在这里，150 是以整数计。

③ 应为 37.6。在这里，38 是以整数计。

④ 在这里，是据第Ⅱ部类有机构成 4∶1 来分解ⅡΔc 和 Δv 的，而《资本论》中则是按 $\frac{3}{4}$ 和 $\frac{1}{4}$ 即按 3∶1 来分解，故ⅡΔc 为 140，ⅡΔv 为 48，以整数计。

就是说，在扩大再生产的情况下，它们实现的条件问题。为要说明这个问题，马克思下面用“第一例”“第二例”作例证进行了具体分析。

从第 571 页到 574 页第 3 段，马克思又插进了一个“新问题”，即上述公式(a)中，第Ⅱ部类 m 中 150Δc，要向第Ⅰ部类购买生产资料，作为追加的不变资本，对第Ⅱ部类来说，为这个目的所需要的货币是从哪里来的？马克思指出，首先，不能从 376Ⅱv 中来，因为这部分是Ⅱ资本家把货币资本以工资的形式支付给工人，工人则用它再向Ⅱ资本家购买消费品，376 货币仍然流回Ⅱ资本家手中。接着，马克思又指出了：(1) 要把将工资压低到正常水平以下而取得货币的这种情况排除掉；(2) 要把因提高价格出售消费资料给工人，从而多取得货币的这种情况也排除掉。因为“在对资本主义机制进行客观分析时，不能利用这个机制所具有的某些特别的污点作为借口，来排除理论上的困难”。其次，也不能从 376Ⅱm中来，因为Ⅱ内部的商品交换，只是商品与货币的正常的流通。要从流通中取出这种货币，或者是，Ⅱ资本家之间用抬高价格的欺骗的办法，一部分资本家从另一部分资本家那里夺取货币，但从社会来说，一部分资本家所得正是另一部分资本家之所失，第Ⅱ部类的流通货币总量并没有增加；或者是，必要生活资料所代表的Ⅱm 部分，即用作追加可变资本的 38Δv，直接在第Ⅱ部类内部转化为新的可变资本。这又是怎样发生的，将在本章第四节中加以研究。

在暂时丢下这个“新问题”后，马克思就接着例证，在实际上，积累究竟是怎样进行的？扩大再生产的必要条件是什么？扩大再生产实现的平衡条件又是什么？

1. 第　一　例

假定规模扩大的再生产的开端公式是：

$$\left.\begin{aligned}&\text{Ⅰ}.\ 4000c+1000v+1000m=6000\\&\text{Ⅱ}.\ 1500c+\ \ 750v+\ \ 750m=3000\end{aligned}\right\}\text{总额 }9000$$

现在就来看看，在扩大再生产条件下，社会总产品是怎样进行交换的：我们假定：(1) 剩余价值率均为 100%；(2) 资本有机构成Ⅰ为

4∶1，Ⅱ为2∶1；(3) 积累率（在 m 中用于资本化的部分所占的比率）Ⅰ为$\frac{1}{2}$，Ⅱ为$\frac{1}{5}$。

在第Ⅰ部类：1000m 以一半积累，一半用于资本家个人消费，因此，1000 Ⅰv＋500 $\frac{m}{x}$＝1500[①]，与 1500 Ⅱc交换；用于积累的 500m，按 4∶1 的有机构成分解，400 用于追加的不变资本，即ⅠΔc，100 用于追加的可变资本，即ⅠΔv；另外，Ⅰ4000c 将在本部类内部交换。因此，结果是：Ⅰ内部交换的有：4000 Ⅰc＋400ⅠΔc，合计 4400；Ⅰ与Ⅱ交换的有：1000 Ⅰv＋100ⅠΔv＋500Ⅰ$\frac{m}{x}$，合计 1600。

在第Ⅱ部类：1500 Ⅱc与 1，500Ⅰ(v＋$\frac{m}{x}$)相交换；750Ⅱv在本部类内部交换，750Ⅱm 部分以 600 用于资本家个人消费，以 150 作为积累，转化为资本，其中，100 转化为ⅡΔc，50 转化为ⅡΔv。ⅡΔv 是由追加的劳动力所消费的生活资料，Ⅱ$\frac{m}{x}$是资本家的个人消费，都可在第Ⅱ部类内部实现；100ⅡΔc 则要从Ⅰ取得，必须与Ⅰ相交换。因此，结果是：在Ⅱ内部交换的有：750Ⅱv＋50ⅡΔv＋600Ⅱ$\frac{m}{x}$，合计 1，400；Ⅱ与Ⅰ交换的有：1500 Ⅱc＋100ⅡΔc，合计 1600。

从扩大再生产的情况看，经过上述交换后，Ⅰ与Ⅱ实现了平衡。

由此可以看出：在扩大再生产条件下，一方面，Ⅰ(v＋m)不能仅仅在价值量上等于Ⅱc，而应大于Ⅱc，这样，才能提供追加的生产资料，为扩大再生产提供物质要素，可见Ⅰ(v＋m)大于Ⅱc是扩大再生产的必要条件；另一方面，Ⅰv＋ⅠΔv＋Ⅰ$\frac{m}{v}$应等于Ⅱc＋ⅡΔc，即第Ⅰ部类可变资本，加追加的可变资本，加第Ⅰ部类的资本家用于个人消费的剩余价值部分，必须等于第Ⅱ部类的原有不变资本和追加的不变资本，这样，Ⅱ

① $\frac{m}{x}$指资本家用于个人消费的剩余价值部分。

才能提供追加的消费资料，供ⅠΔv之用，可见，这是扩大再生产在两大部类中实现时的平衡条件。扩大再生产的条件并不等于平衡条件。只有按照平衡条件来交换，社会总产品才能按扩大再生产的要求而实现。

两个部类的产品实现，可以下列公式表示：

$$\text{Ⅰ}.\ 4000c+\boxed{1000v+500\frac{m}{x}}+400\Delta c+\boxed{100\Delta v}=6000$$

$$\text{Ⅱ}.\ \boxed{1500c}+750v+600\frac{m}{x}\boxed{+100\Delta c}+50\Delta v=3000$$

第一年交换的结果，实现了上述扩大再生产，因而第二年一开始，其资本是：

$$\left.\begin{aligned}&\text{Ⅰ}.\ 4400c+1100v=5500\\&\text{Ⅱ}.\ 1600c+\ \ 800v=2400\end{aligned}\right\}=7900$$

第二年终，总产品是：

$$\text{Ⅰ}.\ 4400c+1100v+1100m=6600$$

$$\text{Ⅱ}.\ 1600c+\ \ 800v+\ \ 800m=3200$$

通过交换，总产品的实现是：

$$\text{Ⅰ}.\ 4400c+\boxed{1100v+500\frac{m}{x}}+440\Delta c+\boxed{110\Delta}=6600$$

$$\text{Ⅱ}.\ \boxed{1600c}+800v+560\frac{m}{x}\boxed{+160\Delta c}+80\Delta v=3200$$ ①

① 以上假定，第Ⅱ部类积累率为$\frac{1}{5}$，这是为了与第Ⅰ部类积累率$\frac{1}{2}$相适应的。这是因为：Ⅱ的资本积累，总是取决于Ⅰ的资本积累的。在第一年中，由于 1000 Ⅰv+500 $\frac{m}{x}$ +100Δc=1600 与 1500 Ⅱc相交换后，Ⅰ还多余 100 生产资料，因此，要求Ⅱ与之相适应地追加 100Δc，这就是：Ⅱ的资本积累取决于Ⅰ的资本积累。但在第二年中，(1100v+550 $\frac{m}{x}$ +110Δv) Ⅰ=1760，与 1600 Ⅱc相交换，还多余 160，这就要求Ⅱ与之相适应地追加 160Δc，这也体现了Ⅱ的资本积累取决于Ⅰ的资本积累。但自第二年起，虽然Ⅰ的积累率仍未变，而Ⅱ的积累率却发生变化，这是由ⅡΔc取决于Ⅰ的资本积累所产生的结果。马克思曾指出："如果要使事情正常地进行，第Ⅱ部类就必须比第Ⅰ部类积累得快，因为如果不是这样，Ⅰ(v+m)中要与商品Ⅱc交换的部分，就会比它唯一能与之交换的Ⅱc增加得快。"(《资本论》第2卷，人民出版社 2004 年版，第 577 页。) 这就是说，如Ⅱ的积累率不逐渐提高，因Ⅰ基数大，Ⅰ(v+m)中的积累量多，就会超过Ⅱc，这虽然为扩大再生产创造了条件，但不能实现Ⅰ、Ⅱ之间的平衡。要实现Ⅰ、Ⅱ之间的平衡，必须Ⅱ比Ⅰ积累得快，因而积累率也要逐步提高。

第三年开始，其资本是：

$$\left.\begin{array}{l}\text{Ⅰ}.\ 4840c+1210v=6050\\ \text{Ⅱ}.\ 1760c+\ \ 880v=2640\end{array}\right\}=8690$$

第三年终，总产品是：

$$\text{Ⅰ}.\ 4840c+1210v+1210m=7260$$

$$\text{Ⅱ}.\ 1760c+\ \ 880v+\ \ 880m=3520$$

通过交换，总产品的实现是：

$$\text{Ⅰ}.\ 4840c+\boxed{1210v+605\frac{m}{x}}+484\Delta c+\boxed{121\Delta c}=7260$$

$$\text{Ⅱ}.\ \boxed{1760c}+880v+616\frac{m}{x}\boxed{+176\Delta c}+88\Delta v=3520$$

第四年开始，其资本是：

$$\left.\begin{array}{l}\text{Ⅰ}.\ 5324c+1331v=6655\\ \text{Ⅱ}.\ 1936c+968v=2904\end{array}\right\}=9559$$

第四年终，总产品是：

$$\text{Ⅰ}.\ 5324c+1331v+1331m=7986$$

$$\text{Ⅱ}.\ 1936c+968v+968m=3872$$

通过交换，总产品的实现是：

$$\text{Ⅰ}.\ 5324c+\boxed{1331v+665.5\frac{m}{x}}+532.4\Delta c+\boxed{133.1\Delta v}=7986$$

$$\text{Ⅱ}.\ \boxed{1936c}+968v+677.6\frac{m}{x}+\boxed{193.6\Delta c}+96.8\Delta v=3872$$

第五年开始，其资本是：

$$\left.\begin{array}{l}\text{Ⅰ}.\ 5856.4c+1464.1v=7320.5\\ \text{Ⅱ}.\ 2129.6c+1064.8v=3194.4\end{array}\right\}=10514.9$$

第五年终，总产品是：

$$\text{Ⅰ}.\ 5856.4c+1464.1v+1464.1m=8784.6$$

$$\text{Ⅱ}.\ 2129.6c+1064.8v+1064.8m=4259.2$$

通过交换，总产品的实现是：

$$\text{Ⅰ}.\ 5856.4c+\boxed{1464.1v+732.05\frac{m}{x}}+585.64\Delta c+\boxed{146.41\Delta v}=8784.6$$

$$\text{Ⅱ}.\ \boxed{2129.6c}+1064.8v+745.36\frac{m}{x}+\boxed{212.96\Delta c}+106.48\Delta v=4259.2$$

第六年开始，其资本是：

$$\left.\begin{array}{l}\text{Ⅰ}.\ 6442.04c+1610.51v=8052.55\\ \text{Ⅱ}.\ 2342.56c+1171.28v=3513.84\end{array}\right\}11566.39$$

第六年终，总产品是：

$$\text{Ⅰ}.\ 6442.04c+1610.51v+1610.51m=9663.06$$

$$\text{Ⅱ}.\ 2342.56c+1171.28v+1171.28m=4685.12$$

经过以上五年的扩大再生产证明：（1）社会总资本由 7250 增加到 11566，成为 100∶160，这说明，由于积累，社会总资本的量增大了；（2）资本家每年剥削到的剩余价值量，由 1750 增到 2782，也成为100∶160，这说明，随着社会总资本的量增大，剩余价值的量也随之增大了；（3）资本家每年拿去供个人消费的剩余价值，由 1100 增加到 1478，成为 100∶134，这说明，在剩余价值量增大的同时，资本家用于个人消费的那部分剩余价值的绝对量也增加了。

2. 第 二 例

第二例和第一例相比，是假定在资本有机构成较高的情况下进行积累的。第一例的资本有机构成，Ⅰ为 4∶1，Ⅱ为 2∶1。第二例的资本有机构成，Ⅰ、Ⅱ都提高为 5∶1。这是由于：资本主义生产已经有了显著的发展，与此相应，社会劳动的生产力也已经有了显著的发展，生产规模已经有了显著的扩大，工人阶级中的相对过剩人口也已经有了发展。

第二例的公式是：

$$\left.\begin{array}{l}\text{Ⅰ}.\ 5000c+1000v+1000m=7000\\ \text{Ⅱ}.\ 1430c+\ \ 285v+\ \ 285m=2000\end{array}\right\}9000$$

现在假定，在第Ⅰ部类中，Ⅰm以一半用于资本家个人消费(500 $\frac{m}{x}$)，以一半用于积累(500)，这样，就有1000 Ⅰv+500Ⅰ$\frac{m}{x}$要和Ⅱ相交换。在第Ⅱ部类中，Ⅱc只有1430，只有再投入追加的不变资本，即70ⅡΔc，才有1500与Ⅰ相交换，这样Ⅰ(v+$\frac{m}{x}$)才能等于Ⅱ(c+Δc)，才能实现“1500Ⅰ(v+$\frac{1}{2}$m)和1500 Ⅱc的交换”。

这种交换，在简单再生产公式中已经阐明了，在这里，又具有新的特征。“这些特征所以会发生，是由于在有积累的再生产中，Ⅰ(v+$\frac{1}{2}$m)不是单单由Ⅱc来补偿，而是由Ⅱc加Ⅱm的一部分来补偿”。这里所说的“Ⅱm的一部分”，指Ⅱ的追加不变资本，即Δc，如上例70。这就是说，1000 Ⅰv+500Ⅰ$\frac{m}{x}$=1500，大于1430 Ⅱc，为要使交换平衡，必须把ⅡΔc加入。

从上述交换关系中，首先说明了，“Ⅰ(v+m)就大于Ⅱc，而不像简单再生产那样，和Ⅱc相等”。为什么Ⅰ(v+m)要大于Ⅱc呢？这是因为：在Ⅰ(v+m)和Ⅱc交换外，必须有余额，一是作为第Ⅰ部类的追加的不变资本，即ⅠΔc。二是作为第Ⅱ部类的追加的不变资本，即ⅡΔc。这就是说，第Ⅰ部类不仅要为本部类的扩大再生产提供追加的生产资料，还要为第Ⅱ部类的扩大再生产提供追加的生产资料；或者说，第Ⅰ部类不仅要把它的一部分剩余产品并入自己的生产资本，还要用它的剩余产品为第Ⅱ部类积累提供必需的不变资本的材料。

Ⅰ(v+m)必须大于Ⅱc的原理，是扩大再生产的基本条件，但不能把它孤立起来，片面地认为它就是扩大再生产公式。事实上，第Ⅰ部类和第Ⅱ部类之间是辩证地联系着的。马克思说：“就像第Ⅰ部类必须用它的剩余产品为第Ⅱ部类提供追加的不变资本一样，第Ⅱ部类也要同样为第Ⅰ部类提供追加的可变资本。”这一分析表明：两大部类的积累和生产扩大，是互为条件、互相依赖着的。一方面，第Ⅰ部类既要为第Ⅱ部类提供追加的生产资料，因而决定着第Ⅱ部类的积累规模，可见，第Ⅰ部类的生产对第Ⅱ部类的生产的扩大起着决定作用；另一方面，如果第Ⅱ部类不能提供追加的消费资料，就既不能满足本部类积累的需要，也不能为第Ⅰ部类新增加的工人提供追加的消费资料，第Ⅰ部类的扩大再生产就会发生困难，可见，第Ⅱ部类的生产对第Ⅰ部类生产的扩大也起着制约作用，这就是说，生产资料的生产，又必须依赖于消费资料生产的发展。

只从Ⅰ(v+m)大于Ⅱc来看，两大部类之间的交换还不能达到平衡，产品也不能按比例地实现，所以，这只是扩大再生产的基本公式，而不是扩大再生产的唯一公式。实现两大部类之间的交换平衡的条件，在研究第一例时已曾指出，即Ⅰ$(v+\Delta v+\frac{m}{x})=$Ⅱ$(c+\Delta c)$。马克思在第583页第3段中又着重指出，“在以资本的增加为基础的生产中，Ⅰ(v+m)必须=Ⅱc加上再并入资本的那部分剩余产品，加上第Ⅱ部类扩大生产所必需的不变资本的追加部分”。这就是说，Ⅰ(v+m)必须等于Ⅱc+ⅠΔc+ⅡΔc。只有这双方相等，年产品才能在交换中实现平衡。我们试以第一例公式（B）为证：

$$\boxed{400\Delta c+100\Delta c+500\frac{m}{x}}$$

Ⅰ. 4000c+1000v+1000m=6000

Ⅱ. 1500c+750v+750m=3000

$$\boxed{100\Delta c+50\Delta c+600\frac{m}{x}}$$

在这公式中，(1000v+1000m)Ⅰ=1500 Ⅱc+400 ⅠΔc+100 ⅠΔc。在这个公式中，如果减去Ⅰm中用于ⅠΔc的400，则1000 Ⅰv+600 Ⅰm（即ⅠΔv+Ⅰ$\frac{m}{x}$）=1500 Ⅱc+100 ⅡΔc，即Ⅰ$(v+\Delta v+\frac{m}{x})=$ Ⅱ$(c+\Delta c)$。这是实现扩大再生产的平衡条件，因此，它也是扩大再生产的极其重要的公式。

在第583页至584页的一段中，马克思特别指出：在第Ⅰ部类积累扩大生产时，第Ⅱ部类的积累必须与第Ⅰ部类相适应，才能保持平衡。前述第二例的情况有这样一个特点：“Ⅱc小于Ⅰ$(v+\frac{1}{2}m)$，即小于第Ⅰ部类产品中作为收入用于消费资料的部分，因此，在和1500Ⅰ(v+m)交换时，第Ⅱ部类的一部分剩余产品＝70，会立即由此实现。”这就是说，在Ⅱc小于Ⅰ$(v+\frac{1}{2}m)$的情况下，第Ⅱ部类如果不进行积累，只以1430Ⅱc同Ⅰ交换，Ⅰm中必然有70的生产资料卖不出去，形成生产过剩，因此，Ⅰ也不能取得70的消费资料作为扩大生产所使用的新工人的生活需要，第Ⅰ部类的积累和扩大再生产就会受到阻碍。如果Ⅰ以70货币向Ⅱ购买消费资料，但Ⅱ资本家把这70作为贮藏货币，不再向Ⅰ购买，Ⅰ还是有70的生产资料卖不出去，发生相对的生产过剩，这就进一步说明：第Ⅰ部类积累与扩大再生产，必须与第Ⅱ部类的积累和扩大再生产相适应，如上例，必须把Ⅱm中的70作为第Ⅱ部类的追加的不变资本，即ⅡΔc。如不是70，只是40、50、60，都不能实现平衡，都会使第Ⅰ部类的积累产生困难。也正因此，第Ⅱ部类追加的不变资本70，就具有这样的特点，“就不像在简单再生产中那样，仅仅是它的不变资本由商品资本形式再转化为它的实物形式，而是直接的积累过程，是它的一部分剩余产品由消费资料的形式转化为不变资本的形式”。

从第584页第3段到586页，马克思对第二例的上述公式进行了为期三年的演算，从演算中值得注意以下几点。第一，第Ⅰ部类拿出向第Ⅱ部类交换的是，$(1000v+83\Delta v+500\frac{m}{x})$Ⅰ＝1583，而第Ⅱ部类拿出向第Ⅰ部类交换的是，$(1430c+153\Delta c)$Ⅱ＝1583，两者正好相等，取得平衡，使Ⅰ$(v+\Delta v+\frac{m}{x})$＝Ⅱ$(c+\Delta c)$的平衡公式具体化了。第二，第一年交换后的结果，“第Ⅰ部类的资本已经由6000增加到6500，即增加$\frac{1}{12}$。第Ⅱ部类的资本已经由1715增加到1899，即增加近$\frac{1}{9}$”。这就证明，Ⅱ的资本增长率比Ⅰ高。这也证明了马克思在分析第一例时所说的：“如果要使事情正常地进行，第Ⅱ部类就必须比第Ⅰ部类积累得快”①。第三，从第三年结束时得到产品的情况看，如果Ⅰ把 m 一半积累起来，“Ⅰ$(v+\frac{1}{2}m)=1173v+587(\frac{1}{2}m)=1760$，大于 1715 Ⅱc的总数，多了 45。因此，这个差额必须通过同额的生产资料转给Ⅱc来抵消。这样，Ⅱc就会增加 45，从而也要求Ⅱc增加$\frac{1}{5}=9$”。这就又进一步证明了，第Ⅰ部类的积累，决定第Ⅱ部类的积累规模。

三年的扩大再生产，Ⅰ的总资本由 6000 增加到 7629，增长了 27.1%；Ⅱ的总资本由 1715 增加到 2229，增长了 29.9%；社会总资本则由 7715 增加到 9858，增长了 27.7%。这又进一步证明：Ⅱ的资本积累最快，资本增长率最高。

3. 积累时Ⅱc的交换

在Ⅰ(v＋m)和Ⅱc和交换上有不同的情况

从前述分析可以看出，在Ⅰ(v＋m)和Ⅱc交换时，有如下几种不同情况。

在简单再生产条件下，Ⅰ(v＋m)必须与Ⅱc相等，必须互相补偿，才能实现简单再生产。

在积累时，在积累率不变的情况下，可能有三种情形：

第一，Ⅰ$(v+\frac{1}{2}m)=$Ⅱc。因此，Ⅱc小于Ⅰ(v＋m)。在第 576 页第一例公式（B）就是这种情况〔$(1000v+500\frac{m}{x})$Ⅰ＝1500Ⅱc〕。

第二，Ⅰ$(v+\frac{1}{2}m)$大于Ⅱc。在第 581 页第二例公式就是这种情况〔$(1000v+500\frac{m}{x})$Ⅰ＞1430Ⅱc〕。要使二者交换得到平衡，Ⅱ必须把Ⅱm的一部分作为追加不变资本，即ⅡΔc，加进Ⅱc（即把 70ⅡΔc 加进 1430

① 《资本论》第 2 卷，人民出版社 2004 年版，第 577 页。

Ⅱc＝1500），进行交换。在这里，对Ⅱ来说，已不是简单再生产，而是积累了。这时，Ⅱ不仅积累了ⅡΔc，而且也积累了ⅡΔv。

第三，Ⅰ$(v+\frac{1}{2}m)$小于Ⅱc。为要维持简单再生产，Ⅱ必须通过向Ⅰ购买，补偿再生产的不变资本，当然，这时候，也不需要Ⅱ进行可变资本的积累了，因为它的不变资本只是通过购买才能在原有数量上全部再生产出来。

在上述交换时的几种特殊情况

"简单再生产的前提是Ⅰ(v＋m)＝Ⅱc。"资本主义生产不是以简单再生产，而是以扩大再生产为特征的，"因此，资本主义积累的事实排斥了Ⅱc＝Ⅰ(v＋m)这一可能性"。这就是说，在资本主义生产以扩大再生产为特征的条件下，Ⅰ(v＋m)＝Ⅱc的情况是不存在的。但是也有几种特殊情况是必须注意的。第一种情况：虽然总的说来，资本主义生产是扩大再生产，但个别年份，由于产业周期的缘故，不仅不能维持简单再生产，甚至比原有的生产规模小，使该年的生产总额小于前一年的生产总额，这就不可能有资本积累，Ⅱc与Ⅰ(v＋m)的比例就会受到破坏。第二种情况：在资本积累时，由于前几年一系列生产期间进行积累的结果，第Ⅱ部类有许多商品卖不出去，使得Ⅱc等于甚至大于Ⅰ(v＋m)。"这就是说，第Ⅱ部类的生产过剩了，而这只有通过一次大崩溃才能恢复平衡，其结果是资本由第Ⅱ部类转移到第Ⅰ部类。"第三种情况：如果把第Ⅱ部类的产品继续留在本部类内部作为不变资本来使用，如农业中把生产出的谷物再作为种子，"那也不会改变Ⅰ(v＋m)和Ⅱc的关系"。为什么呢？正如第Ⅰ部类的不变资本只由第Ⅰ部类本身的产品来补偿、不需要通过Ⅰ对Ⅱ的交换一样，第Ⅱ部类把产品转为本部类内部的不变资本，也只是在本部类内部的补偿和实现，不需要通过第Ⅱ部类对第Ⅰ部类的交换，这虽然是实现过程中的一种特殊情况，但在研究两个部类之间的关系时，是无须加以考察的。如果第Ⅱ部类的产品一部分可以作为第Ⅰ部类的生产资料，那也不会改变问题的实质，因为这部分产品会和第Ⅰ部类提供的一部分生产资料互相抵消。

扩大再生产的实现条件

第588页第2段极其重要，这是马克思分析资本主义扩大再生产所得出的一个重要结论，这就是：在资本主义扩大再生产情况下，Ⅰ(v+m)不能与Ⅱc相等，一方面，Ⅰ(v+m)必须大于Ⅱc，另一方面，"Ⅰ$(v+\frac{m}{x})$必须总是小于Ⅱ(c+m)"，或者说，Ⅱ(c+m)必须大于Ⅰ$(v+\frac{m}{x})$。为什么呢？这是因为：Ⅰ(v+m)除了补偿Ⅱc之外，还必须为Ⅰ和Ⅱ提供追加的不变资本，即ⅠΔc+ⅡΔc，这就是说，Ⅰ(v+m)必须与Ⅱc+ⅠΔc+ⅡΔc相等，才能实现两大部类之间的平衡。这是从第Ⅰ部类方面而言的。但是另一方面，从第Ⅱ部类方面来看，第Ⅱ部类必须为两大部类提供追加的可变资本，即ⅠΔv+ⅡΔv，这就又要求Ⅰ$(v+\frac{m}{x})$必须总是小于Ⅱ(c+m)。因为Ⅱm总是分解为三个部分：即ⅡΔc、ⅡΔv、Ⅱ$\frac{m}{x}$。Ⅱ$\frac{m}{x}$是第Ⅱ部类资本家自己消费的部分。如果Ⅱ(c+m)=Ⅰ$(v+\frac{m}{x})$，其结果，或者是：二者互相交换，Ⅱ资本家没有个人消费，这在事实上是不可能的；或者是，减去第Ⅱ部类资本家的个人消费，即减去Ⅱ$\frac{m}{x}$，Ⅰ的一部分产品就不能实现，不能取得平衡。要取得平衡，必须是：Ⅱ(c+m)=Ⅰ$(v+\frac{m}{x})$+ⅠΔv+ⅡΔv+Ⅱ$\frac{m}{x}$，这就是说，第Ⅱ部类的不变资本加剩余价值，必须等于第Ⅰ部类的可变资本加第Ⅰ部类资本家用于个人消费的部分，再加第Ⅰ部类追加的可变资本和第Ⅱ部类追加的可变资本，以及第Ⅱ部类资本家用于个人消费的部分。因此，Ⅰ$(v+\frac{m}{x})$必须总是小于Ⅱ(c+m)，反过来也可以说，Ⅱ(c+m)必须大于Ⅰ$(v+\frac{m}{x})$，因为大于的这部分，除了用于第Ⅱ部类资本家个人消费以外，还要有剩余，能作为第Ⅰ部类的追加可变资本和第Ⅱ部类的追加可变资本。

这个公式，也可能转化为：

$$\text{Ⅱ}(c+m-\frac{m}{x})=\text{Ⅰ}(v+\frac{m}{x})+\text{Ⅰ}\Delta v+\text{Ⅱ}\Delta v。$$

据此，又可转化为：

$$\text{Ⅱ}(c+m-\frac{m}{x})>\text{Ⅰ}(v+\frac{m}{x})。$$

其中大于的部分，必须与 $\text{Ⅰ}\Delta v+\text{Ⅱ}\Delta v$ 相等，才能为两大部类提供追加的可变资本，实现平衡。

由此可见，这是在扩大再生产情况下两大部类之间实现条件的表述公式，也是两大部类之间的平衡公式，和前述 $\text{Ⅰ}v+\text{Ⅰ}\Delta v+\text{Ⅰ}\frac{m}{x}=\text{Ⅱ}c+\text{Ⅱ}\Delta c$ 的平衡公式是一致的。但这个公式是和 $\text{Ⅰ}(v+m)$ 必须大于 $\text{Ⅱ}c$ 的公式相对而言的，后者是从第Ⅰ部类的角度提出了对扩大再生产的要求，前者是从第Ⅱ部类的角度提出了对扩大再生产的要求，马克思的资本主义扩大再生产公式，是包括上述两个公式在内的。只有同时具备了这两方面的条件（即Ⅰ能提供出两大部类所需要的追加不变资本及其物质要素，Ⅱ能提供出两大部类所需要的追加可变资本及其物质要素），扩大再生产才能顺利进行。

Ⅳ. 补　充　说　明

本节补充说明，积累中的货币是从哪里来的问题。

对于资本循环和周转过程中所需要的货币，在第十五至十七章陆续作了分析。对于社会资本再生产和流通中所需要的货币，在此以前也陆续进行了研究，例如，本章第一节第三部分（第 562—563 页），就研究了 A、A′、A″资本家把剩余产品和 B、B′、B″资本家进行交换时，所需要的货币从哪里来的问题。又如：本章第三节（第 571—574 页）又提出了：Ⅱ用现金购买Ⅰm 的 140，这种货币从哪里来的问题。这节是在前述研究的基础上，对积累中的货币来源，着重从下述三个方面做了补充说明。

第一，对第Ⅱ部类来说，原始的货币源泉是第Ⅰ部类金生产者用来和Ⅱc的一部分进行交换的 v+m。这里所说的，不是金生产者 v+m 的全部，其中，金生产者用于贮藏货币的部分，用于第Ⅰ部类扩大再生产的生产资料部分，用于第Ⅱ部类某些生产部门所需要的原料部分，都不会作为货币拿来向Ⅱc交换的。只是金生产者用作追加可变资本的那部分剩余价值，才进入第Ⅱ部类。

第二，为了将来扩大再生产，在第Ⅰ部类和第Ⅱ部类之间的交换中，会在以下场合出现暂时形成的货币贮藏要素：对第Ⅰ部类来说，Ⅰm 的一部分单方面地卖给第Ⅱ部类，作为Ⅱ的追加的不变资本，这时Ⅰ资本家就会出现货币贮藏；对第Ⅱ部类来说，Ⅱ单方面地卖给Ⅰ，作为追加的可变资本，则Ⅱ资本家也会出现货币贮藏；再者，如果Ⅰ$\frac{m}{x}$不能和Ⅱc相抵消，“以致Ⅱm 有一部分被人买去，转化为货币”，这时也会出现货币贮藏。

第三，在两大部类的内部积累上，Ⅰ内部的直接积累，是把Ⅰm 的一部分直接转化为ⅠΔc；Ⅱ内部的直接积累，是把Ⅱm 的一部分直接转化为ⅡΔv。至于第Ⅱ部类内部积累所需要的货币，是由不同资本家处于不同的积累阶段而得到说明的，这些资本家“一方面还处在货币贮藏、只卖不买的阶段，另一方面却已经处在实际扩大再生产、只买不卖的阶段”，货币就是由那些已经进行了贮藏、处在实际扩大再生产阶段的资本家提供出来的。这种情况也完全适用于第Ⅰ部类。

■ 在《资本论》第二卷第三篇，马克思对社会总资本的再生产和流通所做的精辟分析，是从资本主义的特殊的再生产出发的，通过对这种特殊形态的再生产的分析，不仅说明了资本主义条件下社会总资本的再生产和流通是如何进行的，而且从特殊形态的研究中进一步揭示了再生产的一般原理，这种从特殊到一般的方法论，是马克思运用唯物辩证法的光辉范例。因此，马克思在这里所揭示的再生产的一般原理，如果撇开资本主义的实质，不仅对资本主义是完全适用的，而且对其他社会（包括社会主义社会）也是完全适用的。

马克思关于资本主义再生产的基本原理，是在批判资产阶级政治经济学的基础上创建起来的。重农学派的代表魁奈和他的《经济表》虽然对再生产提出了杰出的见解，但由于不懂得把社会生产区分为两大部类，因而不懂得年产品在价值形式上的实现和物质形式上的补偿问题，这就不可能建立起科学的系统的再生产理论。古典学派最杰出的代表亚当·斯密，不仅比魁奈更加退步，而且他的错误的“斯密教条”，一直影响着整个资产阶级的经济学界，使他们都跳不出“斯密教条”的束缚，当然也不可能对再生产理论做出新的贡献。马克思批判了斯密等再生产理论中的错误部分，吸收了他们的某些合理的成分，解决了他们所不能解决的问题，从而创建了科学的再生产理论。恩格斯在评介马克思的再生产理论时指出：《资本论》第二卷第三篇，“这是重农学派以后第一次在这里对资本主义社会商品和货币的总循环最出色的阐述”①。列宁也认为：“马克思在《资本论》第二卷中对社会总资本的再生产的分析，也是极其重要的和新颖的。”② 他在批判布哈林《过渡时期的经济》一书时就曾指出，“甚至在纯粹的共产主义社会里不也有Ⅰv＋m和Ⅱc的关系吗？还有积累呢？”③ 这就肯定了关于第Ⅰ部类和第Ⅱ部类对比关系的原理，对于社会主义和共产主义都是有效的。斯大林在《苏联社会主义经济问题》一书中则着重指出，“马克思的再生产理论的这一切基本原理，不仅对于资本主义社会形态是有效的，而且任何一个社会主义社会在计划国民经济时，不运用这些原理也是不行的”④。由此可见，马克思关于再生产的基本原理，是有多么深远的理论意义和实际意义。这些原理不仅深刻揭露了资本主义再生产中的矛盾，推动着无产阶级革命，而且指导着社会主义国家的亿万人民，进行社会主义建设，并向伟大的共产主义迈进。

列宁深入地分析了两大部类之间的关系，进一步丰富和发展了马克思的再生产理论。一方面，他在《论所谓市场问题》等文章中，把因技

---

① 《马克思恩格斯〈资本论〉书信集》，人民出版社 1976 年版，第 581 页。

② 《列宁选集》第 2 卷，人民出版社 1995 年版，第 434 页。

③ 列宁：《对布哈林〈过渡时期的经济〉一书的评论》，人民出版社 1976 年版，第 2—3 页。

④ 《斯大林选集》下卷，人民出版社 1979 年版，第 600—601 页。

术进步而引起的资本有机构成提高的情况，引进再生产公式中去[①]，他通过四年扩大再生产公式的演算，从而得出结论说："增长最快的是制造生产资料的生产资料生产，其次是制造消费资料的生产资料生产，最慢的是消费资料生产"[②]。因为在四年的扩大再生产过程中，制造生产资料的生产资料生产增长到 136.7%，制造消费资料的生产资料生产增长到 109.5%，而消费资料的生产只增长到 106%。列宁还指出："生产资料增长最快这个规律的全部意义和作用就在于：机器劳动的代替手工劳动（总的来说，就是机器工业时代的技术进步）要求加紧发展煤、铁这些真正'制造生产资料的生产资料'生产。"[③] 另一方面，列宁在《市场理论问题述评》等文章中，进一步论证了生产资料生产的增长最终必须依赖消费品生产增长的原理。他指出："社会产品的第Ⅰ部类（生产资料的生产）能够而且应当比第Ⅱ部类（消费品的生产）发展得快。但是决不能由此得出结论说，生产资料的生产可以**完全不依赖**消费品的生产而发展，也不能说**二者毫无联系**。""生产消费（生产资料的消费）归根到底总是同个人消费联系着，总是以个人消费为转移的。"[④] 事实上，马克思在《资本论》第三卷研究商人资本的周转时就曾说过："不变资本和不变资本之间会发生不断的流通……但是它最终要受个人消费的限制，因为不变资本的生产，从来不是为了不变资本本身而进行的，而只是因为那些生产个人消费品的生产部门需要更多的不变资本。"列宁把上述原理引申到再生产中来，这就进一步丰富了马克思的再生产理论，这也是对为生产而生产的错误思想的深刻批判。

在中国社会主义建设中，毛泽东根据马克思的扩大再生产原理，以苏联为鉴戒，总结我国实际经验，主张用"多发展一些农业和轻工业"

---

① 马克思的"第一例"和"第二例"，虽然前者有机构成较低，后者有机构成较高，但在分析几年扩大再生产的过程时，上述二例的资本有机构成假定都是不变的。但是，在实际生活中，有机构成是在不断提高的。马克思在《资本论》第一卷中早就肯定了这一点。列宁在《论所谓市场问题》一文中，则把有机构成提高引进了扩大再生产公式，这是对马克思再生产理论的进一步发展。参阅《列宁全集》第 1 卷，人民出版社 1984 年版，第 64—67 页。

② 《列宁全集》第 1 卷，人民出版社 1984 年版，第 66 页。

③ 《列宁全集》第 1 卷，人民出版社 1984 年版，第 83 页。

④ 《列宁全集》第 4 卷，人民出版社 1984 年版，第 44 页。

的办法来发展社会主义工业化，制定了以农业为基础，以工业为主导，发展国民经济的总方针，提出了安排国民经济计划必须以农轻重为序的思想，这是对充分发挥第Ⅱ部类消费资料生产在扩大再生产中的重要作用的最充分的运用，这也是对马克思再生产理论的进一步丰富和发展。一般说来，重工业基本上属于第Ⅰ部类，农业、轻工业基本上属于第Ⅱ部类[①]，农、轻、重的关系，实际上是社会生产两大部类关系的主要体现者。正确安排两大部类的比例关系，首先就要安排好农轻重的比例关系。因此，用多发展一些农业和轻工业的办法来发展重工业，不只是用第Ⅰ部类的生产来带动第Ⅱ部类的发展，而且是用第Ⅱ部类的生产来促进第Ⅰ部类发展的问题。毛泽东说："农业和轻工业发展了，重工业有了市场，有了资金，它就会更快地发展。"[②] 用发展第Ⅱ部类生产来推动第Ⅰ部类生产以及整个社会的扩大再生产，这就要：一方面，根据第Ⅱ部类的生产状况，主要是农业和轻工业的生产状况，来安排第Ⅰ部类的生产和整个社会的生产，这也就是说，社会生产发展的规模和速度，必须同农业、轻工业所能提供的剩余产品相适应。另一方面，第Ⅰ部类的发展，要面向第Ⅱ部类，这就是说，重工业的发展，必须为农业、轻工业的发展服务，这就要以日益增多的生产资料和先进技术设备来武装第Ⅱ部类，以促使消费资料生产的扩大，反转过来，才能为第Ⅰ部类提供日益增多的粮食、原料、资金、劳动力和市场，进一步促进第Ⅰ部类的发展，这才能使第Ⅰ部类真正发挥它在再生产过程中的决定作用。由此可见，在中国进行社会主义经济建设的过程中，一方面既要注意发展生产资料的生产，以便用先进技术设备改造整个国民经济；另一方面必须充分重视消费资料生产在扩大再生产过程中的重要作用，加速农业、轻工业的发展，以推动第Ⅰ部类生产的发展，从而把整个国民经济推向前进。因此，认真学习和研究马克思主义的再生产理论，不断总结实践经验，加强宏观调控，安排经济计划中的各种比例关系，就成为一项重要而迫切的任务了。

---

① 重工业是属于生产资料的生产部门，基本上属于第Ⅰ部类。但也有的重工业产品是用于个人消费的，如民用煤、民用电等。至于农业、轻工业则属于生产消费资料的部门，基本上属第Ⅱ部类，但也有些产品是作为生产资料之用的，如工业用布，工业用纸，农业生产中的种子，等等。所以只能说是"基本上"。

② 《毛泽东文集》第7卷，人民出版社1999年，第241页。